D0522258

Le retour du cheikh

Une troublante attirance

OLIVIA GATES

Le retour du cheikh

Passions

éditions HARLEQUIN

Collection : PASSIONS

Titre original : THE SHEIKH'S CLAIM

Traduction française de ROSA BACHIR

HARLEQUIN®
est une marque déposée par le Groupe Harlequin

PASSIONS®
est une marque déposée par Harlequin S.A.

Photos de couverture
Couple : © KEVIN DODGE/MASTERFILE
Coucher de soleil : © FRANK KRAHMER/ZEFA/CORBIS
Réalisation graphique couverture : E. COURTECUISSE (Harlequin SA)

Si vous achetez ce livre privé de tout ou partie de sa couverture, nous vous signalons qu'il est en vente irrégulière. Il est considéré comme « invendu » et l'éditeur comme l'auteur n'ont reçu aucun paiement pour ce livre « détérioré ».

Toute représentation ou reproduction, par quelque procédé que ce soit, constituerait une contrefaçon sanctionnée par les articles 425 et suivants du Code pénal.

© 2012, Olivia Gates. © 2013, Harlequin S.A.
83-85, boulevard Vincent-Auriol, 75646 PARIS CEDEX 13.
Service Lectrices — Tél. : 01 45 82 47 47
www.harlequin.fr
ISBN 978-2-2802-8322-9 — ISSN 1950-2761

- 1 -

Vingt-sept mois plus tôt

— Alors, tu as réussi à tuer impunément, cette fois-ci.

Jalal Aal-Shalaan fronça les sourcils tout en prononçant ces mots.

Il se tenait sur le seuil d'un salon opulent, dans l'une des plus belles demeures des Hampton, où il était reçu depuis des années en tant qu'invité de marque. Il avait cru ne jamais remettre les pieds ici, à cause de la femme qui se trouvait dans la pièce, le dos tourné. Cette femme qui était désormais la propriétaire des lieux.

Lujayn Morgan. Son ex-maîtresse.

Quand il lui avait lancé ces mots au visage, elle était en train de ramasser une liasse de lettres sur une table de marbre et elle s'était figée.

Lui-même était raide de la tête aux pieds. Ses poings et sa mâchoire étaient crispés, et chacun de ses muscles vibrait.

B'haggej'jaheem — par l'enfer, pourquoi avait-il dit cela ?

Il n'avait pas eu l'intention de lui montrer la moindre hostilité. Ni la moindre émotion. D'ailleurs, jusqu'à cet instant, il avait cru ne plus en éprouver aucune. Il était venu ici dans un but précis : pour la revoir, sans être submergé par le désir qui l'avait aveuglé pendant les quatre années de leur liaison. Pour que la rupture entre eux soit nette, chose dont elle l'avait privé quand elle était sortie de sa vie brusquement, sans lui laisser la moindre chance de protester. Seul, il avait dû surmonter son désarroi, sa fureur, l'absence d'explications. Jusqu'à cet instant, il avait cru que la rupture qu'il cherchait était simplement une question d'honneur. Il avait cru s'être remis, pendant ces deux dernières années, à force d'analyser ses sentiments jusqu'à ce qu'il ne reste plus rien qu'une froide curiosité et de l'aversion.

Mais il s'était bercé d'illusions. Le sentiment qu'il ressentait pour elle, même s'il avait changé de nature, était resté tout aussi virulent.

Il avait toujours présenté au monde une façade d'indifférence. C'était en partie sa nature, et en partie un mode de défense. Le fait d'avoir pour mère Sondoss, la célèbre reine du Zohayd, et pour jumeau Haidar, l'énigme qui l'avait tourmenté depuis l'enfance, l'avait obligé à aiguiser ses défenses. Ils étaient les seuls qui aient jamais réussi à lui faire perdre le contrôle de lui-même. Puis Lujayn était entrée dans sa vie.

Encore aujourd'hui, le simple fait de la voir le rendait vulnérable. Et il ne l'avait même pas encore vue de face.

Mais, juste à cet instant, elle se retourna.

L'air quitta ses poumons, et son cœur cogna dans sa poitrine.

Sa beauté avait toujours été fascinante. Ses gènes moyen-orientaux et irlandais s'étaient unis pour donner ce qu'il y avait de meilleur dans ces deux mondes. Quand elle l'avait quitté, les grandes marques commençaient à se battre pour que sa silhouette élancée mette en valeur leurs produits, et les lignes de maquillage voulaient ce visage inoubliable et ces yeux uniques, pour leurs publicités sur papier glacé.

Pourtant, elle n'avait eu de cesse de perdre du poids, au cours de leur liaison. Cela l'avait inquiété, puis irrité : quel besoin avait-elle de se faire du mal pour atteindre une perfection qu'elle possédait déjà ?

Mais la femme émaciée qu'elle était à la fin de leur liaison avait désormais laissé place à une créature qui respirait la santé et la féminité, avec des courbes généreuses que même son austère tailleur noir ne pouvait assagir. Ce qu'il y avait de mâle en lui rugit aussitôt.

Le mariage lui avait réussi. Un mariage avec un homme qu'il avait autrefois considéré comme un ami et qui était mort moins de deux ans après. Un homme dont il venait en substance de l'accuser du meurtre.

En se redressant, elle pencha la tête, ce qui souligna l'élégance de son cou gracile et mit en valeur sa chevelure noir de jais coiffée en chignon.

Son calme froid était une superbe performance d'actrice, mais ses yeux la trahirent. Les pupilles de ses iris mystérieux, aussi argentés que la signification de son prénom, se dilataient et rétrécissaient, comme chaque fois qu'elle était agitée ou excitée. On aurait dit que ses yeux lançaient des éclats de lumière, ce qui l'avait captivé dès leur première rencontre.

Le besoin de regarder ces yeux de plus près le poussa à avancer. Puis des attaques dont il n'avait même pas eu conscience se déversèrent de ses lèvres.

— Non pas que je sois surpris. Tu as réussi à tromper les gens les plus soupçonneux et les plus rusés que je connaisse, y compris moi.

— Que fais-tu ici ?

Sa voix le fit sursauter. Autrefois caressante, elle s'était colorée de notes sombres qui renforçaient son effet.

Elle secoua la tête, comme exaspérée par l'inanité de sa propre question.

— Oublie ce que je viens dire. Comment es-tu arrivé ici ?

Il s'arrêta à moins d'un mètre, même si chacune de ses cellules lui criait de continuer d'avancer pour appuyer chaque centimètre de son corps contre elle. Comme lorsqu'ils avaient été amants.

En jurant intérieurement, il fourra les mains dans ses poches, feignant la nonchalance.

— C'est ta bonne qui m'a laissé entrer.

Elle secoua la tête, comme si elle trouvait sa réponse ridicule. Puis elle écarquilla les yeux, l'air accusateur.

— Tu l'as menacée !

Son ventre se noua. Autrefois, elle l'avait placé sur un piédestal. A présent, la première chose qui lui venait à l'esprit, c'était qu'il avait commis un acte répréhensible. Pis, un acte criminel.

Mais pourquoi cela devrait-il le perturber ? Il avait depuis longtemps accepté l'idée que son adoration avait été une comédie, qu'elle avait cessé de jouer, dès l'instant où elle avait compris que son petit manège ne servirait pas son but. Cependant, il fallait le reconnaître, elle avait tenu plus de deux ans, avant de commettre des faux pas et que les dissensions s'accumulent.

Il avait continué à refuser de voir les choses pour ce qu'elles étaient, à savoir de la pure manipulation. Non, il avait tout mis sur le compte de la pression causée par un métier très concurrentiel et de la personnalité dominante qu'il était avec elle. Il avait cru que leurs disputes nourrissaient une relation déjà incendiaire, au point qu'il les avait lui-même instiguées parfois. Il s'était trompé de façon si totale que leur dispute finale et explosive l'avait sidéré.

Mais après deux années passées à ressasser le passé, il voyait clair. S'il avait rejeté toute preuve de la vérité, à l'époque, c'était pour maintenir l'illusion, car il ne pouvait vivre sans sa passion. Ou du moins, c'était ce qu'il avait pensé.

Perchée sur ses talons de dix centimètres, elle se redressa de toute sa hauteur et prit une posture défensive.

— Tu as peut-être effrayé Zahyah, mais tu as dû oublier à qui tu avais affaire, si tu as cru que tes manières coercitives pouvaient fonctionner. Tu peux repartir comme tu es venu, de ton propre chef, ou accompagné par mes vigiles. Ou mieux encore, par la police.

Il balaya sa menace d'un revers de la main. Elle avait toujours eu le pouvoir de le défier et de l'exciter d'un seul regard, d'un seul mot.

— Que leur dirais-tu ? Que ton employée de maison m'a laissé entrer sans te consulter et t'a laissée seule avec moi dans une maison vide ?

A n'importe quel autre moment, il aurait recommandé que la bonne soit sévèrement réprimandée pour un tel manquement au protocole et aux règles de sécurité. Mais, en l'occurrence, il était heureux qu'elle ait agi ainsi.

— Interroge-la, poursuivit-il, et elle jurera qu'il n'y a eu aucune intimidation d'aucune sorte. En tant qu'ancienne collègue de ta mère, il était tout naturel pour Zahyah de me laisser entrer.

— Tu veux dire qu'en tant qu'ancienne collègue de ma mère, Zahyah était aussi l'une des servantes de *ta* mère ?

A la mention de sa mère, il se raidit. Savoir qu'elle avait conspiré pour destituer son père, le roi Atef et chasser ses demi-frères de la succession au trône du Zohayd était une blessure permanente.

Mais Lujayn ne savait rien de la conspiration. Hormis ses frères, son père et lui, personne n'était au courant. Ils avaient tout mis en œuvre pour garder le secret, en attendant de pouvoir résoudre la situation. Et elle ne serait résolue que lorsqu'ils découvriraient où sa mère avait caché les joyaux de la couronne du Zohayd. C'était une situation archaïque et révoltante, dictée par la légende, et à présent renforcée par la loi — la possession des joyaux conférait le droit de diriger le Zohayd. Au lieu d'appeler à ce que la personne qui les avait volés soit punie, le peuple avait décrété que son père et ses héritiers, qui les avaient « perdus », étaient indignes du trône. La croyance que les joyaux « cherchaient » à être possédés par ceux qui méritaient de gouverner le royaume était indéracinable.

Même quand elle avait été menacée d'être emprisonnée à vie, sa mère avait refusé d'avouer le lieu où ces joyaux se trouvaient. Tout ce qu'elle leur avait dit, à son frère jumeau Haidar et à lui, c'était qu'elle continuerait de détruire leur père et leurs demi-frères depuis sa prison, et que lorsque le trône reviendrait à Haidar, et que Jalal deviendrait son prince héritier, ils la remercieraient.

Il chassa ces pensées irritantes, et posa son regard sur la cause d'une irritation encore plus grande. Lujayn.

— Je veux dire que Zahyah, en tant qu'Azmaharienne ayant passé des années dans le palais royal du Zohayd…

— En tant qu'esclave de ta mère, comme l'était la mienne.

Le nœud dans son ventre se renforça, tandis qu'un autre des méfaits de sa mère réveillait sa honte.

Depuis la découverte de la conspiration de Sondoss, ils avaient pris conscience de l'étendue de ses crimes. Le mot « esclave » était peut-être une exagération, mais d'après leurs récentes découvertes, il était évident qu'elle avait maltraité ses servantes. En tant que dame de compagnie, la mère de Lujayn semblait avoir été la plus touchée par ses impitoyables caprices. Mais Badreyah

avait quitté le service de sa mère dès que Lujayn avait
rompu avec lui. Apparemment, elle avait pu se le permettre, lorsque Lujayn avait épousé Patrick McDermott.

C'était d'ailleurs sans doute l'une des raisons pour
lesquelles Lujayn l'avait épousé, mais cette idée ne le
rendait pas moins amer pour autant. Si Lujayn avait
su que Badreyah avait souffert sous la direction de sa
mère, elle aurait dû le lui dire. C'était lui qu'elle aurait
dû aller trouver pour requérir de l'aide.

— Quelle que soit l'opinion de Zahyah sur ma mère,
à l'évidence, elle me considère toujours comme son
prince. Elle m'a reçu en conséquence.

— Ne me dis pas que selon toi, les gens croient à
cette plaisanterie de prince des Deux Royaumes.

Son sourire méprisant lui fit monter le sang à sa tête.
En tant que princes mi-azmahariens, mi-zohaydiens,
Haidar et lui avaient été surnommés ainsi. Il ne pouvait
pas parler au nom de Haidar, mais lui ne s'était jamais
senti prince d'aucun des deux pays. Au Zohayd, il était
exclu de la succession parce qu'il était d'une lignée
impure. A Azmahar… eh bien, les raisons pour lesquelles
personne là-bas ne devrait jamais le considérer comme
un prince étaient multiples.

Le slogan qui les suivait depuis la naissance avait
toujours ressemblé — comme elle venait de le dire de
façon lapidaire — à une plaisanterie.

Mais leur mère avait ensuite décidé d'en faire une
réalité. Elle était prête à détruire toute la région pour cela.

— Prince ou non, Zahyah m'a reçu, comme tes
gardes. Je suis venu ici assez souvent pour qu'ils n'y
réfléchissent pas à deux fois.

— Tu les as manipulés, en te servant d'une amitié
ancienne avec Patrick…

— Qui n'est plus avec nous, grâce à toi, coupa-t-il,

de nouveau envahi par une colère noire. Mais tu n'as pas anticipé ma venue. J'aurais cru que tu révoquerais mon invitation permanente.

— Comme je le ferais pour celle d'un vampire ? Quoique… Un vampire serait préférable, puisque toi, tu te nourris des *âmes*. Et tu es plus difficile à bannir. Mais je vais rectifier cette omission sur-le-champ.

Il agrippa son bras quand elle passa devant lui et sentit le désir envahir son corps. Il serra les dents pour maîtriser sa réaction, et respira doucement pour que son parfum — celui de crépuscules parfumés au jasmin et de nuits noyées de plaisir — n'affole pas ses sens.

— Ne prends pas cette peine. Cette charmante visite ne se répétera pas.

Elle retira son bras.

— Elle ne commencera même pas. Tu ne manques pas de toupet, en venant ici après ce que tu as fait.

Elle faisait référence à ses conflits professionnels avec Patrick, qui avaient abouti à des pertes colossales pour eux deux. Encore des dommages causés par *elle*.

Il fit mine de ne pas comprendre.

— Ce n'est pas moi qui t'ai abandonnée pour épouser une de tes meilleures amies, et ensuite la retourner contre toi.

— Tu accordes trop peu de crédit à Patrick, si tu penses que j'ai influencé sa décision de couper tout lien professionnel avec toi.

— Tu influencerais le diable lui-même. Et nous savons tous deux que Patrick était quelqu'un de profondément bon. Il était la proie parfaite pour la veuve noire que tu t'es révélée être.

Elle le toisa avec dédain.

— Arrête ton numéro, Jalal. Si tu as traversé la moitié de la Terre uniquement pour m'accuser d'avoir tué mon mari par overdose, c'est déjà fait. Ne sois pas redondant, ni insensible et autoritaire. A présent tu peux retourner dans ton pays arriéré et plein de sable pour jouir de ton pouvoir immérité.

Une douleur brûlante lui serra la poitrine. Non parce que son opinion l'insultait, mais parce que c'était la sienne. Mais curieusement, la déception ne fit qu'intensifier sa réaction, et une autre vague de désir afflua dans son aine.

Elle se fendit d'un sourire sinistre.

— Tu as toujours été coléreuse, pourtant tu n'as jamais parlé avec autant d'audace.

— C'est toi qui n'as jamais pris la peine de m'écouter. D'ailleurs, Ton Altesse exaltée ne considérait personne digne d'être écouté. Mais tu as raison, en partie. J'ai été coupable, autrefois, d'adoucir mon attitude et d'embellir mon opinion de toi. Je ne suis plus la personne que j'étais.

— Tu es exactement la personne que tu as toujours été. Mais à présent que tu es l'héritière d'un empire qui vaut des millions, tu crois avoir le luxe de me montrer ton vrai visage, et assez d'influence pour m'affronter.

Son regard se fit narquois.

— Cela ne veut pas dire pourtant que je n'ai plus besoin de réprimer la haine que j'éprouve pour toi et pour tout ce que tu représentes. Mais puisque je ne suis pas encline à expliquer mes raisons, merci d'être venu.

Merci ?

— Je bouillais depuis deux ans de ne pas t'avoir dit tout ce que j'avais sur le cœur lors de notre dernière entrevue. Merci de m'offrir l'occasion d'ôter ce poids qui pesait sur ma poitrine. A présent, puisque tu as fait ce que tu étais venu faire et que tu as assouvi ton désir, à l'évidence réprimé depuis longtemps, de me traiter de tous les noms…

— Ce n'est pas ce que je suis venu faire.

Avant qu'elle puisse lui renvoyer une réplique caustique, et sans qu'il s'y attende lui-même, il l'attira à lui et la plaqua contre son corps brûlant.

— Et ce n'est certainement pas ce désir-là que j'ai réprimé depuis longtemps.

Un cri de protestation lui échappa, qu'il captura entre ses lèvres. Il laissa son souffle le pénétrer, brisant les entraves qu'il avait mises depuis longtemps sur ses sens. Et il laissa la sensation prendre le contrôle et le mettre en pièces. Sa saveur l'enivra, le ramenant à leurs nuits de passion.

— Peu importe ce que tu détestes chez moi, tu as toujours adoré ça, dit-il contre sa bouche.

Il embrassa ses lèvres pulpeuses, et les entrouvrit, incapable d'attendre pour plonger dans la chaleur de sa bouche sucrée.

— Tu en mourais d'envie. Mes caresses, mon désir, mes plaisirs. Tout le reste n'était que faux-semblants, mais ceci, c'était réel. Et ça l'est toujours.

— Ce n'est pas…

Les mots de Lujayn moururent dans sa gorge dès que ses lèvres dansèrent contre les siennes. Elle trembla, puis lui rendit son baiser.

Cela avait toujours été ainsi. Il suffisait d'un seul contact pour qu'ils s'enflamment et enclenchent la réaction en chaîne qui les conduirait vers l'extase et l'oubli.

— Oui, Lujayn. C'est toujours le cas. Il existe toujours bel et bien, ce désir qui consume tout, qui fait rage entre nous et que nous seuls pouvons satisfaire.

Elle gémit d'excitation lorsque sa langue chercha à la faire céder. Et elle ne tarda pas à abdiquer, à son grand plaisir. Au premier frottement de langues, un sursaut de plaisir électrifia leurs deux corps, la fit sursauter, la poussa à essayer d'échapper à leur intimité grandissante. Mais il la retint en mordillant ses lèvres, lui arrachant un gémissement, et elle se cambra contre lui, leurs lèvres se mêlant de nouveau.

Il la fit reculer vers le mur le plus proche, se pressa contre ses courbes généreuses.

— Dis-moi que tu es restée allongée la nuit, en brûlant de te rassasier de moi. Dis-moi que tu brûles de désir, comme moi. Dis-moi que tu t'es souvenue de tout ce que nous avons partagé dès l'instant où je suis apparu, et que même lorsque tes lèvres m'attaquaient, tout ce que tu voulais, c'était que je t'emplisse, que je te chevauche, que j'apaise la douleur qui te rend folle.

Il la regarda pour avoir sa confirmation. Et il l'obtint.

Elle le désirait encore. Elle n'avait jamais cessé de le désirer.

Cela se voyait dans la lueur brûlante et le désarroi de ses yeux. Quoi qu'elle se soit dit depuis qu'elle l'avait quitté, sa réaction explosive face à lui l'avait forcée à affronter la réalité.

Sans la quitter des yeux, il la prit dans ses bras et elle s'y accrocha aussitôt, lui donnant une autre preuve de son consentement.

Son cœur faillit bondir de soulagement, et d'empressement, tandis qu'il courait presque, mû par l'ardeur de son envie. Ce fut seulement lorsqu'il la posa sur un grand lit qu'il se rendit compte qu'ils étaient dans la chambre principale.

Il s'étendit à moitié sur elle et, capturant ses poignets d'une main, il lui éleva les bras au-dessus de la tête. De l'autre, il caressa son visage, son cou, ses seins. Puis, en soutenant son regard assombri, il se pencha vers elle et reprit ses lèvres en même temps qu'il ouvrait sa veste d'un geste brusque.

Elle haleta et détourna la tête, comme saisie d'une soudaine timidité. Ses baisers dérivèrent alors sur sa joue douce et chaude. Quand il mordilla le lobe de son oreille, elle se cambra, plaquant ainsi ses seins généreux contre son torse. Elle frissonna violemment sous l'effet de leur contact électrisant.

Il l'observa, pour laisser son expression lui dicter ce qu'il devait faire ensuite. Ses yeux envoyaient toujours leurs éclairs fascinants, son souffle était saccadé, ses tétons pointaient sous son chemisier.

Satisfait de voir qu'elle réagissait aussi violemment, il s'assit, provoquant un halètement de déception, mais il s'empressa de la rassurer et enleva sa veste. Puis, analysant chaque nuance dans les profondeurs éloquentes de ses yeux, il déboutonna lentement, très lentement, sa chemise.

Il lui laissait le temps et l'occasion de réagir, si elle ne voulait pas que cela aille plus loin. Et il se donnait la possibilité de l'étudier, tandis qu'elle le regardait exposer son corps à son regard, un corps sur lequel elle avait laissé sa marque indélébile. Il se réjouit de voir ses lèvres enfler, ses joues s'empourprer.

— N'est-ce pas ce pour quoi tu brûles ?

Elle hocha la tête, ses yeux brillants appuyant sa confession. Il l'incita à poser les mains sur lui, l'une sur son cœur battant, l'autre sur son ventre, qui tremblait d'envie. Et bientôt, il l'invita à aller plus bas, poussant un long gémissement profond quand elle ferma les mains autour de son sexe avec avidité.

Ce supplice exquis, dont il avait rêvé si souvent, le fit serrer les dents.

— Caresse-moi, Lujayn. Prends ce que tu as toujours voulu. Savoure-moi, délecte-toi de moi. Dévore-moi comme tu le faisais, *ya'yooni'l feddeyah*.

Il l'avait appelée par l'un de ses termes affectueux préférés, « mes yeux d'argent ». Elle avait sursauté en entendant ces mots, et ses prunelles s'assombrirent encore, jusqu'à prendre la couleur du crépuscule du Zohayd. Des halètements s'échappèrent de ses lèvres tandis qu'elle l'explorait avec une audace grandissante. Son intention de faire durer l'instant jusqu'à ce qu'elle le supplie diminuait à chacun de ses gémissements, aussi irrésistibles que le chant d'une sirène. Et quand elle ferma les yeux et qu'un plaisir douloureux se lut dans son visage, il y renonça tout à fait.

Poussant un soupir rauque, il écarta les mains de son corps tendu de désir. Alors qu'il allait se placer au-dessus d'elle, elle sursauta, comme si elle sortait d'une transe, et se redressa.

— Jalal, il faut que nous arrêtions…

Il se figea.

— Dis-moi pourquoi.

— Patrick…

Il prit ses mains dans les siennes, la força à ouvrir les yeux.

— Est mort. Alors que toi et moi, nous ne le sommes pas. Mais nous ne sommes pas en vie non plus. Ose prétendre que tu as réellement pu *vivre*… sans cela…

Il reprit possession de ses lèvres, en frottant son sexe durci contre elle jusqu'à ce qu'elle cède et s'abandonne à son étreinte. Il interrompit son baiser pour se redresser sur ses bras tendus.

— Dis-moi que tu as connu le vrai plaisir ou la satis-faction depuis que nous nous sommes séparés. Dis-moi que tu ne me désires pas autant que je te désire, et je m'en irai.

La vérité brillait dans ses yeux, pourtant, elle rétorqua :

— Le désir n'est pas tout.

— Mais c'est suffisant pour l'instant.

Il enfonça les doigts dans son chignon austère, libérant sa crinière de jais soyeuse, pour y enfouir le visage.

— Nous nous désirons, nous avons besoin l'un de l'autre, et nous ne pouvons rien contre ça.

Elle l'éloigna en l'attrapant par les cheveux.

— Cela ne changera absolument rien.

Elle posait des conditions à leurs retrouvailles. Qu'elles soient purement physiques ? Ou qu'elles ne se répètent plus jamais ?

Il refusait de céder.

— Si, cela changera quelque chose. Cela empêchera ce besoin de nous consumer. Admets-le, tu meurs d'envie de me posséder de nouveau, comme je meurs d'envie de te posséder. Tu te donneras tout entière, comme tu l'as toujours fait, et tu me laisseras te donner tout ce que tu m'as toujours supplié de te donner.

Après un long moment, elle hocha la tête.

Puis, baissant ses cils noirs pour lui dissimuler son expression, elle approcha ses lèvres des siennes.

Il sentit le désir gonfler en elle tandis qu'elle mêlait sa langue à la sienne, le laissant prendre toutes les libertés dont il avait besoin, sa ferveur et son audace intensifiant les siennes.

Il plongea la main dans ses cheveux tandis qu'il défaisait les boutons de son chemisier et de sa jupe, et les enlevait pour dévoiler sa peau de velours. Son autre main trembla sur sa fermeture Eclair au moment où il dégrafa son soutien-gorge, libérant ses seins pleins. Il avala son cri d'excitation montant en flèche, tandis qu'il plaquait son corps douloureux contre le sien, se frottant à elle jusqu'à ce qu'elle le supplie.

— Fais-moi l'amour, Jalal. Emplis-moi, chevauche-moi maintenant. Maintenant !

Il se redressa, fit glisser sa culotte et caressa ses replis soyeux, glissant les doigts dans son intimité moite, jusqu'à ce qu'elle ondule contre sa main. Comme par enchantement, à l'instant précis où il ne supporta plus de ne pas être en elle, Lujayn serra les cuisses autour de son dos, en proie à la même fièvre que lui. Puis il plongea en elle.

Elle poussa un cri. Elle était aussi étroite que jamais, rendant son plaisir presque insupportable. Elle se cambra, se serrant contre lui, attendant qu'il la possède. Submergé de sensations, le sexe pris en étau entre ses replis moites, il gémit son nom et se retira, mais seulement pour revenir à la charge encore et encore, allant plus loin à chaque pénétration. Elle se convulsa sous lui, poussant des gémissements de plus en plus profonds. Elle allait à la rencontre de ses coups de reins, renforçant leur puissance, annihilant ses derniers restes de retenue.

Leur accouplement était primaire, sauvage. Ils s'accrochaient l'un à l'autre, se mordaient, fusionnaient dans un abandon de plus en plus brut, rien n'existant que le besoin d'apaiser la douleur qui les rendait fous depuis si longtemps, d'aller jusqu'à l'explosion libératrice.

Il devina le premier spasme de l'orgasme de Lujayn. Son sexe se contracta autour de sa verge avec une telle force qu'il arracha ses lèvres des siennes pour rugir son plaisir. Elle se souleva alors, son vagin comprimant son érection et l'entraînant à son tour dans un tourbillon d'extase. Il eut l'impression d'exploser sous la force de son propre orgasme tandis qu'il déversait sa force de vie en elle.

L'extase relâcha enfin son emprise implacable sur lui, et les cris étranglés de Lujayn moururent à leur tour pour se transformer en gémissements tandis que les répliques du séisme sensuel les secouaient de quelques ultimes spasmes.

Il s'effondra sur elle, oubliant tout sauf le corps de Lujayn sous le sien. Les battements de cœur chaotiques résonnaient dans ses oreilles tandis qu'ils se remettaient peu à peu de leurs ébats explosifs.

Il s'était peut-être endormi. Ou évanoui. Pendant une minute. Ou une heure. Tout ce qu'il savait, c'était qu'il revenait en sursaut dans un corps alourdi par un excès de plaisir. Puis un mouvement sous lui le surprit. *Lujayn*. Il devait l'écraser.

Il gémit en se détachant d'elle à grand regret et se pencha pour l'embrasser, mais elle s'écarta. Son cœur se serra tandis qu'elle se redressait et s'asseyait au bord du lit. Ses longs cheveux tombaient en cascade sur ses épaules raides et immobiles.

Il tendit la main pour la caresser tendrement, mais s'arrêta net lorsqu'elle posa le regard sur lui. Et ce fut pire encore lorsqu'elle prit la parole.

— Je te déteste, Jalal. Alors que je n'ai jamais détesté personne. Considère donc ceci comme la rupture nette, l'adieu ou je ne sais laquelle de ces choses que je suis censée te devoir. Cela n'arrivera plus jamais.

Elle se leva comme un automate. Quelques secondes plus tard, elle avait disparu dans la salle de bains.

Il fixa la porte close, le cœur battant, l'esprit en proie au chaos.

Sur le plan charnel, elle lui appartenait toujours, il venait d'en avoir la preuve. S'il le voulait, il pourrait l'obliger à le supplier de nouveau. Mais son aversion semblait également bien réelle. Il ignorait ce qu'il avait fait pour la mériter. Mais cela pouvait expliquer pourquoi elle l'avait quitté.

Près d'une heure passa avant qu'elle ne sorte de la salle de bains, habillée, rayonnante et distante. Lui aussi s'était rhabillé. Il savait que leur interlude ne devait pas se reproduire. Pas avant qu'il sache ce qui se passait, en tout cas.

Elle se posta devant lui, le regard vide.

— Je suis désolée d'avoir dit que je te détestais. Ce n'est pas vrai.

Les morceaux de son cœur se recollèrent, et un sentiment chaud voleta en lui quand il s'approcha d'elle.

Mais les mots suivants lui firent autant de mal qu'une balle abattant un oiseau en plein vol.

— C'est pire que ça. Je me déteste quand je suis avec toi. Je déteste ce que je fais, ce que je pense, ce que je ressens. Ce que je suis. Patrick m'a appris que je vaux mieux que cela, que je n'ai pas à me sentir ainsi, plus jamais. J'étais certaine de ne jamais revivre cela. Mais tu es comme une maladie incurable. Une seule exposition, et je rechute. Il n'y a qu'une seule façon pour moi de guérir. Je ne te laisserai plus jamais m'approcher. Et si tu essaies, je te le ferai regretter.

Cette antipathie manifeste fit céder les digues de son amertume à lui, accumulée depuis si longtemps, et si brièvement oubliée.

Il recula, comme pour échapper à sa déception cuisante.

— Tu veux dire que je le regretterai plus que je ne le regrette déjà, après m'être réexposé à *ta* toxicité ? Impossible. Alors, épargne-moi ces menaces et cette comédie, Lujayn. Il neigera dans « mon pays arriéré » quand je reviendrai vers toi.

Il ne regrettait pas seulement d'être allé la trouver, il se méprisait d'être incapable de la détester, même maintenant. Il avait succombé à sa faiblesse et l'avait prise dans son lit conjugal, rien de moins. Et comble de l'ironie, c'était elle qui avait retrouvé la raison avant lui.

A la porte, il se retourna, et l'air qu'elle arborait accentua sa douleur. Non seulement leur relation était finie, non seulement elle le détestait, mais elle l'avait toujours détesté.

Tout n'avait été en fait qu'une illusion, une imposture.

Le seul moyen qu'il trouva pour contrer les coups de poignard glacés que ce constat plantait en lui fut de l'attaquer de nouveau.

— Je te remercie. Tu m'as donné exactement ce que j'étais venu chercher : la certitude que tu ne vaux même pas la peine que je t'accorde une pensée. A présent, je vais pouvoir t'effacer tranquillement de ma mémoire.

Il s'en alla enfin. Le soulagement que sa vengeance lui avait fourni pendant quelques instants s'évaporait déjà, laissant place à l'abattement. Car il venait de proférer un autre mensonge. Même s'il savait maintenant que rien de ce qu'ils avaient partagé n'avait été réel, il savait aussi que le souvenir de Lujayn ne relâcherait jamais son emprise sur lui...

2

Le présent

— … le souvenir de ce jour rayonnera pour toujours dans ma mémoire, empli de la bénédiction et de la magie de ton amour, de ta foi en moi, de ton existence même. Moi, Haidar Aal-Shalaan, je te promets fidélité à toi, Roxanne, détentrice de mon cœur…

Jalal appuya sur la touche « pause », le cœur serré, et regarda le pouvoir de l'amour briller dans les deux visages figés sur l'écran.

Il n'avait jamais cru aux miracles. Mais il ne pouvait le nier, il en avait vu un se produire devant lui, et il l'avait revu cent fois en vidéo. Le mariage de son frère jumeau avec Roxanne. En particulier, leurs échanges de vœux, qu'il avait encore revu un nombre incalculable de fois, rien qu'aujourd'hui.

Il était sincèrement heureux pour eux. Pour son frère qui semblait être une extension de lui-même, et pour la femme qui semblait être de sa propre chair et de son propre sang, elle aussi. Mais les voir, les sentir liés ensemble par un amour éternel, lui faisait ressentir encore plus vivement ce vide béant en lui, dont il savait qu'il ne serait jamais empli.

Avec Lujayn, la seule femme qu'il avait désirée de tout son être, il avait entrevu un jour l'occasion de vivre quelque chose qui approcherait de ce que Haidar et Roxanne partageaient. Mais même au plus fort de leur passion, il avait ressenti un manque. A présent, il savait ce qui avait manqué : c'était cette complicité, ce lien, cette acceptation, cet accord parfait.

Il avait mesuré l'étendue du manque pendant ces dernières années, alors que tous ses frères avaient trouvé leur âme sœur. Mais il avait fallu qu'il voie Haidar et Roxanne pour comprendre toute la portée de cette révélation.

Il n'avait rien vécu de pareil avec Lujayn. Et comment l'aurait-il pu, d'ailleurs ? Il fallait être deux pour arriver à ce niveau d'intimité. Elle avait été réticente à avancer au-delà d'un certain seuil. Son but n'avait pas été de nouer une relation profonde avec lui, mais de s'enrichir et de s'élever dans l'échelle sociale.

A l'époque, il avait cru que tous leurs problèmes étaient liés à la nature intermittente de leur relation, dictée par leurs emplois du temps surchargés, et les milliers de kilomètres qui les séparaient. En vérité, au-delà du sexe, elle n'avait jamais vraiment voulu de lui. Elle avait seulement voulu qu'il la demande en mariage.

Il était prêt à parier qu'elle se serait accrochée, si une autre opportunité, un parti presque aussi intéressant que lui, ne s'était pas présenté.

Il arrêta la vidéo. L'écran devint aussi noir que ses pensées.

Il ne visionnerait plus ces images. A quoi bon revoir ce qu'il n'aurait jamais ?

Il se leva, et jeta la télécommande sur la table. Il lui fallut quelques secondes pour se repérer et se souvenir quelles portes-fenêtres du salon donnaient sur la terrasse. Il avait loué tant de maisons différentes, ces deux dernières années, qu'il se réveillait régulièrement sans savoir immédiatement où il était, ni même dans quel pays.

Depuis que les forfaits de sa mère avaient été révélés au grand jour et que le scandale avait secoué la région, il avait parcouru le globe. Son père et ses demi-frères, Amjad, Harres et Shaheen, lui avaient maintes fois assuré que personne ne les associait, Haidar et lui, aux crimes de leur mère, mais malgré tout, il se sentait souillé. Il avait encore plus mal vécu la période pendant laquelle il s'était disputé avec Haidar à cause de ce désastre et qu'il lui en avait attribué à tort la responsabilité. Haidar avait alors déclaré qu'il avait l'impression de ne plus avoir de jumeau.

Ce différend avait été résolu, heureusement, et il ne se sentait plus coupé de son autre moitié. Mais même s'il se sentait de nouveau complet maintenant qu'ils avaient retrouvé la proximité de jadis, cette complétude était toujours… creuse.

Il traversa la terrasse pavée de marbre et s'appuya contre la balustrade de pierre, fixant le désert et un horizon qui semblait plus lointain que jamais.

Que faisait-il ici ?

Pourquoi essayait-il de monter sur le trône de cette contrée ?

Oui, le trône était à prendre, depuis que le désormais ex-roi d'Azmahar, son oncle maternel, avait abdiqué à la suite des protestations du peuple et que tous ses héritiers avaient rencontré le même rejet. Tout comme sa mère avait presque détruit le Zohayd, la famille de son oncle avait amené l'Azmahar au bord de la destruction. Jalal avait cru qu'il serait mis dans le même sac que ses cousins, et qu'il serait l'une des dernières personnes que l'Azmahar voudrait voir approcher du trône. Mais à sa grande surprise, ceux qui représentaient un tiers de la population du royaume avaient exigé qu'il soit leur candidat. Ils lui avaient assuré qu'il n'était pas sali par l'histoire de sa famille, et qu'il avait l'influence et l'expérience nécessaires pour sauver l'Azmahar. Même son sang Aal-Munsoori était un atout, puisque les gens considéraient encore comme monarques de plein droit les descendants légitimes d'anciens souverains. Mais il avait surtout le puissant avantage d'avoir du sang Aal-Shalaan, ce qui lui permettrait de renouer les liens avec un allié vital pour l'Azmahar, le Zohayd.

Cependant, pourquoi était-ce lui qui concourait pour le trône ? Certes, il savait qu'il était qualifié pour le poste. Mais cela ne signifiait pas qu'il devrait forcément le réclamer, dans un pays si chaotique. C'était comme nager dans des eaux infestées de requins. Et puis il avait pour adversaires son jumeau et leur ex-meilleur ami, devenu un ennemi, Rashid.

Il ne pouvait trouver qu'une vraie explication à son comportement : il n'avait pas d'autre but dans l'existence.

Il s'était exilé du Zohayd et avait rempli à distance les devoirs royaux que ses frères n'avaient pas pris en charge durant son absence. Il avait installé un système si efficace pour diriger son empire financier qu'il ne lui fallait que quelques heures par jour pour entretenir son succès. Et il n'avait pas de vie personnelle. En dehors de quelques bons amis, il n'avait personne.

Bien sûr, sa famille lui assurait qu'elle était là pour lui, en cas de besoin, et c'était vrai, mais au quotidien ? Comme ils vivaient au Zohayd, il ne les voyait que rarement. Et en tant que jeune marié et candidat au trône lui aussi, Haidar n'avait pas vraiment de temps à lui consacrer.

Pas étonnant qu'il se sente aussi vide que ce désert, sans espoir de changement.

Un bruit vint soudain déchirer le silence. La sonnerie de son téléphone portable.

Il lui fallut quelques secondes pour reconnaître la mélodie qu'il avait assignée à une personne en particulier : Fadi Aal-Munsoori. Son cousin éloigné, chef de sa garde, et directeur de sa campagne pour la conquête du trône.

Fadi était issu de la branche maternelle de la famille de Jalal, mais il n'avait jamais considéré qu'il avait le moindre lien avec la précédente famille royale d'Azmahar. Le père de Fadi avait entretenu des relations distantes avec eux, tandis que Fadi lui-même avait totalement coupé les ponts, de manière publique et violente. Dès l'instant où ils avaient été destitués, Fadi s'était empressé d'aller trouver les tribus sur lesquelles il avait de l'influence. C'était lui qui les avait poussées à choisir Jalal pour candidat.

Jalal lui confiait sa vie, ses affaires, sa campagne, et même ses secrets, mais Fadi n'avait jamais souhaité établir une relation plus personnelle avec lui. Jalal lui avait maintes fois réaffirmé qu'il était avant tout un ami, mais son cousin se comportait comme un chevalier d'autrefois, Jalal étant son seigneur. Il ne l'appelait que pour des questions urgentes ou importantes.

Jalal souhaitait presque que Fadi lui annonce un énorme problème, afin qu'il sorte de ce vide abyssal qui le consumait.

— Fadi ! Je suis content d'avoir de tes nouvelles !

N'étant pas du genre à s'encombrer de mondanités, celui-ci alla droit au but.

— Comme vous ne m'avez pas donné d'ordres nouveaux concernant cette question, déclara-t-il de sa voix profonde et grave, et que vous ne vous êtes pas enquis des changements éventuels durant ces deux dernières années, vous ne serez peut-être pas intéressé par ce que je dois vous dire. Mais j'ai décidé de vous l'apprendre, pour le cas où.

Jalal sentit son ventre se nouer. Cela ne semblait pas concerner ses affaires, sa sécurité personnelle ou sa campagne. Il n'y avait qu'une seule autre chose dont Fadi ait jamais pris soin pour lui, une seule personne qu'il lui avait demandé de surveiller : Lujayn.

Apparemment, il avait prononcé son nom à voix haute, car Fadi répondit :

— Oui, il s'agit de Lujayn Morgan.

Le vent du désert se souleva soudain, comme pour faire écho aux questions et aux tentations qui se déchaînèrent en lui.

Il s'était retenu de toutes ses forces pour ne pas « donner d'ordres nouveaux » ou « s'enquérir des changements éventuels ». Et il avait tenu bon.

La raison aurait voulu qu'il informe Fadi que ses ordres la concernant étaient levés et qu'il ne devait plus rapporter aucune information qui lui arriverait par accident.

Devant son silence prolongé, Fadi soupira.

— Excusez-moi d'avoir présumé que vous seriez intéressé.

Alors Jalal fit une chose insensée. Le cœur battant, il gronda :

— *B'haggej'jaheem, ya rijal*, dis-moi, tonna-t-il.

Loin d'obtempérer, Fadi garda le silence. Comme tout le monde, il était persuadé que Jalal était le sang-froid incarné. Si c'était en grande partie vrai, le sang-froid et Lujayn n'étaient guère allés de pair.

Il crut presque entendre l'esprit aiguisé de Fadi arriver à une nouvelle conclusion avant qu'il ne lâche :

— Elle est de retour à Azmahar.

*
* *

— Croyais-tu que je n'aurais pas vent de ton retour à Azmahar ?

Lujayn écarta le téléphone portable de son oreille et gémit en entendant une voix qu'elle avait espéré éviter.

La voix d'Aliyah.

Elles avaient autrefois cru être cousines, avec Aliyah, leurs pères respectifs appartenant tous deux au clan irlando-américain des Morgan. Mais on avait fini par découvrir que la mère d'Aliyah, la princesse Bahiyah Aal-Shalaan, n'était en fait que sa tante biologique, car Aliyah était la fille de l'ex-roi Atef Aal-Shalaan du Zohayd et de sa maîtresse américaine et désormais épouse, Anna Beaumont.

Officiellement reconnue comme une Aal-Shalaan, Aliyah était devenue l'épouse du roi Kamal Aal-Masoud et donc la reine de Judar. Une sacrée progression dans l'échelle de la noblesse.

Si c'était leur faux lien de parenté qui les avait amenées à se rencontrer, elles étaient ensuite devenues de vraies amies, lorsque Lujayn avait suivi les traces d'Aliyah en devenant mannequin. Celle-ci lui avait offert de précieux conseils et un soutien inestimable, lui évitant de nombreux problèmes, en la présentant aux quelques personnes qu'il était bon de connaître dans ce monde turbulent.

C'était aussi par Aliyah que Lujayn avait rencontré Jalal, du temps où elles pensaient qu'Aliyah était cousine avec eux deux. A présent qu'Aliyah était devenue la demi-sœur de Jalal, la probabilité était encore accrue qu'elle attire Lujayn dans l'orbite de Jalal. Voilà pour-quoi elle l'évitait. Et aussi parce que Aliyah rayonnait de bonheur, depuis qu'elle s'était mariée.

— Alors, quel est le châtiment qui sera assez sévère pour m'avoir caché ta présence à Azmahar ? la taquina Aliyah.

Comme Lujayn ne pouvait pas lui avouer la vérité, elle choisit plutôt de lui dire tout simplement ce qu'elle ressentait.

— Toi aussi, tu m'as manqué, Aliyah.

Aliyah se fendit d'un rire cristallin.

— La voilà donc de retour, la femme qui sait exactement comment me contrer et me faire sourire en même temps. Tu es plus fuyante qu'une anguille, tu sais ? J'ai entendu dire que c'est un trait de caractère azmaharien.

Un sourire se dessina sur ses lèvres crispées.

— Puisque je ne suis qu'à moitié azmaharienne, le trait doit forcément être atténué, je ne peux donc pas être aussi fuyante que tu le dis.

Aliyah gloussa.

— Alors, combien de temps restes-tu à Azmahar ? demanda-t-elle. La dernière fois que tu es venue ici, c'était il y a plus de quatre ans, et tu y es restée moins de quatre jours.

— Je l'ignore. Cela dépendra de la santé de ma tante.

— Suffeyah ? s'enquit Aliyah d'une voix inquiète. Qu'est-ce qui lui arrive ?

— On lui a découvert un cancer du sein.

— Lujayn, je suis désolée. Amène-la à Judar. Nous avons l'un des meilleurs systèmes médicaux du monde, grâce à Kamal. Je veillerai à ce qu'elle bénéficie des meilleurs soins que le royaume peut offrir.

— Je te remercie infiniment, Aliyah, mais je dois décliner ton offre. J'ai essayé de la faire venir se faire soigner aux Etats-Unis, mais elle refuse de quitter ses filles pendant la durée du traitement. L'une est au lycée, et l'autre vient d'avoir des jumeaux.

— Je comprends bien qu'elle veuille faire passer ses enfants avant elle-même. Mais Azmahar n'est pas prospère en ce moment, et je sais qu'un des secteurs qui souffrent le plus est celui de la santé.

Le cœur de Lujayn se serra.

— Je suis au courant. Mais ma tante insiste pour tenter sa chance avec le système médical de son pays, comme n'importe quel autre Azmaharien. Tout ce que j'ai pu faire, c'est de lui organiser des consultations avec certains des meilleurs médecins américains. Je les fais venir dans quelques jours.

— Bien. Et si ce qu'ils recommandent ne peut être réalisé à Azmahar, je m'arrangerai pour qu'elle dispose quand même des traitements, équipement et personnel nécessaires. Si Suffeyah ne vient pas à nous, nous amènerons le meilleur de Judar jusqu'à elle.

— Aliyah, mille mercis, c'est bien plus que je ne pouvais espérer !

— Mais tu n'espérais rien, n'est-ce pas ? Tu as cette agaçante manie de ne jamais demander l'aide de ton amie.

Lujayn soupira. Aliyah avait raison. Etant la fille d'une servante du palais dans lequel Aliyah avait grandi, Lujayn n'avait jamais voulu déséquilibrer davantage la situation en acceptant des faveurs qu'elle n'aurait pas pu rendre. Elle avait uniquement accepté l'aide profession-nelle d'Aliyah quand celle-ci avait argué qu'elle était le fruit de son expérience et n'avait rien à voir avec son statut de princesse.

Et aujourd'hui encore, elle ne pouvait pas rendre ses faveurs à Aliyah. Voilà pourquoi il lui était difficile d'accepter toute autre largesse de sa part.

— Je peux t'entendre tergiverser, Lu, dit Aliyah. Mais puisque ce n'est pas toi qui bénéficies de mon aide cette fois, cela devrait minimiser ta réaction épidermique.

Promets-moi que tu ne vas pas refuser, et que tu me laisseras faire mon possible quand ce sera nécessaire.

Lujayn s'esclaffa, alors même que les larmes lui montaient aux yeux.

— J'avais oublié à quel point tu me connaissais bien, Aliyah. Et à quel point ta mémoire était efficace. Et surtout à quel point tu étais incroyable.

Elle poussa un soupir, en ravalant la boule d'émotion qui lui obstruait la gorge.

— Merci, et je te promets de ne rien refuser.

— Bravo !

Elle imaginait sans mal le sourire radieux de son amie.

— Maintenant, dis-moi, quand vais-je te voir ? reprit celle-ci.

Tiens donc ! Elle devait déjà faire une autre promesse.

Mais pourquoi pas, après tout ? Elle savait qu'aucune d'elles ne pourrait la tenir. La reine de Judar n'aurait guère la possibilité d'entretenir une amitié suivie avec une femme d'un rang si inférieur.

— Dès que nous en saurons plus sur les traitements préconisés pour ma tante, je t'appelle et on organisera une journée entre filles.

Aliyah poussa un cri joyeux.

— Compte sur moi pour te le rappeler !

Au bout de quelques minutes de discussion, Lujayn commença à retrouver la proximité qu'elles avaient partagée autrefois, jusqu'à ce qu'Aliyah doive la quitter, appelée par ses devoirs maternels.

Aussitôt, Lujayn s'effondra sur le siège le plus proche. Si elle s'écroulait déjà maintenant, dans quel état serait-elle pendant les semaines ou les mois qui viendraient ?

Le sort avait voulu qu'elle revienne à Azmahar maintenant, alors que Jalal était aussi sur le sol azmaharien, pour la première fois depuis des années. Elle détestait se retrouver dans le même espace que lui. Et l'appel d'Aliyah lui avait donné l'impression que l'ombre de Jalal était plus proche et plus sombre que jamais.

Ce qui était stupide. Non seulement il avait dit qu'il l'effacerait de sa mémoire, mais il devait surtout penser au trône qu'il briguait. Même sans cela, elle n'était sans doute pas l'une de ses priorités. Elle avait été le cadet de ses soucis quand elle était sa maîtresse, une partenaire parmi tant d'autres.

Il avait organisé leurs rendez-vous à sa convenance, les espaçant parfois de plusieurs semaines, et il était impossible qu'il ait réprimé sa libido aussi longtemps. Elle avait passé ces périodes loin de lui dans un enfer de soupçons, pendant lesquelles elle avait tenté de se rassurer en se disant que c'étaient ses complexes qui parlaient. Mais elle avait vu et entendu trop de choses. Au lieu de « contenir son désir pour l'assouvir sur son corps voluptueux » comme il l'avait dit un jour, il avait eu une femme différente dans son lit chaque nuit.

Elle avait honte de l'avouer, mais ce n'était pas cela qui l'avait finalement conduite à le quitter.

Après tout, il ne lui avait fait aucune promesse qui aurait pu justifier qu'elle se sente jalouse, et encore moins trahie.

En se maudissant de ressasser ces souvenirs sordides, elle parcourut sa suite du regard. Elle l'avait réservée pour plusieurs semaines, car cet hôtel était proche de l'hôpital, ce qui lui permettrait d'être constamment disponible pour sa tante.

La simple pensée de ce qui l'attendait l'emplissait de terreur. Pas étonnant que l'appel d'Aliyah l'ait secouée. Elle était déjà en plein tourment.

Elle se dirigea vers la kitchenette pour se préparer une tisane. Il lui fallait du calme pour retourner chez sa tante, aux abords de Durrat al-Sahel. La circulation dans la capitale était bien pire que dans son souvenir.

Tandis qu'elle buvait sa première gorgée d'infusion d'hibiscus, un bruit fort et mélodieux brisa le silence de sa suite. Elle se brûla la langue et s'étouffa.

Elle toussait encore quand le bruit se répéta. Une sonnerie ! Elle ignorait que la suite en avait une.

Ce devait être la femme de chambre. Elle n'avait pas pensé à accrocher un panneau indiquant qu'elle ne souhaitait pas être dérangée.

D'un pas lourd, elle gagna la porte, l'ouvrit à la volée et… se figea. Tout comme son cœur.

Emplissant l'embrasure de porte et lui donnant l'impression que le monde s'était rétréci, Jalal lui faisait face. Jalal, qui était à l'origine de chaque tumulte de son existence.

Mais il n'était pas seulement cela. Il était… davantage.

Elle avait cru autrefois que rien ne pourrait surpasser sa beauté et sa splendeur. Et elle avait eu raison. Durant leur liaison, il avait seulement prouvé qu'il pouvait encore s'embellir. Avec son mètre quatre-vingt-dix, ses larges épaules et son corps divinement proportionné, il était l'incarnation de la virilité. Ayant gagné en maturité, il avait atteint une magnificence divine. Chaque jour qu'ils avaient passé ensemble avait sculpté un peu plus son visage, son intelligence, sa sensualité et sa puissance.

Mais il avait encore changé depuis leur dernière rencontre, deux ans plus tôt. Comme si les ténèbres et le danger qu'elle avait soupçonnés depuis longtemps derrière sa façade de grâce et de beauté s'inscrivaient maintenant dans son allure, dans ses nuances. Sa beauté n'était plus seulement époustouflante, elle était désormais poignante.

Il la regardait comme si lui aussi était choqué de la voir.

Après des minutes qui lui parurent des heures, en proie à un désarroi croissant, elle vit ses yeux couleur ambre se plisser.

— J'ai dit que je t'effacerais de ma mémoire, mais ça m'est impossible, dit-il enfin de sa voix brûlante. Alors, j'ai décidé de cesser d'essayer et d'aller dans la direction opposée. Je pense maintenant que mon seul remède, c'est de raviver chaque souvenir, de rejouer chaque moment d'intimité que nous avons partagé.

3

Lujayn resta là, paralysée, tandis que Jalal passait devant elle. La porte se ferma, avec le bruit d'une arme tirant à bout portant.

Elle ne pouvait toujours pas bouger. Ni parler. Ni respirer. Les réactions l'inondèrent tandis qu'elle le regardait s'avancer dans la suite, les souvenirs, les sensations et les impulsions s'emmêlant, piégeant sa volonté dans leur dédale. Il avait toujours suffi qu'il pose les yeux sur elle pour neutraliser sa volonté et son instinct de conservation.

Et le fait qu'il ait toujours la même influence sur elle, après ce qu'elle avait enduré et perdu, après ce qu'elle avait combattu à cause de lui, la rendait folle de rage.

Lorsqu'il se tourna vers elle, posant un regard intense sur elle, elle se sentit bouillir.

— Mais qu'est-ce que tu fabriques ? Sors d'ici.

— Je vais sortir. Mais plus tard, dit-il avec un haussement d'épaules nonchalant. Pour l'instant, si tu m'épargnais cette scène forcée et que nous parlions des détails de ma proposition ?

— Tu veux que je te rappelle notre premier souvenir ? Que je rejoue le premier moment d'intimité que j'ai partagé avec toi ?

Son regard de prédateur s'embrasa tandis qu'il approchait d'elle.

— Quand je t'ai vue te cacher derrière Aliyah, en train de m'observer comme une chatte méfiante et affamée ? Ou quand je me suis avancé vers toi et que j'ai pris ta main dans la mienne — il serrait et desserrait ses mains comme s'il revivait les sensations — et qu'elle a tremblé sous la puissance de ta réaction, comme une promesse de ce qu'elle allait me faire plus tard ?

Elle eut un rire moqueur.

— Drôle de façon de réécrire l'histoire. Je ne savais pas comment réagir devant l'audace d'un étranger.

— Je n'ai jamais été un étranger pour toi. Tu savais sans doute qui j'étais depuis ton plus jeune âge.

— J'avais entendu parler de toi, c'est un fait, mais ce que je savais expliquait ma méfiance.

— Et qu'est-ce qui expliquait ton désir ? la défia-t-il. Au fait, je ne t'ai jamais demandé — Aliyah ne t'avait-elle pas chanté mes louanges ? En tant que cousine, ça n'aurait pas été… gentil de sa part à l'époque, si elle ne l'avait pas fait.

— Si elle m'avait dit des choses sur toi, je doute que ç'aurait été des louanges. Et puisque tu as tout fait pour lui cacher tes intentions me concernant, elle n'a jamais agi en cousine avec moi, en m'avertissant de garder mes distances avec toi.

— Je les lui ai cachées pour préserver mes yeux que tu disais adorer.

Et ces yeux, maudits soient-ils, étaient aussi magnifiques que jamais, émettant le désir doré qui mettait sa raison hors service chaque fois qu'il les posait sur elle.

— A en juger par son attitude protectrice avec toi, elle les aurait crevés, si elle avait connu mes « intentions ».

Il fronça ses sourcils sombres.

— Alors, de quel premier moment d'intimité parlais-tu ? dit-il, une lueur de défi sensuel brillant dans son regard. Du jour où tu m'as donné un coup de poing dans le ventre ?

— Je n'ai rien fait de tel. Je t'ai donné beaucoup d'avertissements.

— *Aih,* tu m'as ordonné de te laisser partir, alors que je ne te retenais pas contre ta volonté. Je ne te touchais même pas.

— Tu m'avais acculée dans un coin.

— Je m'approchais, tandis que tu ne cessais de reculer et de t'acculer toi-même.

— Parce que j'étais seule avec toi, dans ta suite.

— Dans laquelle tu étais venue de ton plein gré.

— J'étais venue assister à une fête, avec Aliyah.

— Ma fête, et dans ma suite ! Mais ce n'était pas moi qui avais dit à Aliyah de te laisser avec moi, pendant qu'elle allait aider une autre âme perdue.

— Je n'ai jamais été une âme perdue pour elle. Et si je suis restée, c'est parce qu'elle m'avait assuré qu'elle reviendrait une demi-heure plus tard.

— Tu n'es pas partie, alors même qu'elle n'est revenue que bien plus tard.

— J'étais à New York, j'ai pensé que j'étais plus en sécurité dans ta suite que seule dans la rue, en plein milieu de la nuit.

— Et c'était vrai.

— Mais ça ne semblait plus être le cas, quand tout le monde m'a laissée seule avec toi. Un homme deux fois plus grand, vingt fois plus fort, sans parler de ton immunité diplomatique et de tes privilèges quasi divins.

— Et tu as cru que je les avais renvoyés pour t'avoir à moi seul.

— J'avais raison.

— Pas à propos des intentions sinistres qui m'ont valu ces uppercuts.

— N'exagère pas. Le deuxième coup de poing ne t'a même pas touché.

— Uniquement parce le premier a failli me faire tomber.

Il enroula la main autour de sa gorge, comme s'il sentait de nouveau le coup.

— Sans parler de la surprise de voir l'ange que j'étais impatient de posséder se transformer en harpie. *Ya Ullah,* si mon désir pour toi était d'un carat avant cela, il était de vingt-quatre ensuite.

Elle avait été horrifiée de son geste et avait essayé de fuir. Mais il l'avait retenue, sans la toucher. Juste en l'appelant. C'était la première fois qu'il l'avait appelée « yeux d'argent ».

Et en une seconde, ses craintes et le fossé insurmontable qui existait entre eux avaient disparu. Il avait cessé d'être le fils d'une femme qu'elle détestait, pour devenir un être bien plus dangereux. La personnification de tous les désirs interdits qu'elle avait jamais nourris. Il s'était montré chaleureux et accessible, plein d'esprit et éloquent. Il avait dit admirer sa beauté, son audace, puis l'avait taquinée sur son attaque, en lui disant qu'il savait ce qui l'avait suscitée : une attirance effrayante qu'il partageait pleinement.

Il ne l'avait pas conduite dans son lit ce soir-là, mais ils savaient tous deux que ce n'était qu'une question de temps. Il avait attendu deux mois, la rendant folle de désir. Après leur première nuit, durant laquelle il l'avait à la fois dominée et servie, possédée et satisfaite, elle était devenue dépendante de lui. Dès lors, elle l'avait désiré de manière intense et obsessionnelle. Pendant les quatre années suivantes.

Leurs ébats avaient été sauvages, avides, explosifs.

Mais le plaisir physique croissant n'avait fait que renforcer son dénuement émotionnel et psychologique…

— Mais tu n'auras plus jamais besoin de me frapper, dit-il. Tu me mets au tapis rien qu'en me regardant avec ces yeux ensorcelants, en me désirant autant que je te désire.

Elle ouvrit la bouche pour le contredire, mais il la lui referma d'une main caressante sous son menton.

— Ne prends pas cette peine de protester. C'est indéniable. Alors tu es sûre de vouloir encore rejouer le moment, tandis qu'il y en a des tas d'autres parmi lesquels choisir ? Comme la première fois que nous avons fait l'amour…

Elle voulut objecter qu'ils n'avaient jamais « fait l'amour », mais il posa un doigt brûlant sur ses lèvres.

Elle recula en titubant, et il soupira, laissant retomber sa main. Son regard se faisait plus torride tandis qu'il se remémorait les détails de cette première fois.

— Je me souviens de chaque frottement de nos deux corps, de chaque ondulation, de chaque sensation quand tu t'ouvrais à moi, que tu t'abandonnais, que tu me suppliais de te posséder et de te donner du plaisir. Je me souviens de tous les détails, comme s'ils étaient gravés dans mes cellules. Je me souviens de chacune des nuits que nous avons passées ensuite.

Elle le fixa, le choc et la fureur laissant place à la langueur. C'était comme si la proximité de Jalal produisait une substance dans son corps, plus puissante que n'importe quelle drogue.

Non. Elle ne retomberait jamais sous son influence, le prix à payer avait été trop lourd, et pas seulement pour elle…

L'angoisse la saisit. Elle devait s'assurer qu'il s'en

aille définitivement cette fois, et qu'il cesse à jamais de penser à elle. Pour l'instant, elle avait tout fait de travers.

Le meilleur moyen de réussir à l'éloigner, c'était de ne pas le défier. En blessant sa fierté, elle l'avait peut-être éloigné un temps, mais le besoin de relever le défi de sa séduction l'avait immanquablement ramené ici. Elle devait tirer les leçons de ses erreurs, ne serait-ce qu'une fois.

— Les souvenirs sont agréables, j'en suis sûre, dit-elle. Mais tu te concentres sur des souvenirs sans importance, et tu oublies les souvenirs pertinents. Comme la raison pour laquelle tu comptais m'effacer de ta mémoire.

Une lueur glacée éteignit soudain les embruns de feu dans ses yeux.

— Je n'oublie rien. C'est une malédiction dont souffrent les Aal-Shalaan. C'est aussi pourquoi j'ai échoué à t'effacer de mon esprit comme j'en avais l'intention. Dès l'instant où j'ai su que tu étais revenue, j'ai compris que je n'y arriverais jamais.

Elle savait qu'Aliyah avait une mémoire absolue, mais c'était la première fois qu'il mentionnait ce trait chez lui. Elle ne devrait guère être surprise. Après tout, que lui avait-il jamais raconté ? Il avait parlé, beaucoup, mais ses propos n'avaient concerné que leur passion, leur liaison charnelle. En dehors de cela… rien.

Elle haussa les épaules.

— Si ta mémoire est aussi infaillible que tu le dis, alors tu n'as certainement pas oublié les mauvais souvenirs. Et ils étaient assez horribles pour étouffer ce que tu imaginais de si merveilleux.

— Tu veux dire, comme quand tu es devenue proche d'un de mes meilleurs amis et que tu l'as manipulé pour qu'il t'épouse, avant de t'en débarrasser en un temps record ? Mais peut-être que deux ans, ce n'est pas un « temps record », finalement. Encore une fois, je salue ta ténacité. Tu aurais sans doute voulu te débarrasser de lui plus tôt.

— Je te laisse la responsabilité de ces propos.

Lorsqu'elle vit la lueur de défi se rallumer dans ses yeux, elle eut envie de le gifler. *Concentre-toi. Sois simplement neutre, et esquive la confrontation.*

— Dans ce cas, pourquoi ne corriges-tu pas mes suppositions ?

Elle avait envie de lui répondre de se corriger lui-même.

Au lieu de quoi, elle décida de dissiper la méprise qui nourrissait à l'évidence son intérêt pervers pour elle.

Elle poussa un soupir de résignation.

— Je n'étais pas libre de révéler les faits quand nous nous sommes rencontrés, la dernière fois. Je ne suis toujours pas à l'aise pour en parler, mais j'imagine qu'il n'y a pas de raison pour garder le secret, du moins avec toi.

— Est-ce ta façon indirecte de m'avertir de garder cela secret ? Je ne suis pourtant pas réputé pour être cancanier.

Elle réprima une autre vague d'amertume et grimaça.

— En effet. Vu la façon dont tu gardes les secrets, je suis sûre que tu seras muet comme une tombe. Mais je ne pensais pas à ta discrétion à toute épreuve, quand tu es venu me trouver, deux mois après la mort de Patrick. Etant donné la tourmente dans laquelle j'étais plongée, et les dangers que j'affrontais, sans parler de ton apparition soudaine, partager la vérité avec toi était le cadet de mes soucis.

— Vas-tu enfin partager cette vérité maintenant ? Et m'expliquer la façon dont il est « réellement » mort ? Si c'est la version que tu as donnée à la police, inutile de te donner cette peine.

— J'ignore comment la police fonctionne dans cette

région, ô prince de Deux Royaumes, mais à New York, ils se fichent de ce qu'on leur « raconte ». Ils n'écoutent que les preuves solides. Surtout quand un homme si riche et si jeune ne meurt pas de façon naturelle.

— Mais ils n'ont jamais pu démontrer qu'il y avait eu crime, d'où mon accusation.

— Quand tu as dit que je l'avais tué impunément ?

Elle pencha la tête dans sa direction et maudit la façon dont son cœur tressauta lorsque que son regard suivit le mouvement de ses cheveux, alors même qu'il l'accusait finalement d'être une meurtrière.

— Tu penses donc que j'en suis capable ?

— Je sais que tu es capable de conduire un homme à attenter à sa propre vie.

— Sur quoi te fondes-tu ? Sur le fait que j'exhibais mon corps pour vivre ? Ou sur le fait que j'ai osé mettre un terme à ma liaison avec toi ?

Elle s'interrompit, se maudissant en silence de se laisser entraîner sur ce terrain, une fois de plus.

— Plutôt sur le fait que tu t'es servi de ton corps pour piéger un milliardaire, quand je n'ai pas fait la proposition que tu attendais ?

A quoi bon lutter ? Cet homme pourrait pousser une pierre à se jeter sur lui.

— Une proposition ? Comme un mariage ? Avais-je l'air d'être une fille qui croit aux contes de fée ? Parce qu'aux dernières nouvelles, il n'y a que dans les contes de fées et les comédies romantiques que le prince épouse la fille de la servante.

— Quand tu affirmais que tu voulais un homme qui « ne te cacherait pas comme un secret honteux », qui « s'afficherait avec toi en public », tu voulais dire que tu attendais une proposition. Tu m'as fait savoir que je ne t'étais d'aucune utilité si je n'en faisais pas une, mais tu ne me l'as dit qu'à partir du moment où tu avais un remplaçant convenable sous le coude.

Elle se fendit d'un rire furieux.

— Cela ne m'a jamais traversé l'esprit que notre liaison puisse être davantage que ce qu'elle était — triviale, sporadique et honteuse. Et c'est pour cela que j'ai décidé d'y mettre fin. Le sexe n'était plus suffisant pour compenser mon avilissement.

— Ton avilissement ? dit-il entre ses dents serrées. J'ai au contraire fait tous les efforts pour m'assurer que notre « liaison », comme tu le dis, reste entre nous, afin que tu ne sois pas exposée à quoi que ce soit d'avilissant, justement.

La bile monta de nouveau.

— Et je savais que rien n'aurait pas pu être différent entre nous. Mais cela ne veut pas dire que la situation me convenait ou même que c'était sain. J'étais piégée dans un cercle vicieux, duquel je ne parvenais pas à sortir, et je te laissais revenir dans ma vie chaque fois que tu le souhaitais, pour m'attirer de nouveau dans cette… addiction toxique. Voilà pourquoi j'ai rompu. L'inégalité sociale, le fossé insurmontable, la futilité de cette liaison érodaient mon estime de moi-même et ma santé psychologique.

— Et le seul remède que tu as trouvé, c'était un mari milliardaire énamouré.

Elle eut un rire narquois.

— C'est ton hypothèse préférée, non ? A tes yeux, seule une explication mesquine peut expliquer qu'une femme choisisse de se priver de toi, n'est-ce pas ?

— Puisque tu m'as laissé sans explication, en dehors de quelques invectives ambiguës, je devais faire mes propres déductions, avant et après l'événement.

— Et il ne t'est jamais venu à l'esprit que tu puisses avoir une responsabilité dans la situation ?

— Si c'était le cas, tu aurais dû me faire part de mes torts et me donner une chance de les réparer. Au lieu de cela, tu as choisi de devenir hystérique, avant d'exploser. Et tu as rapidement refusé toute réconciliation. Que pouvais-je faire, à part privilégier les explications les plus cyniques ?

— Eh bien, je vois que tu mets à profit ton diplôme en rhétorique.

Le sourire de Jalal se fit glacial.

— Alors, tu es en train de me dire que cette explosion n'était pas un prétexte pour te débarrasser de moi, du moment que tu avais un homme bien plus malléable et presque aussi fortuné sous la main ?

— Patrick était bien plus un homme que toi. Point. Et bien plus humain que tu ne le seras jamais.

Et elle était pathétique, car malgré cela, son désir pour Jalal avait continué de la consumer. Mais elle avait au moins pris la décision de ne plus se laisser distraire par ses pulsions charnelles, maintenant qu'elle avait bien plus qu'elle-même à protéger et à défendre.

— Et je ne l'ai certainement pas épousé pour son argent et son empire. En fait, c'est lui qui m'a épousée pour ces raisons.

Après ce premier coup de poing, Jalal avait réussi à anticiper les réactions de Lujayn pendant les deux années suivantes. Son mode de fonctionnement avait changé durant cette période, mais après quelques ajustements, il l'avait intégré.

Puis était venu le jour de ces retrouvailles, deux ans plus tôt. Et depuis, rien n'était arrivé selon ses prévisions.

C'était comme s'il avait perdu sa clairvoyance, en ce qui la concernait.

Elle continuait de lancer des attaques auxquelles il n'était pas préparé. Elle venait d'insulter sa virilité, son humanité. Mais ce n'était pas le plus important. Ce qui l'intriguait surtout, c'était cette charade qu'elle lui avait lancée à la figure.

Alors, soudain, toutes les frustrations des quatre dernières années firent voler en éclats sa détermination à demeurer calme et séducteur, et ses émotions prirent le dessus.

— Tu as dit que tu allais m'avouer la vérité. Alors *b'haggej'jaheem,* épargne-moi les bandes-annonces mystérieuses. Que diable dois-je comprendre, quand tu dis qu'il t'a épousée pour *son* argent et *son* empire ?

— Rien de mystérieux là-dedans. Il voulait s'assurer avant sa mort que sa richesse et ses projets n'iraient pas à sa soi-disant famille.

Il avait exigé qu'elle lui explique tout. Mais il ne s'était pas attendu à ce qu'elle obtempère, ou à ce point. La réponse de Lujayn était si directe que son esprit fut paralysé par toutes les implications qu'il n'avait jamais envisagées.

— Si tu étais un ami pour Patrick, à plus forte raison un de ses meilleurs amis comme tu aimes le prétendre, tu dois savoir que sa relation avec sa famille était pour le moins difficile.

Il hocha lentement la tête. Après la mort de la mère de Patrick, son père avait épousé une femme qui s'était avérée être une véritable marâtre. Sa nature maléfique était devenue encore plus évidente quand elle avait eu des enfants. Elle avait fait tout son possible pour détruire la relation de Patrick avec son père et pour conduire celui-ci à rayer Patrick de son testament. A sa grande fureur, Owen McDermott avait fait le contraire. Contrairement à un père de conte de fées typique et aveugle, il était conscient des défauts de sa nouvelle épouse, et du fait que ses enfants portaient la même haine à Patrick. Son testament les avait privés eux de l'essentiel de sa fortune, laissant à Patrick le choix de leur donner ce qu'il estimait convenable.

Et Patrick avait effectivement donné. Mais rien n'avait semblé suffire.

— Patrick m'a relaté de l'histoire de sa vie lors de notre rencontre, dit-elle.

Il se souvenait parfaitement de cette soirée. C'était l'une des rares occasions où il était sorti avec elle, dans un restaurant isolé. Ils étaient tombés sur Patrick, qui buvait seul au bar. Jalal avait été appelé pour régler une urgence professionnelle, et Lujayn avait reconduit Patrick, ivre, chez lui. Jalal ne s'en était pas formalisé, certain à l'époque de l'exclusivité de leur relation.

Son cœur se serra pourtant devant l'expression de Lujayn. Elle semblait se remémorer le passé avec nostalgie et regret.

— Nous sommes devenus amis à partir de ce soir-là. Il a commencé à m'accompagner pendant mes vacances en Irlande, patrie dans laquelle il n'était pas retourné depuis la mort de sa mère. Et de cette manière, il y a trouvé une nouvelle famille.

— La tienne.

— Oui. Mon père et lui sont devenus très proches, et papa lui a donné des conseils qui ont multiplié sa fortune par douze. Sa soi-disant famille est revenue en masse, exigeant de nouveau sa « part ».

— Mais il ne voulait plus donner.

En voyant l'émotion de Lujayn, suscitée par un autre homme que lui, il fut si irrité qu'il eut envie de la secouer.

— Alors, tu dis qu'il t'a épousée pour te transmettre ses biens, parvint-il à articuler, en serrant les poings.

— A ma famille et à moi. C'était à nous qu'il faisait confiance.

— Pourquoi aurait-il voulu confier sa fortune à qui que ce soit ?

— Il n'y avait pas que l'argent. Il avait beaucoup de projets, des compagnies et des œuvres de charité. Il savait que si sa belle-mère, son demi-frère et ses demi-sœurs mettaient la main dessus, ils liquideraient tout et iraient vivre sur une île tropicale comme des despotes à la retraite. Il voulait s'assurer qu'ils n'aient aucun droit, sur quoi que ce soit.

— Merci de m'avoir éclairé, mais ce n'est pas ce que je demandais. Pourquoi songer à de futurs héritiers, alors qu'il était si jeune ? C'est comme s'il savait qu'il allait mourir. Avait-il des problèmes psychiatriques ? Etait-il suicidaire ?

— Certainement pas !

Cette dénégation déferla sur lui. L'émotion de Lujayn semblait réelle. Trop réelle.

La rage qui couvait en lui depuis qu'elle l'avait quitté pour épouser Patrick se répandit dans tout son corps. Elle lui avait autrefois signifié sa colère avec passion, mais à présent, elle le traitait avec un mépris froid, tandis que Patrick avait droit à son respect et à son allégeance, même dans la mort. Jalal avait-il eu tort à ce point sur ce qu'il avait cru partager avec elle ? Et sur la relation de Lujayn et Patrick ?

Elle l'observait d'un air sombre, comme si elle était sur le point de lui donner un autre coup de poing.

— Patrick était l'homme le plus sain psychologiquement que j'aie jamais connu. Il était aussi bienveillant et n'aurait jamais fait quoi que ce soit pour attenter à ses jours, non seulement parce qu'il était solide comme un roc, mais aussi parce que des tas de gens dépendaient de lui.

Cela, il n'en doutait pas. Il avait admiré Patrick dès leur première rencontre, plus de quinze ans plus tôt, pour son énergie sans limites et son enthousiasme, ses vues progressistes, mais surtout, pour son humanisme inébranlable. Seule l'amertume d'avoir perdu Lujayn l'avait conduit à couper tout lien avec lui, professionnel ou amical. C'était ce qu'il avait le plus regretté lorsque Patrick était décédé. Qu'il soit mort alors qu'ils étaient fâchés.

— Patrick avait un cancer des testicules inopérable, avec des métastases dans les organes vitaux.

Son souffle se bloqua dans sa gorge. Il ne savait pas ce qui le secouait le plus — cette révélation ou la réaction de Lujayn.

Elle semblait submergée par la tristesse.

— J'étais avec lui le jour où le diagnostic a été établi, dit-elle d'une voix tremblante. On lui a annoncé qu'il en avait pour un an au plus avec un traitement, bien moins sans. Mais il refusait de passer le temps qui lui restait à souffrir des effets secondaires des traitements, alors qu'il n'y avait aucune chance de guérison. Il préférait vivre ses derniers mois comme un membre à part entière de la famille qui l'aimait.

Une profonde douleur l'étreignit.

Il n'avait pas su, n'avait eu aucun soupçon. Il avait été si aveuglé par la jalousie, sa fierté blessée et sa passion contrariée qu'il n'avait pas pris la peine d'enquêter. Il avait choisi de présumer le pire, aussi bien concernant Patrick, qu'à propos de Lujayn.

Mais cela n'exonérait que Patrick, au fond. Lujayn

avait peut-être utilisé sa maladie et sa mort certaine pour le piéger.

Pourtant, cela n'ôtait rien à sa faute à lui : au lieu d'être là pour Patrick à la fin de sa vie, il était devenu son ennemi.

Se pouvait-il qu'elle ait inventé tout cela pour se blanchir ?

Il la fixa d'un œil noir, en priant pour lire dans ses yeux quelque chose qui lui dirait qu'il ne s'était pas trompé à ce point.

— Tu sais que je peux obtenir ses dossiers médicaux si je le veux.

Un dégoût immense passa dans son regard.

— C'est pourquoi tu dois me croire, même si tu détestes cette idée. La garce malfaisante que tu vois en moi ne serait pas assez stupide pour mentir concernant un élément que tu peux vérifier aussi aisément.

Il recula en titubant.

— *Ya Ullah*… alors c'est vrai. Et il a caché sa maladie pour que ses affaires ne s'effondrent pas et qu'elles n'entraînent pas des milliers d'emplois dans leur chute. C'est pour ça que je n'en ai jamais entendu parler.

Elle hocha la tête, se détourna et tapota discrètement ses joues.

Elle ne voulait certainement pas qu'il la voie pleurer. Il ne l'avait jamais vue pleurer, d'ailleurs. Il ne l'avait jamais conduite à pleurer, de plaisir ou de douleur. Une preuve de plus qu'avec lui, ses émotions n'avaient jamais été impliquées.

Elle s'assit et le regarda, les yeux brillants.

— Mais les prévisions de ses médecins ne se sont pas réalisées. Il a eu vingt mois avec nous, avant qu'il ne commence à se dégrader. Ç'a été la plus belle époque de notre vie. Tout ce temps, il nous a formés, ma famille et moi, pour que nous sachions quoi faire, une fois qu'il serait parti. Quand son déclin a commencé, ç'a été… tellement douloureux…

Des larmes roulèrent le long de ses joues.

— Il a choisi de ne pas prolonger sa souffrance et la nôtre, et d'y mettre un terme selon ses conditions.

Quand elle se tut, il respirait de manière saccadée. *Ya Ullah… Patrick !*

La frustration et le désespoir le saisirent, jusqu'à ce qu'il ait l'impression que sa tête allait exploser.

— Comment avez-vous pu ne pas me le dire ? gronda-t-il.

Sa tristesse fit place à l'incrédulité.

— Pourquoi t'aurais-je dit quoi que ce soit ? Tu n'étais plus son ami.

— Parce que je n'avais pas une vue d'ensemble et je ne savais pas ce qui l'avait conduit à s'ôter la vie.

— Si tu penses que c'est son état qui l'a conduit à te claquer la porte au nez, détrompe-toi. Il est resté lucide et calme jusqu'à sa dernière heure. Il a fait ce qu'il pensait juste, en cessant une relation toxique à laquelle il aurait dû mettre un terme depuis bien longtemps.

— Mais aucun de ses griefs contre moi, réel ou imaginaire, n'aurait dû compter. Pas à ce moment-là. *B'Ellahi*, il était mourant, et j'aurais dû le savoir. *J'aurais dû être là pour lui.*

Elle l'observa, visiblement médusée.

Ce n'était pas étonnant. C'était la première fois qu'elle le voyait aussi agité.

Puis, comme si elle essayait de calmer une bête qu'elle venait de découvrir dangereuse, elle lança :

— Je l'aurais encouragé à te le dire, si j'avais su que tu verrais les choses ainsi. Mais il n'est venu à l'esprit d'aucun de nous deux que tu éprouverais plus qu'un regret éphémère pour lui.

Si ses paroles ne l'avaient pas paralysé, il aurait chancelé.

— Est-ce donc ce que vous pensiez de moi, tous les deux ? Que je suis une sorte de psychopathe ? Seul un psychopathe ne ressentirait qu'un regret éphémère pour une telle tragédie. Et je n'étais pas « vaguement proche » de Patrick. C'était l'un des trois réels amis que j'aie jamais eus dans ma vie.

— Je l'ignorais. D'après les observations que j'ai…, lâcha-t-elle, avant de s'interrompre quelques secondes, puis de reprendre : Je n'ai pas eu assez d'éléments pour bâtir une opinion. Alors j'ai fait des suppositions, comme toi. Et la plus plausible, selon moi, c'était que vous n'étiez pas si proches que cela.

— Quand aurais-je pu te montrer cette proximité ? Je ne l'ai jamais vu en ta présence, puisque nous gardions notre relation secrète. Mais j'ai sûrement dû te faire savoir ce qu'il signifiait pour moi, non ?

Il vit le reproche dans son regard.

— Tu n'en es pas sûr ? répliqua-t-elle. Qu'est-il arrivé à ta mémoire infaillible ? Laisse-moi la rafraîchir, dans ce cas. Tu ne me l'as jamais dit. Et quand il m'a aidée à prendre la décision de cesser notre liaison, j'ai supposé qu'il savait d'expérience que tu étais nocif.

— Eh bien, merci. A vous deux. C'est très réconfortant de savoir que vous aviez une si haute opinion de moi. Mais rien de tout cela n'explique pourquoi tu as gardé sa maladie secrète après la mort de Patrick.

Elle eut un rire sans joie.

— Je le devais, car sa famille a intenté une action pour faire annuler son testament. A la suite de son overdose, ils ont supposé la même chose que toi — qu'il n'était pas sain d'esprit quand il l'a rédigé. Et contrairement à toi, qui peux tout découvrir après un simple coup de fil, ils n'ont pas eu accès aux enquêtes de police et aux rapports médicaux confidentiels. Heureusement, d'ailleurs, car cela aurait pu appuyer leur dossier. Nous devions garder le secret, jusqu'à ce que nous gagnions le procès.

Cela en expliquait trop.

La seule chose que cela n'expliquait pas, c'était la façon dont elle l'avait quitté. Certes, elle avait voulu être auprès d'un homme auquel elle tenait, à l'évidence, même si d'autres facteurs étaient entrés en ligne de compte, comme ses milliards. Mais quel besoin avait-elle eu de terminer les choses avec *lui* de manière si... dramatique.

Elle assurait qu'elle avait souffert de l'« avilisse-ment », de « l'inégalité et de l'inutilité » de leur relation. Même si cela avait été vrai autrefois, tout avait changé, désormais. Sa situation et celle de Lujayn n'étaient plus aussi différentes. Le fossé entre eux avait presque été comblé.

Il avança, et chaque pas le rapprocha de sa beauté. S'il s'était dit qu'elle s'était épanouie deux ans plus tôt, à présent, elle avait embelli. Et il était impatient de replonger dans cette passion brûlante, d'explorer son corps voluptueux de ses mains avides.

Quand il fut devant elle, il soutint son regard.

— Vous auriez dû m'en parler, tous les deux. Tu m'as privé de la chance de faire ce que je pouvais, ce que j'aurais voulu faire de tout mon cœur — même si tu doutes que j'en possède un. Mais il est trop tard. La seule chose que je puisse faire à présent, c'est de veiller à ce que l'héritage de Patrick soit préservé. Me promets-tu de laisser nos... problèmes en dehors de cela et de me laisser t'aider ?

Ses yeux extraordinaires lancèrent de nouveau des éclairs, embrasant son désir. Enfin, elle hocha la tête.

Il expira, puis s'assit à côté d'elle.

— A présent, nous devons nous mettre d'accord sur un autre point.

Elle l'observa d'un air méfiant.

— Tu détiens le pouvoir sur ma libido. Et j'ai le pouvoir sur la tienne. Quand il s'agit de passion et de plaisir, de trouver la satisfaction absolue, nous sommes les meilleurs partenaires qui soient.

Elle poussa un soupir résigné. Il soutint son regard, exigeant qu'elle traduise son consentement en action. Et elle le fit. Le regard troublé, elle vint se lover dans ses bras, venant à sa rencontre pour un baiser plein d'ardeur et de sensualité.

Stimulé par le désir de Jalal et ses lèvres brûlantes, son désir enfla en elle, chassant toute pensée, effaçant chaque minute passée depuis la dernière fois qu'elle avait été dans ses bras.

Elle s'embrasa à l'instant même où son souffle se mêlait au sien, que ses caresses l'exploraient et que sa passion nourrissait la sienne.

Il entreprit de la déshabiller de ses mains expertes, tandis qu'elle frissonnait et que son esprit s'embrumait…

— Dès l'instant où tu as posé ta main dans la mienne, gémit-il contre ses lèvres, je t'ai désirée de tout mon être. Quoi qu'il se soit passé ou qu'il se passe à l'avenir, rien ne changera cela. Je dois te posséder de nouveau, et tu dois me posséder. Dis oui, Lujayn. Donne-toi à moi. Mets un terme à notre tourment.

Sa requête, pourtant cajoleuse, lui fit l'effet d'un coup de semonce. Si elle lui cédait, elle retomberait dans l'abîme du désir. Un abîme dont elle ne pourrait pas sortir cette fois. La perspective l'horrifia, tout en réveillant sa raison.

— Non.

Pantelante, elle s'extirpa de l'étreinte de ses bras et de son envie de fusionner avec lui. Un désir tout aussi sombre que le sien brûlait dans ses yeux de prédateur, et elle sentit son cœur s'affoler tandis qu'elle résistait à l'envie de retourner vers lui pour le chevaucher, et tout oublier une fois encore.

En se détournant, elle sentit le monde vaciller et ses mains trembler de manière incontrôlable tandis qu'elle remettait ses vêtements en place.

Une fois à la porte, elle se força à se retourner vers lui.

— Te quitter est la meilleure chose que j'aie jamais faite, et je refuse de tomber dans le piège de ton... addiction, une fois de plus. Ce n'est pas un défi que je te lance pour que tu te battes davantage. C'est définitif, Jalal. Je suis en train de remettre de l'ordre dans ma vie, et je ne vais pas te laisser tout détruire de nouveau. Si tu as la moindre once d'honneur, reste loin de moi. S'il te plaît.

4

Jalal fixa l'écran de son ordinateur portable.

Quelque chose n'allait pas.

En fronçant les sourcils, il relut le document dont il venait de terminer la rédaction.

Non, en fait, rien n'allait.

C'était comme si quelqu'un qui voulait tout saboter avait écrit cette page.

Mais ce quelqu'un, c'était lui, incapable de ne plus penser à une femme fougueuse aux cheveux de jais et aux yeux d'argent, et perpétuellement plongé dans un état de frustration qui l'empêchait d'avoir les pensées claires.

Il referma son ordinateur et recula sa chaise comme s'il avait devant lui une bombe. Il avait été sur le point de commettre une erreur terrible.

Se levant brusquement, il se dirigea vers la terrasse.

En poussant un soupir, il parcourut du regard l'immensité paisible du désert, tandis que la voix de Lujayn résonnait dans sa tête.

Reste loin de moi. S'il te plaît.

Et il était resté loin d'elle. Depuis maintenant quatre semaines.

Pas étonnant que son esprit soit en train de se désintégrer.

Mais ce n'était pas l'honneur qui l'avait tenu à distance.

C'était ce « s'il te plaît ».

Si elle était sortie de sa suite sans prononcer ces mots, il serait revenu à la charge, jusqu'à ce qu'elle lui cède.

Mais — *ya Ullah*. Ce « s'il te plaît » ! Et le regard désespéré qui l'avait accompagné. C'était ce mélange de supplication et de terreur qui l'avait désarmé.

Elle semblait croire que céder à ses désirs avait presque détruit sa vie et continuait à le faire maintenant.

Il ne voyait pas comment cela avait pu être le cas autrefois, et encore moins comment cela pourrait l'être aujourd'hui. Et il y avait cette histoire d' « avilissement ». Elle l'avait plus ou moins accusé de la manipuler pour profiter d'elle.

Si elle avait eu des griefs sur leur arrangement, à l'époque, elle aurait dû les exprimer. Mais elle ne l'avait jamais fait. Il avait donc des excuses, s'il n'avait pas pris ses explosions de colère à l'époque comme des preuves de son mécontentement. Ou s'il n'acceptait pas l'avilissement présumé auquel il l'aurait exposée. Ou les autres raisons pour lesquelles elle prétendait l'avoir quitté.

Pourquoi refusait-elle d'admettre simplement qu'elle avait voulu le quitter pour Patrick ? Pourquoi persistait-elle à donner cette version déformée de l'histoire ? A quoi bon jouer la femme bafouée ? Cela ne correspondait pas à son personnage. Et elle affirmait ne vouloir qu'une seule chose de lui : qu'il reste loin d'elle. Pourtant, le reproche était attirant et non repoussant. Si elle voulait le maintenir à distance, elle n'aurait pas dû l'accuser et renforcer ainsi sa détermination.

Pourtant, il ne pouvait nier l'authenticité de ce « s'il te plaît ».

Donc il n'y avait qu'une réponse. Elle lui cachait quelque chose. Et pour le lui faire avouer, il y avait un moyen : altérer la réalité. Ou du moins, la perception que Lujayn avait de la réalité.

Désormais, il avait les moyens de réaliser cela. Hier soir, Fadi lui avait fourni une véritable aubaine, une découverte qui lui avait permis d'imaginer aisément un plan pour atteindre ses objectifs.

A présent, avant de causer de vrais dégâts — à ses affaires, et à sa raison —, il devait mettre ce plan en œuvre.

Il sortit son téléphone. Après quelques secondes, une voix familière gronda dans ses oreilles, comme un tonnerre lointain.

— *Somow'wak ?*

Il serra les dents en entendant Fadi l'appeler Votre Altesse. Ce n'était pas un simple titre pour Fadi. Il sous-entendait tout ce que le titre représentait. Tout ce que Jalal ne pensait pas mériter.

— J'ai de nouveaux ordres concernant Lujayn Morgan.

Quand il eut spécifié ses instructions, un long silence s'ensuivit.

Il fronça les sourcils.

— Fadi ? Tu es toujours là ?

— *Ella, Somow'wak.*

— As-tu entendu tout ce que j'ai dit ?

Un autre long silence. Il était rare que le stoïque Fadi exprime son opinion, ne serait-ce que par un silence.

— En êtes-vous certain, *Somow'wak ?* Ces intentions pourraient interférer avec votre campagne. Elles pourraient même la compromettre.

Evidemment, c'était de cela que Fadi s'inquiétait. S'il avait exprimé ses inquiétudes, c'était sans doute qu'il pensait aux conséquences potentiellement catastrophiques de ces tactiques.

Si seulement. Car, si cela se produisait, cela signifiait aussi qu'elles avaient fonctionné.

— Ce sont mes ordres, Fadi.

— Avez-vous accordé assez de réflexion aux retombées possibles ? Si vous me le permettez, je peux trouver un scénario alternatif qui réparerait ce tort, tout en vous mettant à l'abri du moindre scandale potentiel.

Il sourit en visualisant le succès de ce scénario : Lujayn de retour dans son lit et dans sa vie.

— C'est ce que j'ai *besoin* de faire, Fadi. Et oui, j'en suis certain. Je n'ai jamais été aussi sûr de quoi que ce soit dans ma vie.

Lujayn dévisagea le colosse ténébreux qui la fixait d'un air austère.

Elle avait reconnu Fadi d'emblée, et tous les membres de sa famille, présents à ses côtés aussi. Il s'était tout de même présenté et avait insisté sur ses titres de chef de la sécurité et de directeur de campagne de Jalal

Il n'était pas au service de Jalal, du temps de leur liaison. Mais, en un regard, elle sut qu'il était au courant de leur histoire et qu'il la désapprouvait fortement. Et aussi qu'il l'enjoignait à garder ses distances. S'ils avaient été seuls, elle lui aurait dit d'aller au diable avec son précieux prince et son probable futur trône.

Mais c'était avant que Fadi ne lui fasse une offre si ridicule que son esprit se figea.

— Vous… vous ne pouvez tout de même pas… Le prince Jalal ne peut pas vouloir dire…

C'était sa mère qui parlait, juste derrière elle. Lujayn se retourna, et constata que celle-ci était encore plus abasourdie qu'elle.

— *Somow'woh* dit et offre seulement ce qu'il veut

dire, rétorqua Fadi. J'ai porté ces informations à sa connaissance hier soir seulement, et huit heures plus tard, il insistait pour que je vous transmette son offre généreuse. Je peux comprendre votre réticence…

— Ce… ce n'est pas de la réticence ! s'exclama sa mère, au déplaisir manifeste de Fadi. C'est de la surprise. Je… je n'ai jamais pensé que cela referait surface un jour.

Fadi hocha la tête d'un air sombre.

— Le fait aurait été enterré pour toujours si le prince Jalal ne m'avait pas ordonné de dévoiler les preuves. Cependant, vos réserves justifiées pourraient être dissipées si…

— Est-ce vrai ? interrompit son oncle d'une voix hagarde.

C'était la première fois qu'il parlait depuis qu'il avait accueilli Fadi, et elle avait complètement oublié sa présence.

Autrefois, son oncle était presque aussi sublime que Jalal, mais dans un autre style. Sa beauté frappante était ternie depuis longtemps, comme la magnificence d'une épée luisante le serait par la rouille.

A présent, quelque chose tremblait sous sa carapace de résignation. C'était comme si son âme était rallumée.

Il faillit trébucher quand il s'avança et saisit le bras de Fadi d'une main tremblante.

— Est-ce vrai ? Le prince Jalal est-il en possession de preuves ?

Fadi fixa la silhouette voûtée de son oncle.

— Oui, *ya sayyed* Bassel. Selon ses ordres, j'ai découvert des preuves profondément enfouies, mais irréfutables. Il veillera à ce que votre famille soit réhabilitée comme *gabayel el ashraaf*.

Lujayn connaissait parfaitement l'arabe, surtout le dialecte azmaharien. Sa mère avait tenu à le lui enseigner, disant que la langue était le pouvoir. Jusqu'à maintenant cela en avait été un, mais dans les mains de Jalal. Il avait utilisé sa compréhension de l'arabe pour la charmer par l'expression verbale de sa passion.

Mais sa connaissance de l'arabe lui avait permis aujourd'hui de comprendre ce que Fadi venait de dire. Or cela ne pouvait être. Quand les Al-Ghamdi avaient-ils jamais été considérés comme une *gabayel el ashraaf*, une « tribu de la noblesse » dans ce pays ? Ils appartenaient à la classe qui vidait les cendriers et allaient chercher les pantoufles !

— D'accord, temps mort ! annonça-t-elle en joignant le geste à la parole.

Elle s'interposa entre sa mère et son oncle, qui frémissaient d'émotion, et l'armoire à glace venue leur débiter des choses impossibles et répandre encore plus de chagrin, sur ordre de son maître.

— De quoi parlez-vous, nom d'un chien ?

Fadi lui lança un regard désapprobateur. Il n'appréciait pas que les femmes jurent ? Tant pis pour lui. Elle ferait bien pire s'il la provoquait encore.

Son oncle se tourna vers elle, et elle vit un douloureux mélange d'incrédulité et d'espoir passer dans ses yeux soudain expressifs, transformant leur nuance noisette en flammes agitées.

— Notre famille est liée à la famille royale…

— Ex-famille royale, gronda Fadi.

Même si son esprit était absorbé par la révélation de son oncle, la véhémence de Fadi avait tout de même éveillé sa curiosité. Ces anciens souverains semblaient ne susciter la bienveillance chez aucun de ceux qui avaient été leurs sujets, même quand ceux-ci étaient liés à eux par le sang, comme c'était le cas pour Fadi.

Ce qui, pour l'instant, n'avait guère d'importance.

Elle écarta son oncle d'une main et de l'autre, ordonna à Fadi de se taire et de laisser son parent s'expliquer.

— Les Al-Ghamdi étaient autrefois les Aal-Ghamdi, reprit son oncle, le regard brillant d'émotion.

Lujayn fixa son oncle. Cette simple différence de prononciation transformait tout ce qu'elle avait jamais connu sur la *ailah* — la famille — de sa mère. Cela faisait d'eux non plus une famille qui prenait son nom d'après sa *gabeelah* — la tribu qu'ils servaient — mais cette *gabeelah* elle-même, une tribu connue pour ses guerriers qui « rangeaient leurs épées dans les poitrines de leurs ennemis », et seconde dans l'ordre de la noblesse, juste derrière la famille royale.

— Nous sommes les cousins maternels au premier degré des Aal-Refa'ee.

C'était la famille maternelle de Sondoss, la mère de Jalal, l'autre moitié de la lignée royale d'Azmahar. Un quart de l'héritage de Jalal.

Son regard se porta sur son oncle, sa mère et Fadi. Puis elle éclata de rire.

Devant les murmures de stupeur de sa mère et de son oncle, et l'air réprobateur de Fadi, elle bredouilla :

— Allons, vous devez admettre que c'est hilarant.

Quoi de plus ridicule que de découvrir que sa famille était liée avec celle de Sondoss ? Que sa mère était liée par le sang à son ancienne maîtresse tyrannique ?

Qu'elle-même était liée à Jalal.

Cette fois, elle rit sans retenue.

— Je vous demande pardon, cheikh Fadi, lâcha son oncle d'une voix étouffée. Nous n'en avons jamais parlé à nos enfants, alors, c'est une surprise pour Lujayn.

— Une surprise ? !

Elle s'esclaffa de nouveau, au point que des larmes commencèrent à couler sur ses joues, et que ses côtes lui firent mal. Elle se pencha en avant, et reprit à peine assez de souffle pour parler.

— Une surprise, c'est lorsque tu arrives chez moi à New York à l'improviste. Mais ça ? C'est un cataclysme !

— La question ne vous concerne pas en priorité, souligna Fadi d'un ton sec, mais concerne avant tout votre oncle et votre mère. Ce sont eux qui ont vécu la disgrâce de leur famille et la dépossession de leurs biens. Et ce sont eux qui ont eu à vivre avec cette connaissance et cette blessure. Cela va sans doute réécrire votre histoire et votre identité, mais ce sont eux que cette réhabilitation va venger.

Devant l'air sérieux de Fadi, elle se calma et se redressa. Peu à peu, elle prenait la mesure de ce que cette révélation signifiait, pour l'avenir, et pour le passé.

Cela en expliquait tant sur le caractère de sa mère et de son oncle. Elle avait cru qu'ils étaient ainsi à cause de leur vie difficile, dans une contrée implacable. Mais la mélancolie et la tristesse en eux étaient en fait le résultat d'une injustice et d'une oppression encore plus grandes que ce qu'elle avait imaginé.

— Alors, que s'est-il passé ? leur demanda-t-elle. Comment avez-vous été rétrogradés au rang de servants ?

— C'est… c'est une longue histoire, marmonna sa mère, en fuyant son regard.

— Rien n'est trop long pour expliquer cela. Je ne vais nulle part tant que vous ne m'avez pas tout raconté.

Avant que sa mère ou son oncle puissent réagir, Fadi leva la main, les réduisant au silence. Elle commençait vraiment à détester cet homme.

— Je vous saurai gré de reporter votre discussion familiale après mon départ, lança-t-il.

— Vous êtes venu nous faire part de l'offre de votre

prince. C'est chose faite. Alors, qu'attendez-vous pour partir ?

Il haussa un sourcil impérieux devant son audace. Puis, d'une voix basse, profonde, encore plus crispante, il se contenta de dire :

— Une réponse.

— Vous attendez que mon oncle vous donne une réponse sur une offre si… inattendue, juste comme ça ?

— Ce que j'attends, c'est qu'il parle lui-même.

Elle n'avait jamais supposé avoir son mot à dire sur les décisions de sa famille. Mais si cette décision impliquait son oncle et Jalal, alors elle en aurait un, bon sang ! Un retentissant « non » !

Il n'y avait qu'une raison à cette offre. Elle. Et qu'elle soit damnée si elle laissait Jalal se servir de son oncle comme d'un pont pour envahir de nouveau sa vie.

Elle se tourna vers son oncle, le suppliant du regard de ne pas se prononcer maintenant. Mais les yeux fiévreux, il ne la vit même pas. Il semblait perdu dans ses pensées, entre le souvenir des épreuves de sa jeunesse perdue et le rêve d'un futur plein de dignité.

Puis il se tourna vers Fadi, sans guère le voir non plus.

— S'il vous plaît, transmettez ma plus profonde gratitude au prince Jalal pour son offre généreuse et cette occasion unique. Ce serait un honneur et un privilège de rejoindre sa campagne pour la conquête du trône.

Elle poussa un gémissement quand elle porta son regard sur Fadi. Et une fois de plus, l'expression qu'elle y lut lui fit oublier un instant son désarroi. L'acceptation ravie de son oncle était la dernière chose dont Fadi avait envie.

Comme elle s'y attendait, après un hochement de tête raide et un instant de réflexion, il annonça :

— J'ai eu l'honneur — et le devoir — de transmettre l'offre de *Somow'woh* telle qu'elle est. Mais je vais prendre la liberté d'adapter cette offre, pour faciliter les étapes de votre réhabilitation, et m'assurer qu'aucune décision… maladroite — il leva les yeux, ne laissant pas le moindre doute quant au fait qu'il s'adressait surtout à elle — de la part de *Somow'woh* ne bouleverse l'équilibre fragile de sa campagne.

Si cette adaptation offrait à son oncle n'importe quoi d'autre qui n'implique pas Jalal, elle pourrait pardonner à cet homme. Elle pourrait même l'embrasser, s'il évitait cette catastrophe potentielle.

Son oncle hocha la tête, semblant se vider de son énergie soudainement retrouvée.

— Oui, oui, bien sûr, la priorité est de préserver les efforts du prince Jalal.

Dieu ! Qu'y avait-il chez Jalal pour que les gens soient prêts à se jeter sous un train pour lui plaire ?

Elle savait exactement ce que c'était. Elle détestait Jalal un peu plus chaque jour précisément pour cette raison.

— J'offre une place dans mon équipe, annonça Fadi. Vous seriez quand même dans l'équipe de *Somow'woh*, et tout aussi précieux pour sa campagne, mais cela éviterait que certains s'offusquent de le voir écarter beaucoup de candidats haut placés et pleins d'espoir afin de vous offrir un poste.

Fadi pensait donc que la décision de Jalal de s'associer avec sa famille serait un terrible faux pas. Il essayait de le protéger contre une décision « maladroite ». Non pas que son oncle ne soit pas qualifié pour le poste. Au contraire, avec un doctorat en sciences politiques et en droit, et un diplôme en comptabilité, il était tout à fait qualifié pour diriger la campagne. Mais Fadi prenait en considération les dégâts en termes d'image, dans une société qui maintenait les gens dans des classes rigides. Cette « réhabilitation » et la raison qui la motivait pourraient faire du tort à la popularité de son maître et candidat. En bref, Fadi se comportait en renard politique et en snob privilégié.

Elle avait tout de même envie de l'embrasser. Car sa réticence à les laisser contaminer l'environnement de son cher prince lui donnait une échappatoire.

Son oncle opina enfin.

— Je m'en remets à votre jugement, cheikh Fadi. Je serai heureux d'offrir mes compétences et mes services au prince Jalal, dans le poste pour lequel je suis le plus qualifié, quel qu'il soit.

Fadi hocha la tête, l'air soulagé.

— Je vous contacterai rapidement pour vous communiquer des informations complémentaires.

Il fit une révérence respectueuse à sa mère, puis une à Lujayn, bien moins raide, témoignant de la piètre opinion qu'il avait d'elle.

Elle le suivit.

— Vous pensez que Jalal acceptera votre « adaptation » ? lui chuchota-t-elle.

Il lui lança un regard inquisiteur. Il se demandait sans doute comment son maître avait supporté d'être en présence d'une créature si peu distinguée. Et comment il pouvait encore vouloir d'elle.

— Je ne vois pas en quoi cela vous concerne.

— C'est là que vous vous trompez. Nous sommes tous les deux sur la même longueur d'ondes, sur ce point. Vous ne voulez pas que nous nous approchions de lui, et je préférerais qu'il vive sur une autre planète. Alors, faites tout ce que vous pouvez pour « réhabiliter » mon oncle et utilisez ses compétences immenses, mais laissons Jalal aussi loin que possible de tout cela. Pour le bien de tous.

Il l'observa, l'air incrédule. Elle avait donc réussi à le

surprendre. Il ne comprenait sans doute pas comment une femme pouvait refuser l'attention de son prince. Mais il semblait que son ardeur l'ait atteint. Il avait l'air de la croire, maintenant.

Pour l'instant, en tout cas. Il lui adressa un signe de tête militaire et avança. Les pas raides du soldat qu'il avait été, et qu'il était encore manifestement, résonnèrent sur le sol de pierre de la modeste demeure de son oncle.

Fadi était à la porte quand une agitation s'éleva de l'intérieur de la maison.

Elle se figea tandis que des cris et des appels précédaient des pas rapides qui approchaient, se mêlant à d'autres cris et à des rires joyeux.

Fadi s'arrêtant, elle crut que son cœur allait exploser.

Il regarda derrière lui, tendant l'oreille, puis il baissa les yeux vers elle. Elle sentit ses nerfs craquer l'un après l'autre, tandis qu'elle réprimait difficilement son envie de le pousser vers la sortie.

Une seconde avant qu'elle ne cède à son impulsion, il sortit.

Elle faillit claquer la porte derrière lui, puis y appuya le front, tremblante, en se réprimandant pour cette attaque de panique qui avait presque désintégré sa raison.

Pourquoi avait-elle été si terrifiée ? Rien ne serait arrivé, quand bien même il les aurait vus. Dans le pire des scénarios, même s'il soupçonnait quelque chose, il l'aurait caché, pour ne pas saboter son propre objectif.

Néanmoins, il lui fallait rester vigilante. Il n'y avait qu'à voir ce qui s'était produit quand elle avait baissé sa garde. Jalal lui avait envoyé un missile qui risquait de faire exploser sa famille.

A moins que… Peut-être que la seule façon de neutraliser ce missile était de faire des révélations à son tour ?

Elle était prête à parier que Jalal retirerait son offre et prendrait ses jambes à son cou.

Non. Même si elle était certaine de réussir, elle ne voulait pas qu'il sache. En aucun cas.

Poussant un lourd soupir, elle alla retrouver sa mère et son oncle, toujours aux prises avec des émotions exacerbées, et s'avisa qu'elle avait deux objectifs. Protéger sa famille des manipulations de Jalal. Et s'assurer qu'il ne découvrirait pas ses secrets.

5

Les adaptations de Fadi avaient échoué en un temps record.

Il avait appelé une heure plus tard, pour dire que l'offre initiale de Jalal ne serait pas « adaptée ». Lujayn avait le sentiment que Jalal ne l'avait même pas laissé aller au bout de sa suggestion.

Ce qui n'était guère étonnant. Jalal prenait ses décisions et, ensuite, faisait en sorte que tout le monde s'y plie. Elle en était presque à souhaiter que cette décision en particulier occasionne un retour de bâton, comme Fadi le craignait, mais cela aurait impliqué des dégâts collatéraux dans le cœur et l'âme des membres de sa propre famille.

Toutefois elle avait le sentiment que Fadi avait d'autres inquiétudes. Elle s'apprêtait à le questionner plus avant quand son oncle était descendu et lui avait pris le téléphone des mains.

Stupéfaite, elle le regardait discuter avec Fadi. C'était comme si l'homme qu'elle avait connu jusqu'à présent n'avait fait que simuler l'apparence de la vie. Désormais, il vivait véritablement, pour la première fois, sous ses yeux.

Si elle n'entendait pas bientôt cette « longue histoire », elle allait exploser. Mais jusqu'ici, sa mère comme son oncle avaient refusé de lui en dire plus.

Son oncle raccrocha et se tourna vers elle, la voix tremblante d'euphorie.

— Le prince Jalal n'insiste pas seulement pour que je devienne son conseiller personnel, il veut aussi que je sois membre de son futur gouvernement.

— Il est vraiment sûr de devenir roi ! railla-t-elle.

Ne remarquant pas son sarcasme, son oncle hocha la tête avec vigueur.

— Si les Azmahariens savent ce qui est le mieux pour eux, ils le choisiront.

— Mais nous savons tous que les gens s'éloignent en général de ce qui est le mieux pour eux.

Ce qui signifiait qu'ils choisiraient effectivement Jalal.

— Je crois que les gens vont faire le bon choix en l'occurrence. Le prince Jalal rassemble à la fois des origines azmahariennes et zohaydiennes, et a l'étoffe d'un véritable meneur. En bref, tout ce dont Azmahar a besoin.

— On pourrait en dire autant de son jumeau.

— Non, le prince Haidar s'est retiré de la course.

— Mais sa nouvelle épouse l'a convaincu de la réintégrer.

Trop absorbé par son besoin de la convaincre, il ne lui demanda pas comment elle savait cela.

— Le prince Haidar n'a pas exactement annulé sa décision, il l'a juste nuancée en disant qu'il accepterait le trône, si la majorité le choisit quand même.

— Si c'est une vraie décision et non une manœuvre politique, cela prouve qu'il n'est pas assoiffé de pouvoir, mais prêt à jouer son rôle en cas de besoin. De plus, s'il ne nous abreuve pas de promesses de réformes en cas de victoire, il est déjà très impliqué et agit en profondeur pour les faire avancer. Il se pourrait bien qu'il soit un candidat imbattable.

La perspicacité de ces propos se lut dans son regard d'homme instruit et éclairé. Elle s'étonnait toujours que jusqu'à ce qu'il l'ait rejointe pour diriger l'empire de Patrick, il n'ait jamais pu garder un seul poste digne de ses compétences et de son expérience.

— Les efforts du prince Haidar auraient été un avantage indéniable, dit-il, si les deux autres candidats n'étaient pas tout aussi impliqués dans des réformes aussi vitales que celles qu'il met en œuvre en ce moment. En fait, ils sont tous engagés dans la première campagne politique de ce genre dans l'histoire.

— Evidemment. C'est la première fois qu'un trio fait campagne pour un trône, et non un siège de président. Je me demande pourquoi le peuple d'Azmahar tient à ce que le système monarchique perdure.

— Parce que, avant notre dernier roi, il marchait trop bien pour qu'ils veuillent en changer. A présent, si nous choisissons le prochain roi, de préférence Jalal selon moi, il en fera bien plus qu'il ne le pourrait en tant que président. Et puis on ne peut pas changer la constitution de base d'un peuple ou de sa culture sans en payer lourd tribut. Mais ce n'est pas pour cela que cette campagne pour le trône est unique. C'est l'approche des candidats qui est nouvelle. Au lieu d'essayer de convaincre les gens qu'ils sont les meilleurs en taillant en pièces les autres candidats, et de dépenser des millions pour influencer les opinions, ils montrent tous leur désir et leur capacité à œuvrer pour le meilleur d'Azmahar en résolvant les problèmes maintenant, et non plus tard. Mais ce qui est plus remarquable encore, c'est qu'ils s'unissent si besoin est. C'est ainsi qu'ils ont contenu la catastrophe de la marée noire.

Cela, elle l'apprenait. Et elle en était stupéfiée. Elle n'aurait pas cru Jalal capable de refréner son ego ou sa soif de pouvoir pour le bien de la communauté, à l'instar de Haidar et de Rashid.

Il y avait tant de choses qu'elle ignorait.

Elle savait seulement que Haidar était le jumeau de Jalal et la version masculine de leur mère, d'une extrême beauté mais dépourvue d'âme. Certes, il n'était pas aussi dénué d'humanité qu'elle, puisqu'il semblait fou amoureux de sa femme, Roxanne. Et elle en savait encore moins sur Rashid, le troisième candidat.

— Tu viens de prouver que Haidar et Rashid sont tout aussi aptes à devenir souverains. Alors, d'où tires-tu ta conviction que Jalal est le meilleur candidat ?

— Ma conviction n'est pas fondée sur un vœu pieux comme tu le sous-entends. Si le cheikh Rashid est azmaharien à cent pour cent, héros de guerre décoré et très influent dans le monde des affaires, il n'a aucun lien avec le Zohayd. Et puisqu'il est établi qu'Azmahar a besoin du Zohayd pour survivre, et prospérer, c'est là un grand handicap. Il n'a aucune chance contre quelqu'un qui aura autant d'atouts que lui, mais qui aura en plus le roi du Zohayd pour frère.

— Dans ce cas, Jalal se trouve quand même dans une position égale à celle de Haidar. Alors, à moins que Haidar n'abandonne la course, Jalal n'a qu'une chance sur deux d'être élu.

— Non. Tu supposes que le prince Haidar a les mêmes atouts, mais c'est loin d'être vrai. Lui aussi a un grand handicap : il a le visage de sa mère. On pourrait croire que ce n'est pas important, mais ça l'est, pour sûr. Toi, surtout, tu sais à quel point elle est haïe ici.

Oui, elle le savait, ayant subi elle-même les effets de son comportement haïssable.

— Mais Jalal ne souffre pas de ce stigmate, poursuivit son oncle. Pour nous, il est davantage un Zohaydien, et le Zohayd ne suscite que respect et même amour dans la plus grande partie de notre peuple. Il ressemble à son père, le roi Atef, notre plus grand allié de ces dernières décennies. Le prince Jalal ressemble aussi à son frère aîné, le roi Amjad du Zohayd, et il serait le mieux placé pour convaincre Amjad de reprendre l'alliance vitale brisée à cause des méfaits de notre précédente famille royale. Et puis il a du sang azmaharien dans les veines. Il réunit le meilleur de tous les mondes.

Elle resta sidérée par cette argumentation implacable.

— Eh bien, il a eu raison de t'engager pour sa campagne. Tu convaincrais ses pires ennemis.

— J'ai toujours pensé qu'il était le meilleur candidat, j'ai toujours admiré en lui le fait qu'il n'ait jamais oublié l'autre part de son héritage. Il a soutenu nombre de nobles causes ici, à Azmahar, bien avant de savoir qu'il pourrait un jour en devenir roi. Et maintenant, après ce qu'il a fait…

Il passa les mains dans sa crinière argentée, et son visage trembla d'émotion.

— *Ya Ullah, ya* Lujayn, tu ne pourras jamais mesurer… l'*immensité* de son geste. Il a ôté le poids qui m'a étouffé toute ma vie. Si je le respectais et l'admirais déjà, à présent qu'il a lavé mon honneur et celui de ma famille et qu'il a du même coup réveillé mon désir de vivre, je lui suis éternellement redevable.

C'était sans doute ce que ce rat recherchait. Quelle meilleure façon pour s'insinuer dans sa vie que d'inspirer un sentiment aussi intense et éternel chez son parent le plus proche ?

Mais elle doutait fortement qu'il n'ait découvert qu'hier le sort injuste qui avait échu à sa famille. Jalal était un maître de la manipulation. Il avait sans doute appris ce secret depuis longtemps, et l'avait gardé en réserve pour s'en servir au moment propice. Et cela avait fonctionné. Son oncle, et sans doute sa mère, feraient désormais des pieds et des mains pour lui.

Il avait atteint son objectif. Comme toujours. Elle l'avait repoussé, il avait donc contourné l'obstacle, pour revenir dans sa vie par un trou béant dont elle n'avait même pas soupçonné l'existence. Et à n'en pas douter, il s'y incrusterait aussi longtemps qu'il lui plairait.

Tout ce qu'elle pouvait faire maintenant, c'était de contrecarrer ses plans et de prendre ses distances, jusqu'à ce qu'elle puisse fuir.

Rien ne la ferait revenir alors.

En attendant, elle n'exprimerait pas ses vues blasphématoires sur la nouvelle divinité que son oncle s'était trouvée. Même si elle savait que tout cela finirait mal, comme tout ce qui impliquait Jalal, elle n'avait pas le courage d'éteindre l'appétit de la vie que son oncle venait à peine de retrouver. Alors, elle garderait ses appréhensions pour elle. Pour l'instant en tout cas.

C'était quelque chose dont son oncle et sa mère avaient besoin, quelque chose dont ils ne s'étaient même pas autorisés à rêver. S'ils devaient se réveiller pour découvrir une horrible réalité, ce ne serait pas elle qui allait faire office de réveil. Elle ne pouvait que supposer quelle serait la fin de partie prévue par Jalal…

— … ce soir.

Les derniers mots de son oncle résonnèrent dans son esprit. Il n'avait tout de même pas pu dire…

— Tu as bien entendu, répéta son oncle, au comble de la joie. Le prince Jalal nous a tous invités dans sa résidence, ce soir, pour fêter mon entrée dans son équipe.

— *Marhabah ya bent el amm.*

La voix qui avait hanté son esprit pendant presque toute sa vie d'adulte résonna dans la nuit chaude et calme. Aussi douce que le métal d'une épée polie, aussi calme que le désert. Et elle avait dit…

« Bienvenue, cousine. »

La fureur jaillit en elle tel un geyser. Elle se retourna brusquement, au comble de la frustration d'être acculée une fois de plus, prise au piège par les attentes fragiles de sa famille.

— Arrête ça tout de suite, fulmina-t-elle.

En réponse à sa fureur, un rire retentit, porté par la brise du soir.

Elle frissonna tandis que Jalal semblait sortir de la nuit, être magique auréolé de menace et de beauté. Son visage émergea, chef-d'œuvre de sculpture, marqué par un héritage royal ancien aussi impitoyable que le désert qui l'avait engendré. Ses yeux reflétaient les flammes des torches de cuivre bordant le chemin de pierres qu'elle venait de traverser comme si elle allait à la potence.

— Arrêter quoi, Lujayn ? De t'appeler par ce que tu es réellement pour moi ?

— Je ne suis rien pour toi.

— Tu as toujours été beaucoup de choses pour moi.

Un sourire pétillant alluma des étincelles d'or dans son regard ambré et se dessina sur les lèvres splendides qui lui avaient enseigné ce qu'était la passion. Aussitôt resurgirent tous les instants pendant lesquels il avait possédé son corps et son âme, lui donnant des plaisirs qui l'avaient marquée à vie.

— Et nous avons découvert que tu es plus proche de moi que nous ne l'avions jamais soupçonné.

— Découvrir que nous partageons quelques cellules sanguines et quelques gènes nous rend aussi parents que les humains et les singes.

— Je suppose que c'est moi que tu places en bas de l'échelle de l'évolution, dit-il, effaçant la distance entre eux.

— Arrête.

Elle ne savait pas ce que son « arrête » signifiait, cette fois. Ou plutôt si. *Arrête de jouer avec moi. Avec ma volonté. Mon besoin de rester en colère.*

— Arrêter quoi ? D'approcher ? Comme ça ?

Elle haleta quand il glissa le bras autour de sa taille. Et une fois de plus, malgré elle, son corps s'avança vers le sien.

— Mais tu as raison, en partie. Avec toi, je retrouve mon état de bête. Je suis une bête qui ne veut que te posséder, t'assaillir — il l'attira légèrement vers lui — et te satisfaire.

La sensation de son corps contre elle la fit vaciller, et son parfum affola ses sens, tandis qu'elle lançait des regards frénétiques autour d'elle.

Les seuls signes de vie étaient ceux des conversations et des rires émanant de la vaste villa à deux niveaux derrière lui. Elle avait vu des gardes postés devant les grilles quand elle avait été conduite dans les immenses jardins de la propriété, mais personne depuis son arrivée. Peut-être étaient-ils habilement cachés, pour qu'elle ne puisse même pas sentir leur présence.

Non. Il ne se permettrait pas cette étreinte s'il y avait la moindre présence dans les environs. Son chauffeur était reparti rapidement, suivant sans doute les ordres de Jalal. Il avait fait en sorte que tout le monde disparaisse une fois qu'elle serait arrivée, d'ailleurs.

Il avait mis son piège en place et avait patienté. A présent, il jouait avec elle comme un félin avec sa proie.

— Ote tes mains de moi, sinon tes invités sauront exactement ce qui t'est arrivé en te voyant boiter.

Il sourit de plus belle, ses grandes mains expertes la maintenant contre lui par de douces caresses dans son dos.

— Alors, tu vas me donner un coup de genou, cette fois ?

Ses doigts accédèrent aux zones érogènes qui n'avaient pas été explorées avant ou depuis qu'il s'y était employé.

— Je risquerais bien pire, pour te sentir de nouveau comme ça.

Il appuya sa verge engorgée contre son ventre, et se frotta à elle. Elle lui lança un regard noir tandis que l'assaut de Jalal agissait comme un aphrodisiaque sur ses sens. Ses seins se gonflèrent de désir, et son ventre se contracta.

— Et puis ce n'est pas comme si tu n'en avais pas autant envie que moi.

Pour prouver ses dires, il retira les mains. Et son traître de corps resta pressé contre lui.

Quoi que son esprit lui commande, son corps, lui, réclamait le contact de celui de Jalal. Et cela la rendait folle de rage, bien plus contre elle-même que contre lui, d'ailleurs. Car il ne faisait que l'amener à avouer sa faiblesse et à y succomber. Elle en était la seule responsable.

Pourtant, elle lança :

— Alors, cela t'amuse, de me forcer à venir ici pour supporter ton assaut sans pouvoir riposter ? Puis-je m'en aller maintenant ?

La lueur malicieuse dans ses yeux s'intensifia. Et cette moue ! Elle ignorait ce qui la retenait de le mordre.

— D'abord, tu es ici de ton plein gré, comme d'habitude, en tant qu'invitée estimée et nouvelle cousine, quoique éloignée. Ensuite, tu peux riposter à ta guise. Je porterai les marques de ta passion avec fierté. Troisièmement…

Il l'attira de nouveau contre lui, car elle n'avait pas reculé d'un pouce, et appuya son sexe pulsant et ferme contre son ventre.

— Je ne me suis pas encore amusé, loin s'en faut.

Au prix d'un effort immense, elle s'empêcha d'onduler contre lui.

— Tu devrais faire en sorte qu'une de tes concubines s'occupe de ton… problème.

Il s'esclaffa.

— C'est toi qui l'as provoqué, quand tu ne t'es pas montrée avec ta famille.

Son oncle et sa mère avaient été déroutés, puis consternés, quand elle avait trouvé une excuse pour ne pas les accompagner. Mais elle n'avait pas pu trouver une raison assez valable. Elle avait cru que même la vraie raison ne serait pas assez valable pour eux.

Alors, elle avait fait semblant de coopérer quand l'escorte que Jalal avait envoyée était arrivée. Puis elle avait prétexté qu'elle n'était pas prête, et qu'ils devaient partir sans elle.

Elle avait cru être sauvée, pour ce soir, du moins. Mais sa mère avait téléphoné. Elle était inquiète et pensait que son absence avait offensé Jalal. Pour quelle autre raison demandait-il avec tant d'insistance pourquoi elle ne s'était pas jointe à eux ? Sachant qu'elle n'avait pas d'autre choix que de capituler, elle avait promis à contrecœur d'être prête, quand Jalal enverrait la limousine pour la seconde fois. Et à présent, elle était là.

— Excuse-moi de ne pas faire passer tes caprices en premier, dit-elle entre ses dents, en prenant soin de ne pas respirer trop fort, pour ne pas être enivrée par son parfum. Je n'avais pas prévu de tout laisser tomber pour « fêter » l'asservissement de mon oncle à ta cause.

Il eut un sourire indulgent.

— Si tu avais été là ces trois dernières heures, tu aurais entendu ton oncle et ta mère dire à quel point ils étaient heureux de pouvoir afficher enfin notre relation, et à quel point ils étaient ravis de notre collaboration future.

— C'est ainsi que tu appelles la situation artificielle que tu as créée ?

— Je n'ai pas créé cette « situation » merveilleuse. J'en tire juste le meilleur parti après l'avoir découverte.

— Découvrir un lien entre nous, même insignifiant et distant, ce n'est pas une merveille, c'est un… un… *semn*.

— Un poison ? C'est plutôt le contraire, tu ne crois pas ? C'était le déshonneur dont ta famille souffrait injustement qui a empoisonné leur vie. Et c'est la rancœur que tu nourris à mon encontre qui empoisonne la tienne.

— Ainsi tu es le bienfaiteur qui veut nous administrer l'antidote, par la bonté de ton cœur inexistant ? Ma famille est libre de t'être éternellement reconnaissante pour tes miettes de bienveillance, et moi j'ai le droit de préférer mon poison, qui au moins, me laisse ma liberté.

— Prends une grande inspiration, Lujayn.

Il sourit en se penchant vers elle, et sa bouche suivit chacun de ses traits, partant du front pour arriver jusqu'aux lèvres.

— Replonge-toi dans ton havre de paix mental un instant.

Elle se dégagea dans un sursaut et lui décocha un regard plein de ressentiment.

— Je ne peux pas. Tu ne m'en as laissé aucun.

Il se redressa, pour la fixer d'un air soudain sombre.

— Je ne vais même pas relever cette exagération, Lujayn. Mais quels qu'aient été nos problèmes par le passé, je suis en train de faire ce qu'il faut pour les résoudre.

— Qu'est-ce… que veux-tu dire par là ?

Il fourra les mains dans ses poches, et son regard se fit plus sérieux.

— Durant notre dernière confrontation, tu as parlé d'un « fossé infranchissable » entre nous. Si je n'avais jamais pensé qu'un réel fossé existe, toi, si. Mais ce fossé, qu'il soit réel ou imaginaire, a disparu.

Elle le fixa, déroutée. Voulait-il dire ?…

Puis elle eut un rictus ironique.

— Si tu sous-entends que tout était dans ma tête, je t'arrête tout de suite ! N'importe qui, même avec un demi-cerveau, te dirait que le fossé était même en fait un golfe. Et qu'il demeurera à jamais infranchissable.

— Ce n'est pas vrai. S'il n'a jamais compté pour moi, ce prétendu golfe qui existait entre nous sur le plan social, n'existe plus, depuis mes dernières découvertes concernant ta famille.

— Ah, vraiment ? Tu affirmes que moi, un membre de la royauté de second ordre, je vaux autant que toi, issu d'une lignée de rois et de reines de sang pur, et fils de l'un des rois les plus vénérés de la région ?

Il haussa les épaules.

— Je suis également issu de la lignée d'un roi renversé, et je suis le fils de l'ex-reine la plus ignoble de ce même monde. Tu t'en tires mieux que moi dans n'importe quelle comparaison, venant d'une lignée de gens honnêtes et travailleurs d'un côté, et de l'autre d'une lignée unanimement estimée pour sa valeur et son sens de l'honneur.

— Tu parles de cette partie de mon ascendance qui a été déchue de son honneur et réduite à servir ses soi-disant parents ?

— C'est du passé, maintenant. Ta lignée va être réhabilitée. Quand la nouvelle se répandra, ils seront considérés avec plus de sympathie et de respect que jamais.

— Et cela arrivera seulement grâce à ton bon vouloir.

— Grâce à la preuve que Fadi a découverte.

— Ce que je voulais dire, c'était que tu avais utilisé cette preuve parce que cela t'arrangeait. Tu l'aurais laissée enfouie sans un remords si tu n'avais pas eu un intérêt à la rendre publique maintenant.

— Cette preuve tombe à pic, je ne peux le nier.

Un autre sourire radieux se peignit sur ses traits, rehaussant leur irrésistible beauté.

— Es-tu en train de suggérer que je n'aurais pas dû dévoiler cette preuve au grand jour parce que j'en retirais un bénéfice ?

Il avait réponse à tout. Il pouvait retourner n'importe quel argument pour avoir l'air juste, logique, honorable même.

— Tu es incroyable ! Tu es en pleine campagne pour le trône, et tu dépenses des efforts incroyables pour m'avoir dans ton lit ? Tu ne crois pas que cela va trop loin ?

Il haussa les épaules nonchalamment.

— En dehors du fait que je ferais n'importe quoi pour « t'avoir dans mon lit », j'aurais agi de même pour n'importe qui.

— Oui, bien sûr, tu passes ton temps à enquêter sur les gens pour découvrir quels torts on leur a causés dans les générations passées, afin de pouvoir les redresser.

Il hocha la tête avec un calme exaspérant.

— Je fais ce que je peux quand un problème vient à ma connaissance, oui.

— Eh bien, tu pourrais aussi bien reprendre ce que tu as donné à ma famille tout de suite, au lieu d'attendre.

Il haussa les sourcils, feignant de ne pas comprendre.

— Tu crois que c'est ce que je ferai, une fois que j'aurai obtenu ce que je veux de toi ?

— Non, une fois que tu auras compris que tu n'obtiendras plus jamais rien de moi.

Avec un petit rire, il l'attira doucement à lui.

— Est-ce une façon de parler à un parent éloigné ?

Il blottit le visage contre son cou, et l'étreignit tandis qu'il plongeait les mains sous son chemisier pour explorer la peau brûlante de son dos. Soudain, il gémit contre sa peau frissonnante.

— Tôt ou tard, tu ne seras plus capable de me résister, tu ne trouveras plus de raison. J'ai déjà cessé d'essayer. Cette… alchimie entre nous est trop forte, *ya jameelati'l feddeyah.*

Une vague de nostalgie l'envahit. Il avait toujours été très généreux dans l'expression verbale de sa passion. Entendre Jalal l'appeler sa « beauté d'argent » lui fit monter les larmes aux yeux. Elle détourna le visage de la clarté trop vive de la lune, et les lèvres de Jalal tracèrent un chemin de tentation le long de sa joue.

Un frisson la secoua quand il lui chuchota à l'oreille :

— Nous allons être réunis sur bien des plans, à partir de maintenant. A travers mon implication dans la gestion de l'héritage de Patrick, à travers l'engagement de ta famille dans ma campagne. Ceci — il la plaqua contre son torse, offrant à ses seins douloureux le contact qu'ils réclamaient — est plus fort que nous.

La méfiance, la raison, l'hostilité s'évanouissaient, laissant toute la place à son désir. Elle rêvait qu'il s'étende sur elle, sur la pelouse luxuriante, pour qu'elle puisse s'offrir à lui tandis qu'il l'amènerait à l'extase…

— Cesse de lutter contre l'inévitable, dit-il.

Ses paroles enrayèrent sa chute dans cet abîme de

désir, et elle le repoussa, même si ses bras étaient aussi languides que ceux d'une poupée de chiffon.

Il la laissa faire, lui montrant qu'il ne l'avait retenue que par la force de l'attirance qu'elle éprouvait pour lui.

Elle plaqua sa paume contre son torse ferme.

— Qu'entends-tu par l'inévitable ? Une autre liaison ? Pendant que je suis à Azmahar ?

Il porta sa main à ses lèvres et lui mordilla le bout des doigts. Dans ses yeux brillait cette passion qui lui avait autrefois donné l'impression d'être la femme la plus désirable au monde.

— Une autre liaison qui durera aussi longtemps que nous le voulons. Si tu pars, je reviendrai vers toi, de toute façon, comme je l'ai toujours fait.

— Et cette réhabilitation que tu as offerte à ma famille, et par conséquent à moi, c'est pour que nous ne souillions pas ton image si notre liaison était découverte ?

— Bien sûr que non.

Sans le vouloir, elle se réjouit de sa réponse sincère. Etait-il possible qu'il se moque vraiment de son statut social, d'aujourd'hui ou d'hier ?...

Mais il étouffa dans l'œuf tout espoir naissant.

— Tu as ma parole que notre relation restera secrète. J'ai fourni ces efforts pour ta famille, et pour toi, afin que tu ne ressentes plus le moindre déséquilibre dans notre relation.

Autrement dit, peu lui importait effectivement qui elle était, ce qu'elle était ou devenait, puisqu'à ses yeux, elle n'était bonne qu'à être sa maîtresse cachée. Aujourd'hui comme hier

Il avait redoré le blason de sa famille, non parce que cela lui importait ou qu'il avait eu l'intention de lier son propre nom au sien, mais pour l'apaiser. Pour lui donner un sentiment de valeur factice. Pour qu'elle se sente assez confiante et revienne dans son lit sans être assaillie par les doutes qui l'avaient rongée dans le passé.

Des sentiments qu'elle s'était pourtant promis de ne plus ressentir, une oppression et une honte brûlantes se répandirent dans son cœur.

Non. Elle ne le laisserait plus faire. Elle l'avait promis à Patrick.

Elle retira sa main de la sienne, et Jalal la laissa faire.

Mais il revint aussitôt à la charge par la parole.

— Ne me repousse pas, Lujayn. Le passé est passé, et je ne veux pas le ramener sur le tapis. Nous sommes ici, dans le présent, et tout est différent.

D'une main tremblante, elle lissa ses cheveux et ses vêtements dérangés par son étreinte et recula encore.

— C'est là que tu te trompes, *Somow'wak*. Rien n'a changé. Ou, si c'est le cas, c'est encore pire. Une relation sans sentiments, alors que nous ne partageons rien, ne pourrait finir que de manière désastreuse.

Il serra les poings, comme pour s'empêcher de la prendre dans ses bras.

— Qui dit qu'il n'y a pas de sentiments ? Et nous avons des points communs. A commencer par ce désir mutuel et insensé. Et puis nous voulons tous les deux préserver l'empire de Patrick, et veiller à la réhabilitation de ta famille.

— Et nous pouvons veiller à nos intérêts chacun de notre côté. C'est même une solution à privilégier. Tu n'as qu'à demander à ton directeur de campagne. Alors, pourquoi ne pas concentrer tous tes efforts sur ta conquête du trône ? Mon oncle est impatient de t'aider dans cette tâche. Contrairement à moi, il croit en toi. Moi, je ne suis ici qu'en attendant le rétablissement de ma tante, et elle est presque…

Il fronça les sourcils.

— Ta tante ?

— Alors, tu as enquêté sur ma famille, mais uniquement pour découvrir des informations qui nous rendraient redevables envers toi, n'est-ce pas ?

— Qu'y a-t-il avec Suffeyah ?

Elle cligna les yeux, surprise par son inquiétude apparente, et par le fait qu'il se souvenait du nom de sa tante.

D'un geste impatient, il la pressa de lui répondre. Avec méfiance, et hésitation, elle lui raconta tout, en l'observant de près, pour essayer d'analyser ce qu'elle lisait dans ses yeux.

— … les spécialistes s'accordent à dire qu'une simple mastectomie serait suffisante, et elle a été opérée, il y a deux semaines. Nous attendons maintenant de voir s'ils vont renoncer à la chimiothérapie et à la radiation, pour la mettre sous traitement antihormonal. Les résultats des tests vont dans ce sens, alors nous espérons que dans quelques semaines, elle sera considérée comme tirée d'affaire. A ce moment-là, tu seras sans doute le nouveau souverain d'un pays dans lequel je n'ai aucune intention de remettre les pieds un jour.

Il resta muet, et se contenta de la fixer d'un air sombre. Elle en profita pour s'éloigner sur ses jambes chancelantes, ajoutant par-dessus son épaule :

— Je vais assister à ce qui reste de ta « fête » et te vouvoyer puisqu'ils ignorent tout de notre liaison passée. Si tu ne comptes pas reconsidérer tes intentions sur cette « réhabilitation » et sur la position de mon oncle maintenant que tu connais la mienne, je te prie de rester courtois et impersonnel avec moi pour le reste de cette nuit infernale. Puis je te quitterai, et tu cesseras de me poursuivre.

Il croisa les bras.

— Je soupçonnais que tu avais une raison de me

repousser. A présent, j'en suis certain. Il y a autre chose derrière ton refus. Et je continuerai de revenir à la charge, jusqu'à ce que tu me dises ce que c'est. Je vais…

— *Somow'wak.*

Une voix grave fendit la nuit calme. *Fadi.*

Si elle détestait l'idée que Fadi avait assisté à l'assaut de Jalal sur elle, son apparition avait au moins détourné l'attention de ce dernier. Maugréant, il se tourna vers son conseiller.

Profitant de l'occasion, elle se dirigea vers l'escalier de marbre éclairé par la lumière argentée de la lune. Il menait à une vaste terrasse où des portes-fenêtres ouvertes émanaient une lumière dorée, une musique douce et une joie détendue.

Tandis qu'elle traversait le portique, elle se retourna vers Jalal et Fadi. Tous deux la fixaient avec une telle intensité qu'elle se sentit frissonner.

Réprimant son agitation et prenant une dernière inspiration, elle franchit le seuil d'un salon superbement décoré, baigné par une lumière apaisante, comme si elle montait sur la scène d'un théâtre.

Elle se força à sourire tandis que tout le monde se levait pour l'accueillir, et commença une fois de plus à jouer le rôle que Jalal l'avait forcée à jouer.

Jalal regarda Lujayn disparaître dans la villa et entendit les voix s'élever pour l'accueillir. Serrant les dents, il se tourna vers Fadi.

Avant qu'il puisse déverser un peu de sa frustration et son déplaisir sur lui, Fadi avait commencé à parler :

— Je regretterai peut-être de vous avoir dit cela, mais vous devez savoir.

C'était à propos de Lujayn. Il en était certain.

Si c'était une information qui pouvait l'éloigner davantage de lui, il ne voulait pas la connaître.

Mais déjà, Fadi lui racontait. Il était trop tard. Il n'y avait plus de retour en arrière possible.

Lorsque Fadi eut terminé son rapport, Jalal le fixa sans rien pouvoir répondre. Il n'y avait plus rien dans son esprit, hormis ces cinq mots que Fadi avait prononcés.

Lujayn Morgan a un enfant.

6

Jalal retourna dans la pièce qu'il avait quittée une demi-heure plus tôt pour aller intercepter Lujayn. Il avait cru qu'il y reviendrait avec elle, en ayant au moins obtenu un accord de sa part pour reprendre leur liaison.

Mais il était seul. Lujayn était déjà là, entourée de sa famille, l'air détendu. Quand il apparut, tandis que les autres invités lui montraient leur plaisir et leur enthousiasme de le revoir, Lujayn l'observa comme si elle ne l'avait jamais vu.

Il lui rendit le même regard. D'ailleurs, il avait vraiment l'impression d'avoir en face de lui une étrangère. Une étrangère à la beauté époustouflante et aux yeux de cristal, qui ressemblait trait pour trait à la femme qui gouvernait ses pensées et ses désirs depuis trop longtemps. Il avait pourtant cru la connaître, mais il découvrait que c'était une illusion : elle n'avait même pas mentionné qu'elle était mère.

Sans doute était-ce la clé de l'énigme, la raison pour laquelle elle l'avait repoussé avec tant de force. Sa vie et ses priorités avaient changé. Elle avait changé, en ayant eu un enfant.

La stupeur le frappa de nouveau tandis qu'il regardait les gens reprendre place, attendant qu'il dirige la suite de cette soirée.

Il observa Bassel et Faizah, l'oncle de Lujayn et son

épouse — des gens qu'il avait rencontrés pour la première fois ce soir —, puis Badreyah, la mère de Lujayn. Il avait décidé de se rapprocher de Lujayn, en passant par les gens qui comptaient le plus pour elle, bien décidé à les supporter, même s'il ne trouvait rien d'aimable chez eux. Il aurait tout enduré pour que Lujayn revienne vers lui.

A sa surprise et à son grand plaisir, ils avaient bien vite cessé d'être un simple moyen d'atteindre son but. Tout en eux semblait sincère et honnête. Cela faisait bien longtemps que l'on ne lui avait pas montré de l'estime sans flagornerie, de la gratitude sans obséquiosité. Ils étaient sympathiques, instruits, intelligents, mais aussi dignes et raffinés. Les heures qu'il avait passées en leur compagnie avaient été un plaisir qu'il était impatient de renouveler de manière régulière.

Jusqu'à ce que Fadi ait lâché cette bombe.

Bien entendu, il ne reviendrait pas sur sa décision de leur rendre leur nom et leur honneur. Pas plus qu'il ne retirerait l'offre qu'il avait faite à son oncle, pour laquelle celui-ci était plus que qualifié. Mais la poursuite de relations plus personnelles dépendrait de ce qu'il découvrirait sur l'enfant de Lujayn.

Il n'avait même pas demandé à Fadi si cet enfant était une fille ou un garçon.

Il n'avait pas demandé son âge. Ni de qui il était.

Même si Fadi connaissait les réponses, Jalal n'avait pas voulu apprendre ces informations de sa bouche. C'était à Lujayn de répondre.

Et il voulait avoir ces réponses maintenant. *Maintenant.*

Sa tête et son cœur semblaient sur le point d'exploser de frustration. Mais il devait d'abord proclamer son engagement envers les Al-Ghamdi.

S'obligeant péniblement à sourire, il observa Labeeb, son *waseef*, son valet personnel. Prenant son rôle aussi sérieusement que Fadi considérait le sien, Labeeb servait déjà le café, comme prévu, avant que Jalal ne déclare ses intentions.

Lorsque tout le monde eut une tasse de cristal entre les mains et que l'arôme du café parfumé à la cardamome eut empli l'air, Jalal fit face à l'assemblée. En dehors des quatre membres de la famille de Lujayn, il y avait quatorze autres personnes : quatre hommes, trois femmes — tous acteurs de sa campagne — et leurs conjoints respectifs.

Il les enveloppa d'un regard, en évitant Lujayn. S'il la regardait maintenant, il oublierait tout.

Il leva son verre pour porter un toast, attendit que tout le monde fasse de même, puis il annonça :

— Merci à vous d'être venus dans ma modeste demeure et d'avoir rendu cette soirée bien plus exceptionnelle que tout ce que j'aurais pu espérer. Vous savez ce que nous célébrons ce soir, mais je vais l'annoncer de manière officielle.

Il se tourna vers Bassel, dont les yeux brillaient d'émotion.

— J'ai le privilège et le plaisir d'accueillir le cheikh Bassel Aal-Ghamdi dans notre campagne. Le cheikh Bassel m'a fait l'honneur d'accepter le poste d'agent de liaison personnel dans notre campagne. Il coordonnera vos efforts et les reportera directement à Fadi ou à moi.

Des murmures d'approbation vibrèrent dans la pièce et tout le monde félicita Bassel et sa famille, qui semblaient trop émus pour répondre et ne purent qu'offrir des sourires baignés de larmes. Jalal risqua un regard vers Lujayn, et vit qu'elle acceptait elle aussi les félicitations des invités. Il était prêt à parier qu'il était le seul à voir la crispation de son sourire et la fureur froide qui brillait au fond de ses yeux. Il approcha, jusqu'à ce qu'elle daigne enfin le regarder.

Son cœur cogna, comme chaque fois qu'il croisait son regard d'argent. Il insista pour que ses invités restent assis, tandis qu'il leur serrait de nouveau la main, scellant ainsi leur accord.

— Et même si le cheikh Bassel était réticent à faire étalage de ses compétences pendant notre dîner, vous pouvez me croire sur parole, nous avons intégré un membre inestimable à notre équipe, aujourd'hui. Je suis très heureux que les circonstances aient porté ses talents à ma connaissance.

Il vit un éclair de colère passer dans les yeux de Lujayn. A l'évidence, elle n'appréciait pas ces « circonstances ».

— Alors, reprit-il, si je n'obtiens pas ce trône avec l'aide du cheikh Bassel, vous saurez que vous avez tout simplement misé sur le mauvais cheval.

Les rires fusèrent. Il devait conclure cette soirée avant que la bonne humeur générale ne mette à mal le peu de contrôle qui lui restait. Il n'avait aucune envie d'aborder le sujet sensible qui allait suivre, mais il tenait à ce que ses supporteurs sachent clairement quelle était sa position.

Il leva la main pour indiquer qu'il avait encore des choses à dire. Le silence se fit instantanément.

— Je n'ai pas seulement gagné un supporteur et un conseiller aujourd'hui, mais aussi un parent de grande valeur, qui est totalement de mon côté. *Ullah beye'ruff* - Dieu sait que je n'ai pas beaucoup de gens de mon côté en ce moment, et que j'ai besoin de toute l'aide possible.

Les rires étaient retenus cette fois, et il comprit que ce n'était pas un sujet drôle pour eux, même s'il en parlait de façon légère.

— Ce qui m'amène au plus important sujet du jour.

Vous savez tous que le cheikh Bassel et sa famille ont été injustement dépouillés de leur nom et de leur position…

— Tout le monde n'est pas au courant, en fait. Moi, je ne sais pas, en tout cas.

Lujayn, bien évidemment. A en juger par les murmures de sa famille, elle les avait choqués par son audace. Ils pensaient à l'évidence qu'elle pourrait l'offenser. Mais ils ignoraient qu'elle avait souvent essayé, en vain.

Il reporta son regard sur elle, partagé entre l'agacement et l'excitation d'être défié une fois de plus.

— Vous voulez dire que personne ne vous a expliqué les faits ?

— Non. On m'a juste dit que c'était « une longue histoire ».

— Et ce n'est pas le moment de la relater, interrompit Bassel en posant la main sur celle de sa nièce, pour l'implorer d'en rester là.

Mais elle n'en tint aucun compte.

— Quel meilleur moment que maintenant, en présence de toutes les personnes concernées, pour que ce nouveau départ se fasse sur la base solide d'une totale transparence ?

A cet instant, il aurait voulu crier à tout le monde de sortir, de le laisser seul avec elle, pour qu'il lui révèle tout. Cela mènerait-il à un nouveau départ ou à une fin définitive ? Il n'en avait aucune idée.

— Prince Jalal, veuillez excuser Lujayn, dit Badreyah d'une voix douce et tremblante. Cela a été un choc pour elle de découvrir que nous lui avions caché un secret de cette nature depuis toujours…

Il leva la main pour l'interrompre. Il ne pouvait supporter l'idée que cette gentille femme s'excuse, alors qu'il ne pourrait jamais réparer complètement les torts que sa famille lui avait faits.

— Ce n'est rien, *ya Cheikkah Badreyah*.

Elle sursauta, et des larmes lui brouillèrent la vue.

Il devina qu'elle avait accepté que son frère ait de nouveau son titre de cheikh, mais ne s'était pas attendue à ce que ce titre lui soit aussi appliqué. Mais elle était une cheikkah de plein droit, et c'était ainsi qu'il l'appellerait désormais.

— Eh bien, est-ce que cela fait de moi une cheikkah aussi ?

Lujayn, encore. Lujayn, toujours.

— Si c'est le cas, je vous autorise à ne jamais m'appeler ainsi.

Cessant de prétendre qu'elle n'était pas le centre de son attention, il approcha d'elle.

— Sous quel nom répondrez-vous, alors ?

Ses yeux d'argent se plissèrent, tandis que ses cils noirs intensifiaient la lumière qu'ils semblaient émettre.

— Mon nom fera très bien l'affaire.

Il toucha presque ses jambes quand elle s'assit sur le canapé, s'imagina se placer entre elles, et plaquer sa bouche contre ses lèvres douces comme des pétales de rose pour avaler ces paroles pleines de mépris. Et il sentit alors tous les regards se braquer sur eux. Sans doute les gens percevaient-ils le champ de tension qu'ils généraient, maintenant qu'ils ne retenaient plus leurs émotions.

— Alors… Lujayn…

Il appuya sur chaque syllabe comme pour en goûter la saveur et éprouva une bouffée de satisfaction quand ses pupilles se dilatèrent, signe indéniable de son effet sur elle.

— Au nom de la totale transparence, laissez-moi vous raconter toute l'histoire. Elle a commencé à l'époque de votre grand-père. Et de votre grand-mère.

Elle ouvrit de grands yeux.

— Vous voulez dire que votre grand-mère était impliquée ?

— Impliquée ? ironisa-t-il. C'est le moins qu'on puisse dire. C'est elle qui a accusé votre grand-père de vol et de trahison. Mais rassurez-vous, elle a été clémente. Quand il a été condamné, par compassion, elle a demandé une rétrogradation, au lieu d'un bannissement ou d'un emprisonnement. Quand votre oncle avait quinze ans, et votre mère douze, leur famille a perdu une minuscule partie de son nom, devenant celle des Al — au lieu de Aal — Ghamdi, et a été déchue pour tomber dans le déshonneur. Votre grand-père était le *kabeer'l yawe-raan* de mon grand-père, le chef de la garde royale, mais après sa condamnation, ni lui ni personne de sa famille n'ont pu trouver d'emploi dans le royaume. Une fois de plus, seule ma grand-mère a été assez humaine pour les employer en tant que serviteurs ! Et, toujours par décision clémente de ma grand-mère, le crime de votre grand-père, ainsi que son histoire familiale ne devaient plus jamais être abordés, sous peine de châtiments sévères. C'était, bien sûr, pour que votre famille ne revive pas la disgrâce, qu'elle ne se souvienne pas de ce qu'elle avait perdu. Il va sans dire que personne, à commencer par les membres de votre famille, n'a plus jamais abordé la question, et que cette histoire lamentable a été réprimée ou oubliée.

Un lourd silence accueillit ce compte rendu douloureusement cru.

Lujayn le regardait bouche bée. Elle semblait à la fois choquée, incrédule et furieuse.

Soudain, elle se redressa et effleura presque son corps lorsqu'elle se leva, ce qui ne fit que réveiller son désir.

Elle lui adressa un regard assassin.

— J'aurais dû deviner que votre famille avait quelque chose à voir avec cela. Mais en fait, ils avaient *tout* à voir avec cela. Votre mère est tombée juste en dessous de l'arbre, n'est-ce pas ?

— Lujayn, ça suffit ! s'exclama sa mère.

Il l'entendit à peine, car une passion incendiaire le consumait. Il était à un cheveu d'oublier tout le monde autour de lui, et les questions qui le rongeaient.

— Votre grand-mère a piégé mon grand-père, c'est bien ça ? Pour une question personnelle, la seule preuve qu'elle a donnée étant sa parole, c'est cela ? Vous avez découvert l'innocence de mon grand-père assez facilement, j'imagine, quand vous avez pris la peine de soulever l'ordure sous laquelle cette femme a enseveli ma famille.

Il sentit sa mâchoire se crisper.

— C'est un assez bon résumé.

Elle eut un rire ironique. Des murmures de stupeur parcoururent la pièce.

— Alors, pourquoi la vérité n'a-t-elle pas éclaté après la mort de votre grand-mère ? Parce que votre mère a repris le flambeau ? Et pourquoi pas quand elle a été exilée ? Et quand votre oncle et vos cousins ont été chassés ? Pourquoi tout le monde a-t-il gardé le silence, y compris ma famille martyrisée ? Pourquoi a-t-il fallu attendre vos recherches prétendument accidentelles, effectuées dans un tout autre but, pour mettre au jour ce bel exemple de malveillance gratuite ?

— *B'Ellahi*, Lujayn, qu'est-ce qui t'arrive ?

Elle lança un regard noir à son oncle désemparé, avant de reporter son attention sur Jalal. La force de son indignation lui fit l'effet d'une gifle.

— Pensez-vous que j'ai dépassé les limites, Votre Altesse ? persifla-t-elle. Pensez-vous que je ne devrais pas être en colère plus de quelques minutes, pour les décennies de disgrâce et d'oppression vécues par ma famille ?

Bassel la saisit par le bras.

— Lujayn, tu as dépassé les limites, et de beaucoup.

Badreyah plaça une main tremblante sur l'autre bras de Lujayn.

— Quoi qu'il se soit passé entre les membres de notre famille dans le passé, cela n'a rien à voir avec le prince Jalal ou avec sa mère.

Lujayn se tourna vivement vers elle, telle une lionne prête à bondir.

— Vraiment ? fulmina-t-elle. C'était pour te témoigner sa compassion qu'elle t'a employée comme son esclave principale et son punching-ball préféré ? Etait-ce de la bonté de sa part que de t'arracher à tes études alors que tu n'avais que quatorze ans, pour que tu puisses aller chercher ses pantoufles et lui permettre d'aiguiser sa cruauté ? Permets-moi d'en douter.

Il sentit la honte le tenailler. Il se sentait souillé par les méfaits de sa famille et de sa mère. Et coupable de n'avoir jamais pris la peine d'enquêter plus tôt sur l'histoire de Lujayn, ou sur les abus de sa propre mère à l'encontre de celle de Lujayn.

— C'est du passé, insista Badreyah. Et dès l'instant où le prince Jalal a découvert la vérité, non seulement il a pris les décisions nécessaires pour réhabiliter notre famille, mais il a offert à ton oncle un poste prestigieux, qu'on n'offre qu'à ceux que l'on considère comme les plus dignes de confiance.

— Nous sommes donc censés chanter ses louanges, si je comprends bien ? gronda Lujayn. Puis nous prosterner pour le remercier ? Ou avons-nous seulement à…

— Lujayn ! tempêta son oncle.

Enfin, elle se tut, même si elle tremblait toujours de rage.

Il y avait encore une heure, avant qu'il ait découvert qu'elle avait un enfant, il aurait savouré sa beauté sublimée par la colère et l'hostilité. Il l'aurait même volontiers invitée à exprimer une amertume bien justifiée.

Mais il avait épuisé ce qui lui restait de patience. Il devait finir cette soirée, maintenant.

S'éloignant d'elle, il fit face à l'assemblée, qui semblait vouloir disparaître sous terre.

Il ne pouvait que les comprendre. Aussi, prenant une profonde inspiration, il desserra la mâchoire.

— Merci à tous d'être venus et de m'avoir aidé à fêter l'entrée dans notre équipe de cheikh Bassel. Je tiendrai bientôt une autre réunion pour discuter de notre future organisation et de nos stratégies en détail. Mais je crois que nous sommes tous prêts à nous séparer ce soir.

Il crut entendre Lujayn marmonner quelque chose et put presque discerner un soupir collectif de soulagement dans le groupe.

— Si vous attendez que je le dise clairement, dit-il d'un ton placide, je vais le faire : vous pouvez partir.

Lujayn fut la première à se diriger vers la sortie, sans regarder personne. Les autres lui adressèrent des sourires embarrassés, soulagés d'échapper à cette situation pénible. Les membres de la famille de Lujayn semblaient mortifiés. Sans doute regrettaient-ils amèrement d'avoir insisté pour qu'elle vienne à ce dîner.

Mais tandis que tout le monde quittait la salle, il cria :

— J'ai dit que tout le monde pouvait partir. A l'exception de Lujayn.

Lujayn tremblait d'indignation.

Si Jalal avait essayé de l'arrêter, elle lui aurait arraché les yeux. Dommage que ce soit sa famille qui l'ait immobilisée, par la seule force de leur humiliation. Alors même que la fureur la consumait, un besoin inné de les rassurer avait pris le dessus. Jalal avait gagné. Il avait su exactement quels ressorts activer pour obtenir ce qu'il voulait d'elle.

A présent, il refermait les portes derrière le dernier invité.

— Que se passe-t-il ? Tu me mets en prison ? pesta-t-elle. Pour avoir osé tenir tête au maître de maison ? Tu nous as pourtant fait asseoir ici comme des enfants, qui devaient t'apaiser ou risquer un châtiment. Pire, comme des otages obligés de supporter le numéro de leur ravisseur parce qu'ils craignaient pour leur vie.

Il s'arrêta à quelques pas, son regard de miel assombri par une émotion troublante.

— Je ne t'ai pas vue chercher à m'apaiser ou supporter stoïquement quoi que ce soit.

Le frisson du danger la parcourut.

Ce qui était ridicule, car elle n'avait jamais eu peur de lui. Mais l'intensité inexplicable qui brillait dans ses yeux faisait trembler son cœur. Et cela la rendait encore plus furieuse. S'il pensait pouvoir l'intimider pour qu'elle batte en retraite ou qu'elle fasse des courbettes, comme il procédait avec tous les autres, elle qui n'avait cure de son rang, de sa richesse et sa puissance, il allait bien vite en être pour ses frais.

— Tu n'en avais pas besoin, étant donné l'adulation dont tu fais l'objet de la part de ma famille, ironisa-t-elle. Un peu plus, et tu aurais frôlé l'indigestion. J'ai toujours su que ta famille avait escroqué la mienne de bien des façons, mais découvrir toute l'étendue des abus et dès *crimes*, et voir ma famille manifester une telle gratitude, c'était au-dessus de mes forces. Alors, si tu me retiens pour me punir d'avoir exprimé mon dégoût devant les esclaves que tu appelles ton équipe de campagne, je suis désolée de ne pas avoir pu en dire plus, avant que le sens des convenances mal placé de ma famille et leur imminente syncope collective ne me réduise au silence.

Son regard se fit plus dangereux à mesure qu'elle parlait. Cela n'allait pas l'arrêter, bien au contraire.

— Donc je vais te dire maintenant ce que j'aurais dit si on m'avait laissé aller jusqu'au bout. Je serais passée de la condamnation de ta famille à ta condamnation directe. Les membres de ta famille ont été directs dans l'oppression des miens, en faisant preuve d'une cruauté manifeste, en leur laissant seulement la dignité de connaître leur ennemi et le soulagement de pouvoir les haïr dans le secret de leur cœur. Mais ta compassion et ta générosité feintes sont bien pires, car elles les rendent inconscients de tes manœuvres, et les poussent à être tes esclaves de leur plein gré.

Le regard de Jalal demeura impassible. On aurait dit qu'il essayait de lire dans son esprit, de déchiffrer ses pensées. Pourquoi, puisqu'elle les lui envoyait à la figure ?

Peut-être devrait-elle être plus explicite.

— Tu dois penser que tu as réussi à te servir d'eux pour m'amener là où tu veux que je sois, puisqu'ils m'ont presque suppliée de t'obéir. Alors, savoure ton triomphe, car il ne se répétera jamais. A partir de maintenant, ils sauront qu'ils doivent me laisser en dehors de tous ces baisements de pieds rituels. Et si tu cherches d'autres manières de faire pression sur moi, laisse-moi te dire que rien d'autre ne fonctionnera. Cette histoire de prince de Deux Royaumes marche très bien avec des Azmahariens formatés pour s'incliner devant leurs rois. Mais, même si je n'étais pas devenue une femme d'affaires que tu ne peux plus impressionner par ton statut et ta richesse, je suis une Américaine, et nous avons en général des réactions allergiques aux privilèges royaux.

— Est-ce tout ce que tu es, Lujayn ?

Elle cligna les yeux. Sa voix ! Elle ne l'avait jamais entendue ainsi. C'était comme le roulement d'un tonnerre qui approchait. Et puis que voulait-il dire… ?

— Une femme d'affaires, une Américaine. Tu n'oublies pas une information capitale ?

Elle fronça les sourcils, déroutée par le feu qui brûlait dans ses yeux. Son cœur se mit à battre plus fort, en proie à la méfiance et à la confusion.

— Si tu parles de mon côté azmaharien et que tu t'imagines que cela me donnerait un penchant caché pour la royauté, détrompe-toi. Mes seuls liens avec ce pays se résument à quelques gènes et à un passeport dont je ne me sers jamais.

Soudain, il se retrouva tout près d'elle, alors qu'il n'avait pas bougé. C'était comme si son aura rayonnait. Elle le sentait partout sur elle, jusque dans sa tête.

Puis, d'une voix effrayante, il lança :

— Je parle de ton côté maternel. Je parle de ce qui fait de toi une mère.

Jalal ignorait ce que c'était.

Peut-être la raideur dans son corps ou le pouls qui battait de manière affolée dans sa gorge, ou la lueur de terreur dans les yeux de Lujayn. Peut-être était-ce tout cela, et une myriade d'autres signes instantanés, involontaires, qui s'unissaient pour créer un tableau valant mille confessions.

Tout concourait à révéler une seule chose. Une vérité dévastatrice.

L'enfant de Lujayn était le sien.

7

La pensée chemina dans l'esprit de Jalal.

Lujayn avait porté son enfant.

Il avait un enfant.

— Jalal…

Le corps et l'âme paralysés, il vit le regard tourmenté de Lujayn, perçut la terreur dans sa voix douce. Son cœur, son esprit, tout son être trembla lorsqu'il commença à mesurer ce que cette nouvelle impliquait.

Il y avait encore quelques instants, il était simplement lui-même, l'homme avec qui il avait essayé de faire la paix toute sa vie. Et Lujayn n'était qu'elle-même. La seule femme qu'il désirait, mais avec laquelle il n'arrivait pas à faire la paix.

A présent, il ne savait plus qui ils étaient, ni l'un ni l'autre.

Ils n'étaient plus les anciens amants uniquement liés par la passion brûlante qui faisait rage entre eux. Ils étaient deux personnes qui partageaient bien plus que d'insatiables besoins.

Ils partageaient une vie, depuis qu'elle avait conçu son enfant. En lui cachant cette information capitale, elle avait empêché cet enfant de devenir une réalité pour lui. Jusqu'à maintenant.

Petit à petit, le choc fit place au désarroi. Puis Lujayn baissa les yeux et lui tourna le dos dans un mouvement brusque. Sa cascade de cheveux noirs lui fouetta la joue au passage. L'instant d'après, elle s'éloignait comme une image tremblante sortant d'un rêve.

Il lui courut après, mû par le besoin de l'arrêter, d'exiger des explications.

Et il la rattrapa près de la porte. Lorsqu'il enfonça les doigts dans son bras, il eut l'impression de les plonger dans de la lave. Elle s'agita, et en l'étreignant, il eut l'impression d'encercler un corps électrique.

— Cesse de lutter, Lujayn.

Etait-elle bien à lui, cette voix de bête blessée ?

— Je ne te laisserai plus jamais me quitter.

Il la fit pivoter vers lui, sans savoir si c'étaient ses mains qui tremblaient ou les épaules de Lujayn, ou les deux.

— Ce n'est plus un jeu.

Elle tenta de se dégager, fuyant son regard.

— Merci d'avouer que ça n'a été pour toi qu'un jeu depuis le début. Mais tu as raison, ce n'est plus un jeu, car moi, je n'ai jamais joué.

Il serra les dents, en proie à une rage croissante.

— C'est toi qui t'es jouée de moi, tout ce temps. Tu ne m'as jamais dit que tu avais eu mon enfant.

— Ne sois pas ridicule…, dit-elle en tentant de paraître détachée, alors que la terreur envahissait ses yeux.

— Non ! tonna-t-il. Ne t'avise surtout pas de me mentir encore. Ça ne marchera pas. Non seulement tu as eu mon enfant en secret, mais tu comptais me le dissimuler à jamais.

Ce qui n'avait été qu'un soupçon devint une certitude quand il vit son regard.

Il comprit alors définitivement. Il avait eu un espoir. Il avait attendu un signe, témoignant qu'elle avait hésité à lui taire la vérité, que le secret lui avait pesé, qu'elle avait au moins envisagé de tout lui dire, avant de renoncer.

Mais ce n'était pas le cas.

Il relâcha ses épaules, et recula en titubant, sonné par la cruauté de cette pensée.

— *Ya Ullah, ya Lujayn… b'Ellahi… laich* ? Pourquoi ?

Le regard de Lujayn se troubla, mais elle reprit bien vite le contrôle de ses émotions.

— Tu plaisantes, n'est-ce pas ? ironisa-t-elle. La question est plutôt : pourquoi aurais-je dû t'en parler ?

Elle ne voyait donc vraiment pas pourquoi. Comment était-ce possible ?

— Tu ne t'es pas dit un instant que je devrais savoir que j'avais conçu un enfant ?

Elle tressaillit.

— Tu es sans doute le père d'une douzaine d'enfants dont tu ignores l'existence ou dont tu ne te soucies pas. Un de plus ou de moins, quelle différence ?

Il porta la main à son cœur, s'attendant presque à sentir une lame acérée en sortir.

— Est-ce vraiment ce que tu penses ? Que non seulement je suis un débauché, mais que je ne me protège pas ?

— Puisque tu ne te souciais pas de te protéger avec moi, pourquoi devrais-je croire que tu le faisais avec d'autres femmes ?

Il n'avait eu de rapports non protégés qu'avec elle. Lorsqu'il l'avait connue, elle était vierge, et il s'était toujours montré prudent. Et puis, très vite, elle avait pris elle-même un moyen de contraception. Il avait cru qu'elle voulait profiter d'une pleine intimité entre eux, ce qu'il n'avait jamais envisagé avec aucune femme avant elle et à laquelle il avait rapidement pris goût.

Et elle avait cru qu'il était…

— … si insensible que je ne me soucie absolument

pas des conséquences, des femmes avec qui je couche et des enfants que j'engendrerais occasionnellement ?

— Parce que tu t'en soucies ? Tu es donc adepte de cette pratique délicieuse que tes congénères royaux préfèrent dans cette région, qui consiste à donner à ta progéniture illégitime le titre convoité de *mansoub* ? C'est si généreux de ta part de « plus ou moins » proclamer « occasionnellement » ta responsabilité envers des rejetons issus de femmes non convenables. Les enfants de tes servantes doivent t'être si reconnaissants d'être déclarés « illégitimes » mais néanmoins « liés » à toi. Alors, n'est-ce pas une chance pour moi de ne pas avoir besoin de cette « liaison » ? Pas plus qu'Adam, d'ailleurs.

Adam. Son enfant était un garçon. Et il avait dix-neuf mois.

L'étendue de tout ce qu'il avait manqué fut comme un nœud qui se resserrait autour de sa gorge, jusqu'à l'étouffer. Et pour la première fois de sa vie, il fut totalement désemparé.

Cette partie de la vie de son fils était partie, et il ne pourrait jamais la récupérer, ni pour lui ni pour son enfant.

L'angoisse et l'abattement devaient se lire dans son visage, car Lujayn grimaça.

— Ne faisons pas comme si c'était quelque chose que tu avais considéré en général, encore moins avec moi. Tu ne m'avais jamais présentée en public, mais tu aurais accepté mon bébé ? Certes, ce n'était pas ta faute si j'étais tombée enceinte, tu as sans doute pensé que j'étais protégée de ce risque. Or, je ne l'étais pas. J'ai abandonné la contraception quand j'ai épousé Patrick.

S'il n'avait tenu qu'à elle, son enfant aurait donc été celui de son mari. Ce bébé n'était le sien que par erreur.

— Après sa mort, quand tu as surgi de nulle part et

que nous avons fini au lit, les conséquences ne m'ont même pas effleuré l'esprit, sauf quand j'ai eu un mois de retard. Autrement dit, cette grossesse ne te concerne vraiment pas. Tu n'as pas à te soucier d'Adam, comme tu ne t'es jamais soucié de moi.

L'amertume le submergea.

— Je ne me suis jamais soucié de toi ? Pendant huit ans, il ne s'est pas passé un seul instant, de jour comme de nuit, sans que je te désire, sans que je pense à toi… sans que tu m'obsèdes.

— N'exagère pas, s'il te plaît, railla-t-elle. J'étais là, tu te souviens ? Au moins pendant les années de notre liaison. Je sais de source sûre que tu passais des semaines, parfois des mois, sans une pensée pour moi.

— Je ne suis jamais resté loin de toi par choix, et tout le temps pendant lequel nous étions séparés, je ne cessais de penser à toi. Et puis tu m'as quitté. Dès l'instant où j'ai cru possible de revenir vers toi, je l'ai fait.

Un feu d'argent dansait dans les yeux de Lujayn.

— Certes, mais tu es venu pour avoir une explication, ou une dernière nuit de sexe, ou les deux, pas pour engendrer un enfant.

— Je m'étais dit que j'étais venu pour une explication. Mais ce que je voulais vraiment, c'était dissiper mon amertume ou, au moins, composer avec elle, pour que nous puissions… recréer un lien, que je te possède de nouveau.

— Il n'y a jamais eu de lien entre nous, et tu ne m'as jamais possédée.

— C'est ta version des faits. Ou peut-être était-ce la vérité pour toi. Mais moi, je pense le contraire. Tu m'appartenais. Comme je t'appartenais.

Elle eu l'air d'avoir reçu un coup de poing dans le ventre.

— Es-tu en train de sous-entendre que tout ce temps, tu ne voyais que moi ? rétorqua-t-elle d'une voix étranglée.

— Ce n'est pas un sous-entendu. C'est un fait.

Elle le dévisagea comme si elle n'avait jamais rien entendu de si ridicule.

Le cœur blessé et frustré, il lança :

— Qu'est-ce qui a bien pu te faire douter de ma fidélité envers toi ?

Le visage de Lujayn se durcit de nouveau.

— Oh ! je ne sais pas. Sans doute les dizaines de jeunes filles, et n'oublions pas les femmes « de rang convenable » accrochées à ton bras à chacune de tes apparitions publiques. Pendant que j'étais cachée à un monde de toi, bien à l'abri, et que tu ne venais me trouver que pour jouer avec moi, en secret.

— Ces femmes cherchaient à me séduire, à cause de mon rang, pas pour moi. Je voulais que personne, à commencer par ma mère, ne puisse avoir de soupçons si je repoussais leurs avances publiques. Tu le *sais*, je te l'ai dit à l'époque.

Mais elle ne l'avait pas cru et elle ne le croyait toujours pas, c'était une évidence.

— Alors, même si tu croyais que j'avais de nombreuses maîtresses, tu m'as repris dans tes bras, tu m'as accueilli en toi quand je suis revenu ? demanda-t-il avec une ironie amère.

— Pathétique, hein ? Le plus dégoûtant, c'est que j'aurais supporté indéfiniment d'être l'une de tes multiples partenaires interchangeables, si je n'avais pas été la seule avec qui tu rechignais à te montrer en public. A présent, tu sais donc que ma colère et mon dégoût n'étaient pas entièrement dirigés contre toi.

— Mais j'en ai reçu plus qu'assez. Tu as commencé par me quitter, puis tu as monté Patrick contre moi…

A la mention du nom de son mari, le regard de Lujayn devint dur comme de l'acier.

— C'est ton absence de moralité dans les affaires qui a nourri son hostilité envers toi, pas moi.

Tout en lui se figea, pour parer ce nouveau coup inattendu et non mérité.

— C'est lui qui t'a dit ça ?

Son regard vacilla. Non, Patrick ne lui avait visiblement rien dit de tel. Elle aurait répondu « oui » si elle le pouvait. Mais elle ne pouvait pas mentir, pas quand il s'agissait de Patrick en tout cas. Elle n'aurait eu aucun scrupule à le blesser lui, en revanche.

Toute cette haine était-elle dirigée contre lui ? Ou payait-il le prix collectif pour sa famille ?

Elle haussa les épaules.

— Patrick m'a seulement fait prendre conscience de faits que j'évitais de voir depuis des années : la façon dont tu m'as manipulé à ta convenance, dont tu m'as fait accepter d'être l'un de tes... divertissements. J'ai pensé que tu employais les mêmes méthodes avec moi que dans tes affaires avec Patrick, et j'ai supposé qu'elles expliquaient la fin de votre partenariat. Pour quelle autre raison aurait-il supporté toutes ces pertes financières, si ce n'était pour t'empêcher de le manipuler ?

— Peut-être qu'il était tout simplement jaloux de moi, et qu'il voulait me savoir hors de ta vie, même après sa disparition ?

La colère montait en lui, de plus en plus forte.

— Dire que je voyais en Patrick un véritable ami et un homme d'honneur, alors que pendant tout ce temps, il ne cherchait qu'à t'enlever à moi. Avec un grand succès, je dois dire.

— Encore aurait-il fallu que je sois avec toi pour qu'il m'enlève à toi. Or, je ne l'ai jamais été.

— *B'Ellahi,* c'est un mensonge. Tu étais plus proche de moi que n'importe qui d'autre.

— Cela prouve à quel point toute notre histoire était superficielle. Tu es à des années-lumière de tout le monde, dans ta vie. Tu n'es proche de personne, à commencer par ton jumeau. Quant à ce que nous avons partagé, cela n'avait rien d'une vraie relation.

— Et qu'avons-nous construit, pendant quatre ans, sinon une relation ?

— A t'entendre, on pourrait croire que nous avons vécu ensemble ! Sais-tu combien de jours nous avons passés l'un avec l'autre, durant ces quatre années ?

Son cœur se serra. Ils avaient une perception du passé totalement différente. Il n'avait jamais soupçonné l'étendue de sa rancœur contre lui.

— Tu as compté ?

— Pas sur le moment, mais j'ai regardé dans mes agendas toutes les annulations de dernière minute auxquelles j'ai dû procéder, quand tu avais un créneau de libre et que tu pouvais me faire l'honneur de ta présence. Tu agissais avec la conviction que ma vie et mes engagements ne comptaient absolument pas et que je devais accourir dès que tu en émettais le désir.

— Tu ne m'as jamais dit que tu devais annuler des plans pour être avec moi.

Elle eut un rire furieux.

— Alors, c'est que tu ne m'as pas écoutée quand je te l'ai dit. Ou alors si, tu m'as écoutée, et cela flattait énormément ton ego que je laisse tout tomber, quoi qu'il m'en coûte, pour me retrouver dans un lit avec toi.

Avaient-ils vécu tous les deux le même passé ? Ou parlait-elle de quelque planète parallèle à la sienne ?

— Je croyais que tu déplaçais simplement tes rendez-vous. Rien ne me laissait penser que c'était compliqué pour toi, je supposais donc que tes projets étaient flexibles, contrairement aux miens.

— Tu es vraiment incroyable. Tu as supposé qu'un jeune mannequin qui essayait de se faire un nom parmi des centaines de concurrentes pouvait facilement s'accorder le luxe d'annuler des séances photo ou même de les reprogrammer ? Alors que toi, le prince pour qui tout le monde sacrifierait son premier-né, tu ne pouvais pas changer tes plans au dernier moment ? Si tu y avais réfléchi un instant, tu aurais compris tout seul, mais tu n'as pas pris cette peine. Tu avais tout compartimenté à ton avantage. Tes affaires et tes jeux de pouvoir, tes tournois de sport, ta campagne politique. Et quand tu avais besoin d'un petit intermède sexuel pour te détendre, tu m'appelais, comptant bien que j'apparaisse dès que tu me l'aurais ordonné. Et en idiote que j'étais, j'accourais à tous les coups.

Chacune de ses paroles était comme un coup de fouet.

— Alors, tu as cru que je ne tenais pas à toi et que je ne tiendrais pas davantage à l'enfant que tu m'as donné. Dans ce cas, pourquoi ne pas me l'avoir dit ? Ne serait-ce que pour en être sûre ? Pourquoi étais-tu si décidée à me cacher la vérité ?

Elle sembla soudain embarrassée.

— Parce que, ainsi, Adam restait à moi et à moi seule, et que ta réaction en apprenant son existence ne lui causerait pas de tort. J'ai pensé que si tu le rencontrais et que tu le rejetais, il le sentirait, d'une manière ou d'une autre. Je ne voulais pas rendre ce rejet réel…

Elle s'interrompit et s'empourpra.

— Voilà comment tu as rationalisé ton attitude. Tu m'as transformé en une ordure manipulatrice et infidèle, pour pouvoir me quitter la conscience tranquille. Puis tu as décidé que j'étais un monstre sans cœur, et de cette manière justifié le fait de me priver de mon *enfant*.

Un long silence s'ensuivit. Il n'entendit plus que les battements de son propre cœur et la respiration saccadée de Lujayn.

— Tu… tu es vraiment bouleversé ? demanda-t-elle d'une voix stridente.

— Touché ?

Un rire sans joie monta dans sa gorge.

— Touché ? répéta-t-il.

Il appuya un poing contre sa poitrine. Il avait l'impression qu'on lui avait arraché le cœur.

Elle le fixa, de plus en plus horrifiée.

— J'ai vraiment… j'ai vraiment cru que ce serait la dernière chose que tu voudrais, d'avoir un bébé de moi. Tu… tu m'as quittée ce jour-là en disant que tu m'effacerais de ta mémoire.

— Tu venais de me lancer à la figure que tu me détestais, que tu te détestais quand tu étais avec moi. Alors que je venais de te dire que je ne pouvais pas t'oublier, et que nous nous étions consumés de plaisir dans les bras l'un de l'autre. Qu'attendais-tu que je dise ? Si tu m'avais donné le moindre espoir, je ne serais jamais parti. Et si tu m'avais dit que tu étais enceinte d'Adam…

Une boule monta dans sa gorge.

— Qu'aurais-tu fait si je te l'avais dit ?

— *Ya Ullah,* que n'aurais-je pas fait ? Si j'avais été le second à savoir que tu portais mon enfant, comme j'aurais dû l'être, j'aurais été là avec toi, pour toi, pour lui, à chaque instant pendant ces vingt-huit derniers mois. Et tu m'as privé de tout ça.

L'argent de ses yeux s'était estompé, bientôt rempli d'un sombre regret.

Lujayn recula et s'effondra sur le canapé.

— Je n'ai jamais pensé, jamais cru…

Dans un sanglot, elle enfouit son visage entre ses mains.

Pour la première fois, il vit le désarroi secouer son corps et hacher sa respiration. Lui-même avait les nerfs à vif.

Alors lentement, il s'approcha d'elle. Il avait l'impression que s'il allait un tout petit peu plus vite, il flancherait. Puis il s'agenouilla à ses pieds.

Elle haleta quand il prit ses mains moites et tremblantes dans les siennes. Des larmes tracèrent un chemin pâle sur ses joues rouges quand elle abaissa son visage vers le sien.

— Seigneur, dit-elle d'une voix entrecoupée de sanglots, je suis si navrée, Jalal…

Il posa un doigt sur ses lèvres, pour arrêter le flot qui menaçait de jaillir. Il ne pouvait supporter ses excuses. Il ne les méritait pas . Et quand bien même il les mériterait, il n'en voulait pas.

Il n'avait besoin que d'une chose.

— Je veux voir mon fils, Lujayn. Emmène-moi le voir. Maintenant.

8

Lujayn retira sa main de la sienne, se leva et essuya ses larmes, qui s'étaient soudain arrêtées.

— Je ne peux pas faire ça.

Il se redressa à son tour, aussi chancelant qu'elle semblait l'être. La colère qui couvait en lui serra son cœur et ses lèvres.

— Même maintenant, tu persistes encore à essayer de me priver de mon fils ? *Zain, kaif ma tebbi* — comme il te plaira. Je ne te l'ai demandé que par courtoisie, car je n'ai pas besoin de ta permission ou de ta coopération pour voir mon fils. Je vais aller chez ton oncle, et tout de suite.

Elle agrippa son bras d'un geste frénétique.

— Tu ne peux pas. Ils ignorent que tu es son père.

Un soupçon le tenailla.

— Tu leur as dit qu'il était de Patrick ?

Elle rougit.

— Non, ils savaient qu'il n'aurait pas pu être le père d'Adam. Je leur ai dit qu'il était de quelqu'un d'autre, mais peu importait de qui.

Allait-elle continuer à lui faire du mal encore long-temps ?

— Et ils ont accepté cette version sans broncher ?

Elle grimaça.

— Du côté paternel de ma famille, oui. La famille

de ma mère étant constituée d'Azmahariens conserva-
teurs, ils étaient mortifiés, en revanche. Ils ont justifié
mon « écart de conduite » par mon chagrin, et se sont
rassurés en se disant que j'allais rendre ma situation
légale. Mais quand je leur ai annoncé qu'il n'y avait
aucun espoir, que j'avais décidé de garder le bébé et
que je disparaîtrais de leur vie pour toujours s'ils ne
pouvaient l'accepter, ils ont fini par céder.

— Décidé de garder le bébé ? s'exclama-t-il en la
saisissant par les épaules. Tu avais envisagé… de mettre
fin à ta grossesse ?

— Non.

Son regard s'embua de nouveau.

— C'était un choc de la découvrir dans ces circonstances, mais même si je savais que ce serait difficile
et que cela changerait ma vie pour toujours, je voulais
Adam plus que tout.

Un mélange de douceur et d'amertume, de nostalgie
et de regrets lui envahit la poitrine. Il voulait la serrer
contre lui, apaiser son chagrin, mais il avait aussi envie
de la repousser car sa proximité lui causait une blessure
permanente.

Il ne fit ni l'un ni l'autre pourtant, et la garda à bout
de bras.

— Tu as des photos ? dit-il d'une voix râpeuse.

— De… d'Adam ?

Ses yeux s'agrandirent, s'éclairèrent, comme s'il lui
avait lancé une bouée de sauvetage. Elle se dégagea
et alla chercher son sac en titubant, pour en sortir son
téléphone.

— J'aurais dû y penser.

Elle devait s'imaginer qu'il se contenterait de voir
son fils en photo.

Il couvrit l'écran du téléphone quand elle le lui tendit.

Ce ne serait pas de cette manière qu'il poserait les yeux sur son fils pour la première fois.

— Montre-moi des photos de toi. Quand tu étais enceinte.

Le soulagement s'effaça de son visage.

— Je n'étais pas du tout en état de poser. J'avais décidé de garder Adam, mais je n'étais pas exactement…

— Heureuse ?

Elle secoua la tête, ses yeux reflétant l'angoisse qu'elle avait ressentie en étant une femme sur le point de devenir mère célibataire.

— Es-tu restée dans les Hamptons pendant ta grossesse ? demanda-t-il, soudain désireux de savoir.

Il avait su, d'après les rapports de Fadi, qu'elle avait mis la demeure en vente aux alentours de la date de son accouchement. Il avait alors demandé à Fadi de l'acheter pour lui, *via* une tierce personne, pour qu'elle ne refuse pas la vente. A présent, l'imaginer là-bas, enceinte de son enfant, dans la maison de Patrick, lui était insupportable

— Non. La première chose que j'ai faite quand j'ai découvert que j'étais enceinte, ç'a été de quitter les Etats-Unis J'étais trop connue là-bas, et je voulais que personne ne soit au courant de ma grossesse.

— Par personne, tu veux dire moi ?

Elle poussa un soupir résigné.

— En fait, tu n'étais pas ma première préoccupation. Je pensais surtout à ta mère.

La mention de sa mère, au moment où il s'y attendait le moins, lui fit l'effet d'un coup de massue.

— Pourquoi te serais-tu souciée d'elle ?

— Parce qu'elle aurait compris que c'était ton bébé.

— Pourquoi aurait-elle compris ?

La confusion régnait dans son esprit.

— Elle n'avait plus accès à toi, quand ta mère a quitté son service, et elle ne s'intéressait sans doute plus à toi, de toute façon. Pourquoi se serait-elle tenue au courant de ce que tu devenais ? Et si tel était le cas, tu étais mariée, et elle n'aurait pas pu retrouver la date exacte ta grossesse.

Il secoua la tête.

— Qu'est-ce que je suis en train de dire ? Elle n'aurait pas eu le moindre soupçon, même si elle avait su que le bébé n'était pas de Patrick. Il n'y avait pas de raison pour qu'elle soupçonne que j'en étais le père. Elle ne savait rien de nous.

— Elle savait tout, affirma-t-elle d'une voix calme.

Les mots explosèrent dans sa tête. Le temps ralentit, empli des débris de l'histoire qu'il avait cru vivre, tandis que chaque fragment retombait en lui.

Sa mère avait su.

Mais comment ? Voulait-il le savoir ? Il avait découvert les crimes que sa famille avait perpétrés contre celle de Lujayn. Pouvait-il supporter d'en savoir plus ?

Oui. Il devait à Lujayn, à eux deux, à leur fils, de tout savoir, de redresser autant de torts qu'il le pouvait.

Pourtant…

— Je trouve impossible de croire qu'elle ait été au courant pour nous, et qu'elle n'ait rien fait.

— Tu peux croire ce que tu veux, rétorqua-t-elle, sur la défensive.

— Je ne suis pas en train de douter de toi, je suis abasourdi qu'elle ait été au courant et qu'elle ait juste laissé faire. Elle était la raison principale pour laquelle je tenais tant à garder notre liaison secrète. Elle avait le don de faire disparaître tous les gens dont nous devenions proches. Il est vrai que c'était pire avec Haidar, *qorrat enha*, la prunelle de ses yeux, et elle s'est montrée très cruelle avec Roxanne. Mais je suis son fils moi aussi, et je savais qu'elle aurait fait la même chose à toute femme qui m'approcherait, si elle ne la trouvait pas convenable. Et elle n'approuvait personne. Mais quand il s'est agi de toi…

Les lèvres généreuses de Lujayn firent la moue.

— Oui, la fille de sa servante.

— Pour moi, tu n'as jamais été cela. Mais je savais que tu l'étais pour elle, que sa désapprobation atteindrait un niveau inouï si elle apprenait notre liaison, et par conséquent, que son intervention serait encore plus imaginative.

Elle eut l'air songeuse.

— Tu t'es dit qu'elle ferait du mal à ma famille ?

— Je ne voulais même pas songer à ce qu'elle pourrait faire.

Elle haussa les épaules.

— Elle savait. Elle me l'a dit.

Il devait s'habituer sur-le-champ au tourbillon d'émotions qui accompagnait chacune de ses rencontres avec Lujayn. S'il ne s'habituait pas maintenant, il ne s'habituerait jamais.

— Et elle n'a jamais rien fait, dit-il. Voilà qu'un autre pilier de mon système de croyances s'écroule.

— Elle ne pensait pas avoir besoin de faire quoi que ce soit, car selon elle, tu prenais bien soin de ne pas souiller ton image ou ton nom avec une liaison aussi abominable. Elle se réjouissait que tu m'aies remise à ma place, que tu me laisses dans l'ombre et l'opprobre, comme les filles de ma caste le méritaient.

Pas de doute, c'étaient les mots caractéristiques de sa mère. Restait à savoir…

— Quand t'a-t-elle dit ça ?

Elle tenta de feindre la nonchalance, mais il ne fut pas dupe.

— Oh ! il y a un peu plus de six ans.

Quand elle avait commencé à être méprisante et maussade. A présent qu'il en connaissait la raison, il comprenait que c'était un miracle qu'elle ne l'ait pas quitté aussitôt et qu'il lui ait fallu plus de deux ans pour le faire, deux longues années durant lesquelles les paroles de sa mère avaient dû lui sembler vraies.

Ainsi donc, sa génitrice avait réussi à gâcher un autre élément vital de son existence. D'une façon encore plus malfaisante et nuisible qu'il ne l'avait craint.

— Elle mentait, dit-il enfin d'une voix râpeuse. Je me rends compte à présent que mes actes ont pu sembler s'accorder à tout ce qu'elle t'a dit, et je parie qu'elle comptait là-dessus, mais rien de tout cela n'était vrai, rien.

Elle croisa les bras, comme pour se protéger d'une soudaine fraîcheur.

— Elle était si fière de ton comportement. Elle m'a dit que tu faisais ce qu'elle m'avait promis de faire un jour, à savoir me remettre à ma place.

— Quand t'a-t-elle dit cela ?

— Dix ans avant que je ne te rencontre.

Vacillant, il vint s'affaler sur le siège le plus proche.

Lujayn n'avait que onze ans quand sa mère l'avait menacée.

Après s'être rassise à son tour, elle ajouta :

— Lors d'un de ses voyages aux Etats-Unis, elle a appelé ma mère, qui a fini par céder à contrecœur à l'une de ses « convocations ». Elle m'a emmenée avec elle. Dès notre arrivée, sans même nous inviter à nous asseoir, ta mère a exigé de la mienne qu'elle quitte sa famille pour revenir à son service.

Elle marqua un temps avant de poursuivre.

— Dieu, je n'avais jamais vu maman comme ça ! Je ne pouvais imaginer que ma mère, vive et franche, puisse se tenir devant quiconque aussi ébranlée et incapable de se défendre. Elle est restée là, tête baissée, subissant la cruauté de ta mère, qui la taillait en pièces. Selon elle, ma mère avait déserté son poste, c'était une tentative pathétique d'indépendance qui l'avait seulement amenée à épouser un gueux éternellement couvert de dettes. Aux dires de ta mère, la mienne serait passée d'un poste bien payé de dame de compagnie à celui de servante bénévole d'un fainéant et de ses enfants. J'ai vu ma mère se recroqueviller sous ses insultes, et je n'ai pas pu le supporter.

Lui non plus. N'y avait-il donc pas de limite au comportement honteux de sa mère ? Avait-il jamais eu une chance avec Lujayn ? Pour elle, il avait sans doute été inextricablement lié à sa mère, et ses sentiments envers lui avaient sans nul doute été ternis par la façon dont Sondoss avait traité sa mère. Mais alors que Lujayn continuait, il se rendit compte qu'il y avait toujours pire que ce qu'on pouvait imaginer.

— Je me suis mise devant ma mère, renchérit-elle, comme si j'allais la protéger des attaques de cette femme. Ma mère a essayé de m'arrêter, mais j'ai avancé et j'ai dit à ta mère qu'elle était la plus belle femme que je connaisse. Et la plus maléfique. Je lui ai dit qu'elle était effrayante et laide à l'intérieur et que si ma mère avait quitté son service, c'était parce qu'elle la rendait malheureuse, comme elle rendait les autres malheureux, et que tout le monde la détestait. Puis j'ai dit à ma mère que je ne la laisserais pas retourner travailler pour cette femme, que j'abandonnerais mes cours de danse et de piano, et que je trouverais un travail pour l'aider.

Il l'imaginait, elle, une toute jeune fille, affrontant ce

dragon de reine, pour défendre sa propre famille. Son cœur ralentit douloureusement tandis qu'elle continuait.

— Ta mère m'a regardée sans rien dire pendant toute ma tirade. Puis elle a rétorqué qu'en tant que princesse de naissance, puis reine par mariage, il était de son devoir de maintenir l'ordre, de restaurer l'équilibre. Elle avait à cœur de remettre les gens à leur place. Mais pour ce faire, il fallait du temps et de la patience, si bien qu'elle n'était absolument pas pressée. Mais elle n'oublierait jamais son but, et ne s'arrêterait que lorsqu'elle l'avait atteint. Elle allait me remettre à ma place, même si cela devait lui prendre beaucoup de temps, puisque je ne savais manifestement pas à qui j'avais affaire.

Il voulait lui crier : « Assez ! », mais il savait que Lujayn n'avait pas fini de parler. Elle devait tout raconter une bonne fois pour toutes.

Serrant les dents pour contrer la douleur aiguë dans sa poitrine, il lui demanda de continuer.

Elle obtempéra.

— J'étais trop jeune et je ne croyais pas qu'elle puisse être aussi vindicative, et pendant si longtemps. Maman a supplié Sondoss de nous pardonner, moi pour ma bêtise et elle pour ne pas pouvoir quitter sa famille. Sondoss a juste répondu que ma mère changerait d'avis, quand sa vie avec nous, sa misérable famille, deviendrait impossible.

» Maman était détruite quand nous sommes parties, et elle est restée ainsi pendant une année. Papa a perdu son dernier emploi, et n'a pas pu en trouver d'autre. Bientôt, ce qui avait été une situation à peine tenable est devenu impossible, conformément aux prédictions de ta mère. Maman a dû retourner à son service, contrainte et forcée, pendant que papa a dû rentrer dans sa famille en Irlande. Maman a pris mon petit frère et ma petite sœur avec elle, tandis que papa m'emmenait avec lui, ce qui a déchiré notre famille. Papa aurait souhaité que maman m'emmène aussi, arguant que je ne devrais pas être loin du reste de ma famille, mais maman savait que si elle m'emmenait avec elle, ta mère trouverait un moyen de « me remettre à ma place ». J'ai pleuré pendant des jours, en la suppliant de m'emmener, en disant que je ferais n'importe quoi pour que ta mère me pardonne. Mais elle savait que ta mère n'oublie ni ne pardonne jamais. Alors, sache que ta mémoire infaillible vient des deux côtés de ton héritage. »

Il savait déjà que sa mère avait orchestré une conspiration qui aurait pu se finir dans un bain de sang. Pourquoi trouverait-il cette démonstration de cruauté préméditée encore plus choquante ?

C'était pourtant le cas. Sa conspiration avait eu pour but de donner à ses fils, ceux qu'elle considérait dignes d'être rois, les trônes qu'ils méritaient. Ce qu'elle avait fait à Lujayn et à sa mère n'avait été en revanche que de la pure malveillance.

Lujayn essuya ses larmes d'un geste rageur.

— Mais maman a promis que ce serait pour quelques années seulement. Sondoss était un tyran, mais elle payait très bien ses servantes. Maman estimait pouvoir mettre de côté le capital dont papa avait besoin pour démarrer son affaire. Mais comme si elle avait deviné le plan de maman à l'avance, ta mère lui a offert un salaire qui couvrait seulement nos frais et une petite partie de nos dettes.

Sa mère avait su. Elle avait un don pour tout savoir et s'en servir à son avantage, au détriment de tous.

— Papa ne cessait de perdre chaque emploi qu'il trouvait, dit-elle d'une voix de nouveau tremblante, à son désespoir croissant. Quand il pensait enfin réussir, on le renvoyait, inévitablement. Il se croyait maudit

Une malédiction appelée Sondoss, il en était sûr. Inutile d'attirer l'attention de Lujayn là-dessus si elle ne l'avait pas compris elle-même. A quoi bon contaminer son âme avec encore plus de rage et de haine ?

— J'ai abandonné mes études, et commencé à travailler à quatorze ans. Quand j'en ai eu dix-huit, je savais que les emplois que j'enchaînais étaient des solutions précaires. Il était impossible que je puisse me payer l'université, et même si cela avait été le cas, je ne pouvais pas attendre les emplois bien payés qu'un diplôme me permettrait de décrocher. J'avais besoin d'une profession qui n'exigeait pas une longue formation, quelque chose qui paierait bien, très vite. Je n'avais rien d'autre que mon corps. Les gens ne cessaient de me faire des compliments sur ma beauté « exotique », et disaient que je pourrais être mannequin. Mais ce n'était pas aussi facile. Il m'a fallu une année entière avant de décrocher mon premier contrat rémunéré. Cela m'a permis de me payer une nouvelle tenue pour les auditions, et une bouteille de champagne bon marché pour fêter cela avec papa. Même s'il n'y avait pas grand-chose à fêter. J'ai été exposée à des… situations effrayantes. Les gens commençaient à me tourner autour, voulant être « mon agent » ou mon « manager ». Je venais d'admettre ma défaite et d'obtenir le premier travail de bureau que j'ai pu trouver, quand j'ai revu Aliyah. Je lui ai dit avoir compris pourquoi elle avait quitté le mannequinat. D'abord, elle m'a proposé une aide financière, mais quand j'ai refusé, elle a décidé de m'apprendre à « pêcher ». Elle m'a prise sous son aile, m'a montré les ficelles, m'a présentée aux bonnes personnes, et j'ai commencé à travailler, à gagner de l'argent, à rembourser nos dettes. J'ai cru que ma vie était enfin sur de bons rails. Et puis je t'ai rencontré.

Le ton sur lequel elle avait prononcé sa dernière phrase l'obligea à fermer les yeux. Ce qui représentait le meilleur souvenir de sa vie, elle le considérait comme le pire. En se forçant à rouvrir les yeux, pour voir à quel point il s'était trompé sur tout ce qu'il avait partagé avec elle, il la regarda chercher ses mots.

— J'étais horrifiée. Tu étais le fils de la sorcière qui employait ma mère, une partie de la raison pour laquelle j'étais séparée des miens, peut-être à jamais. Et à mon grand désarroi, je t'ai trouvé fascinant. Je t'avais vu de loin tant de fois…

— Ah oui ?

— Je suis allée très souvent à Azmahar pour rendre visite à ma mère, quand la tienne était très occupée. Ensuite, après cette première rencontre et chaque fois que j'ai eu l'occasion de te revoir, je n'étais plus capable de penser à rien, hormis à toi. Je me suis dit que j'aurais du temps avec toi avant la fin inévitable, que dès l'instant où je t'aurais dit qui j'étais, tu m'aurais quittée.

— Et tu me l'as dit.

— Oui. Mais au lieu de revenir à la raison, comme j'ai cru que tu le ferais, tu as décidé d'avoir le beurre et l'argent du beurre. Et cela ne cessait de me ronger, de voir à quel point je te désirais, alors que cela me faisait du tort. Au début, c'était parce que je ne pouvais pas parler de toi à ma famille. J'avais l'impression de les trahir, non seulement parce que je fréquentais le fils de la femme qui nous avait séparés, mais aussi parce que j'allais à l'encontre de tous les principes que l'on m'avait inculqués. J'avais honte de t'obéir au doigt et l'œil, de céder à tes moindres caprices. Je me suis coupée de ma famille parce que je ne pouvais pas supporter de leur mentir en permanence, puisque je pensais sans cesse à toi.

» Puis ta mère a confirmé tous mes soupçons et bien plus encore. De toute façon, tu ne cessais de me prouver qu'elle avait raison. Je me méprisais un peu plus chaque jour de te laisser me traiter ainsi, et pourtant, je ne pouvais pas te quitter. Puis j'ai vraiment commencé à détester ce que j'étais devenue. Je provoquais des disputes avec toi, espérant te pousser à résoudre les problèmes qui m'empoisonnaient la vie. J'étais trop lâche pour les aborder de front avec toi, de peur que tu ne m'envoies paître. Alors j'ai commencé à m'autodétruire. Je ne mangeais plus, je ne dormais plus, je ne cessais de penser à toi chaque jour où tu n'appelais pas, chaque minute où tu étais loin de moi. J'ai perdu du poids, des contrats. J'étais sur le point de perdre la tête. Et je n'avais aucun soutien auquel me raccrocher, puisque je m'étais coupée de tous mes proches.

» Je t'avais choisi, et j'avais tout perdu. La seule personne qui me restait, la seule à qui je pouvais parler, c'était Patrick. Et il m'a offert le soutien dont j'avais besoin pour sauver mon âme. »

Elle se tut. Il savait qu'elle n'avait rien de plus à ajouter.

D'ailleurs, elle en avait dit assez.

Il rejeta la tête contre le canapé, ferma les yeux pour tenter de contenir le chaos qui faisait rage dans son esprit et dans son âme.

Puis tout à coup, il rouvrit les yeux, se leva, et marcha vers elle, en soutenant son regard brut et tumultueux.

Doucement, il s'agenouilla devant elle et lui prit les mains pour l'empêcher de s'enfuir.

— Tu aurais dû tout me raconter il y a longtemps. Ce que j'ai à dire n'est pas suffisant, mais c'est tout ce que j'ai, pour l'instant. Je ne peux te dire ma honte et mon regret pour ce que ma mère a volé à ton enfance et à ta vie de famille, pour ses mensonges et ce qu'ils nous ont coûté. Mais je n'ai jamais pris part à ses manipulations, je n'ai jamais été contaminé par son snobisme. Je n'ai jamais eu honte de toi — c'était même exactement le contraire. En gardant le secret sur notre liaison, je voulais nous éviter des ennuis.

» Je croyais que nous avions un arrangement parfait. Nous étions jeunes, nous bâtissions nos carrières, et nous étions là l'un pour l'autre. Je ne pouvais rêver mieux, à l'époque. J'ignorais l'histoire qui liait nos deux familles, je n'avais pas conscience que tu avais entamé notre relation avec des doutes et de l'amertume. Mais j'aurais dû comprendre qu'il y avait un problème profond quand tu as commencé à changer d'humeur. Je n'aurais pas dû me contenter de leur trouver des justifications parce que j'étais satisfait de la situation. A l'époque, je pensais vraiment que tu appréciais cette clandestinité autant que moi, à cause des idées conservatrices de ta famille, et parce qu'elle t'évitait d'être dans le viseur des paparazzi qui me traquaient. J'étais content d'avoir ces femmes à mon bras parce qu'elles détournaient l'attention de toi, qu'elles te gardaient à l'abri. Mais j'étais à toi seule, Lujayn…

Quelque chose pourtant l'empêcha de lui dire qu'il n'avait jamais cessé d'être à elle et qu'il ne le cesserait jamais.

— Et je croyais que tu étais à moi, poursuivit-il alors. C'est pourquoi je suis devenu fou quand tu m'as quitté pour Patrick. A partir de là, tout ce que j'ai fait avec lui, tout ce que je t'ai dit, était nourri par ma douleur et ma jalousie. J'étais aveugle et je t'ai blessée. Et cela, je ne me le pardonnerai jamais. Je ferai tout pour que tu puisses avoir la paix dont je t'ai privée toutes ces années.

Elle trembla, plongea le visage dans leurs mains entrelacées. Ses larmes le brûlèrent, le firent gémir, et il l'attira contre lui. Aussitôt, elle enfouit le visage contre son torse, en se frottant contre lui comme une chatte en quête d'affection et posa les lèvres sur son cœur.

Il avait l'impression que ses mains ne lui appartenaient plus quand elles ouvrirent les boutons de sa chemise. Il avait besoin de la sentir sur sa peau comme il avait besoin de respirer. Elle gémit contre son torse nu, et la sensation de ses lèvres douces comme des pétales de rose réveilla sa sensualité et des émotions d'une pureté qui le frappa droit au cœur.

Il enfonça les mains dans ses tresses de soie, caressa sa tête chérie. Les gémissements de Lujayn se firent plus longs, plus forts, témoignant de son excitation, aussi intense que la sienne. Elle entrouvrit les lèvres, et la chaleur humide de sa langue le brûla. L'état d'excitation latent dans lequel elle le plongeait par sa simple existence explosa, le consumant corps et âme.

Il la plaqua contre lui, les sens exacerbés par une trop longue attente. Posant la main sur sa nuque, il amena ses lèvres sur les siennes et mordilla sa lèvre inférieure presque jusqu'au sang, tant son désir était puissant. Ses dents la retinrent tandis qu'il tremblait à force de se retenir. Un cri monta en lui quand elle lui offrit sa bouche, ses seins ronds s'appuyant contre son torse, exigeant qu'il la fasse sienne. Il lécha la morsure qu'il lui avait infligée, glissa la langue en elle, aspira sa douceur et ses gémissements de plaisir. Ses baisers se firent dévastateurs quand il retira la veste de Lujayn, et passa les mains sur la peau brûlante de son dos cambré.

— *Wahashtini ya'yooni, bejnoon. Guleeli ya rohi, wahashtek ? Tebghini kamma abghaki ?*

— Oui, Jalal, oui… J'étais folle de manque, de

désir, moi aussi. Comme tu m'as manqué, comme je t'ai désiré…

C'était tout ce dont il avait besoin. L'autorisation de la posséder, de les sortir tous deux du désert dans lequel ils avaient vécu sans la passion et l'assouvissement de leurs désirs.

D'un bond, il était debout, portant Lujayn dans ses bras. Mais quand il approcha de la porte, elle haleta, s'agita. Il enfonça les lèvres dans son cou.

— Nous sommes seuls, assura-t-il.

Il la sentit se détendre et reprendre possession de tous les centimètres de peau qu'il avait exposés.

En une minute, il lui fit franchir le seuil de la grande suite dans laquelle il était resté allongé sans trouver le sommeil, se consumant dans un enfer d'abstinence, pendant ces dernières semaines. Du bout des dents, elle érafla sa barbe naissante quand il la posa sur le lit. Il enfourcha ses hanches et commença à lui ôter les vêtements guindés qui avaient semé le chaos dans son imagination, et après ce qui lui sembla une éternité, elle fut enfin nue. Alors, il recula pour l'admirer.

Ses seins étaient un festin, et ses hanches respiraient la fertilité, rendant sa taille encore plus marquée. Son ventre était généreux désormais et accueillant, comme ses bras ronds et fermes, ses jambes longues, douces et hâlées comme le miel, son mont rebondi et sa toison joliment taillée.

Emerveillé, il balaya du regard toutes ces promesses de plaisir.

— Tu m'as volé ma raison dès l'instant où je t'ai vue, quand tu n'étais pas encore ce que tu es devenue. A présent, je risque de te dévorer pour de vrai. *Ya Ullah,* Lujayn… qu'as-tu fait à ton corps ? Rien ne devrait être aussi beau.

— N'exagère pas…

— Avant tu étais mince, puis tu es devenue maigre (non pas que cela ait diminué mon désir pour toi, d'ailleurs), mais maintenant…

Il passa une main gourmande de la courbe de son épaule jusqu'à son sein charnu, le sang pulsant à ses oreilles et dans son sexe.

— A présent, tu es plus que magnifique. Mon enchanteresse aux yeux d'argent est devenue une déesse.

Elle appuya son sein dans sa main, l'invitant à une possession plus agressive.

— Et toi qui as toujours été beau, tu es devenu un dieu, maintenant.

Il se pencha pour aspirer ses tétons, en gémissant de plaisir, tandis qu'elle plaquait ses seins dans sa bouche, réclamant qu'il continue, puis elle entreprit de le déshabiller à son tour.

Le désir monta en lui tandis qu'il savourait son impatience.

Il s'allongea sur elle, prenant sa bouche sucrée dans des baisers sauvages, ses mains recherchant tous ses secrets, prenant toutes les libertés, possédant chaque once de son corps. Ses doigts cherchèrent ses replis secrets et moites, et il se réjouit de la sentir se contracter sous ses assauts, tandis qu'elle ondulait contre sa main, accueillant volontiers le plaisir qu'il faisait naître en elle, l'invitant avec des mouvements et des mots à lui faire tout ce qu'il voulait. Elle était prête, comme elle l'était toujours avec lui, et il l'amena à l'orgasme en quelques va-et-vient.

Tandis que le plaisir préliminaire la secouait, il descendit du lit et saisit ses jambes pour les enrouler autour de ses épaules. Elle cambra les hanches avec audace, s'offrant à ses lèvres. Sa saveur et son parfum malmenèrent sa raison. Il lécha et taquina le cœur de son intimité jusqu'à ce qu'il lui offre deux autres orgasmes.

Elle resta allongée sous lui, encore secouée de spasmes tandis qu'il se redressait au-dessus d'elle. Ses mains tremblèrent quand elle le caressa. Mais même si son esprit était au bord de l'explosion, il la laissa posséder son corps exactement comme il venait de posséder le sien. Mais lorsque ses mains s'enroulèrent autour de son érection à présent douloureuse, il l'arrêta.

Ses yeux lancèrent ces éclairs fascinants.

— Ce n'est pas juste. Tu as fait ce que tu voulais avec moi…

— Tu auras tout ce que tu veux, mais pas tout de suite. Cette fois, j'ai besoin d'être en toi.

Une pensée pénétra soudain le brouillard de désir qui avait envahi son esprit.

— Mais si tu n'es pas…

Elle secoua la tête contre les draps, prête à l'accueillir.

— Aucun risque. Viens en moi, Jalal, emplis-moi, donne-moi du plaisir.

— Lujayn.

Il aurait pu jurer avoir entendu quelque chose craquer, tomber en miettes. Le dernier vestige de sa retenue.

Il attrapa ses jambes soyeuses, nouant ses chevilles autour de son cou, la seule position dans laquelle il pouvait aller au fond d'elle, sans risquer de lui faire mal. Puis il prit ses fesses, plaça son sexe contre le sien et, sans la quitter des yeux, mais en gémissant son nom, il s'enfonça en elle, comme dans un étau de pur plaisir moite.

Son cri fit écho au sien tandis que le sexe brûlant de Lujayn s'écartait pour accueillir son invasion. Elle se cambra, tremblante de douleur et du plaisir. Et il se retira pour plonger de nouveau et chercher à la pénétrer complètement, sachant qu'elle en avait autant envie que lui. Un autre cri s'échappa de sa gorge tandis qu'elle se plaquait contre lui. Il continua ses assauts, s'enfonçant plus profondément à chaque coup de reins. Elle fut secouée d'orgasmes successifs, de cris déchirants, les convulsions secouant tout son corps autour de sa verge engorgée.

Il attendit que le plaisir l'électrise à son tour et que ses muscles internes se contractent encore plus fort autour de son sexe, puis il explosa à son tour, le sexe enfoui jusqu'à la garde dans sa chair tremblante. Il sentit sa semence brûlante se déverser en elle, jet de plaisir après jet de plaisir.

Quelque part dans son esprit, des pensées flottèrent, tandis que son corps flottait, léthargique. La dernière fois qu'ils avaient connu un plaisir aussi profond, une vie avait été créée, celle de leur fils. Et si elle n'était pas aussi protégée qu'elle le pensait, cette fois un autre miracle pourrait se produire, un autre fils ou, mieux encore, une fille…

Il revint au présent dans un sursaut. La femme qui incarnait tous ses désirs était allongée à côté de lui.

Son cœur se serra. La dernière fois que cela s'était produit, elle s'était levée, le regard froid, et l'avait insulté. Il ne pourrait pas survivre cette fois si…

Mais elle émit un murmure de satisfaction totale, et le serra de manière encore plus intime. Le soulagement et la gratitude l'envahirent. Il prit alors plaisir à faire glisser ses mains sur ce corps sensuel, sur ce ventre qui avait porté son fils. Elle tourna le visage vers lui, et ils unirent leurs lèvres.

Tandis qu'elle se replongeait dans son étreinte, son regard tomba sur l'horloge murale. Il était 1 heure du matin.

Uzeem. Génial. Quand elle aurait repris une allure présentable, ce serait peut-être l'aube. Il ne pouvait pas la rendre à sa famille dans cet état, les yeux à peine ouverts, la bouche enflée de baisers, la peau rougie d'un désir brûlant.

Il poussa un soupir, décidant que le moment était trop merveilleux pour en gâcher la moindre seconde. Il réglerait cela avec sa famille, d'une manière ou d'une autre. Pour l'heure, il savourerait chaque souffle et chaque nuance de cette réunion. Cette renaissance.

Il la serra plus fort. Elle poussa un soupir de félicité profonde, et se blottit encore plus dans son étreinte.

Il poussa un autre soupir et aborda le seul autre sujet qui occupait désormais son esprit.

— Je veux voir Adam demain. Enfin, aujourd'hui.

Elle leva la tête en tremblant. L'expression de félicité disparut de son visage, laissant place à une tension soudaine.

— Je ne peux pas, Jalal.

Il se raidit et ne l'arrêta pas quand elle se redressa pour s'asseoir.

Elle lui lança un regard suppliant.

— Je ne conteste pas ton droit de voir Adam. Mais je ne vais pas mettre la vie de ma famille sens dessus dessous pendant que je suis ici. Ce sera déjà assez difficile d'expliquer mon absence ce soir.

Incapable de supporter son inquiétude, voulant seulement l'apaiser, il l'attira de nouveau vers lui pour un baiser brûlant.

— Alors, amène-le-moi, murmura-t-il.

9

— Tu mesures à quel point ceci est incroyable ?

Lujayn grimaça devant l'excitation de sa jeune sœur.

Elle ne prit pas la peine de répondre, trop occupée à essayer de convaincre Adam de ne pas descendre de ses bras pour courir tout seul le long de l'allée de pierre menant à la villa de Jalal.

Dahab lui prit Adam des mains, et lui fit des chatouilles pour le distraire. Le petit cria, ravi des pitreries de sa camarade de jeu préférée. Lujayn s'avisa une fois de plus que si c'était elle qu'il allait voir pour presque tout, il ne riait jamais avec elle d'aussi bon cœur. Avec son fils, elle n'avait pas joué autant qu'elle l'aurait dû. Elle avait laissé les circonstances de sa naissance assombrir son moral, alors même qu'elle avait été déterminée à résister. Il semblait qu'en dépit de tous ses efforts, elle ait lésé Adam.

A présent, elle devait faire face à un tourment encore plus grand, maintenant que Jalal envahissait sa vie en franchissant toutes frontières comme il l'avait envahie elle, la veille au soir…

Dieu, le plaisir qu'il lui avait donné ! Elle pensait ne pas avoir oublié l'intensité de leurs étreintes de jadis, elle en était même venue à se dire qu'elle l'avait exagérée. Or, il s'avérait qu'elle les avait minimisés. Avait-il toujours été aussi ?…

— Enorme ! Gigantesque, même ! insista Dahab en hissant Adam sur sa hanche. Toi et le prince Irrésistible en personne. Bon sang, des millions des femmes verront leurs rêves se briser en mille morceaux quand elles sauront qu'il est pris.

Elle faillit dire qu'il ne l'était pas, et que ces millions de femmes pouvaient encore espérer, mais se ravisa.

— Dahab, tais-toi. Tu me fais regretter de t'en avoir parlé.

Espiègle, sa sœur lui tira la langue. Adam fit de même, puis éclata de rire. Lujayn gémit. Dahab était peut-être une camarade amusante pour Adam, mais elle n'était pas un modèle à suivre. Elle semblait avoir douze ans et non vingt-deux.

— D'abord, tu avais besoin de me le dire. Et puis tu avais besoin de moi comme alibi, sinon tout le monde se serait demandé où tu emmenais Adam, alors que tu le laisses avec moi depuis des semaines. Deuxièmement, tu devrais plutôt être navrée. Comment as-tu pu me cacher, à moi, qu'Adam était le fils du prince Jalal ?

Elle se tourna vers Adam.

— Pas étonnant que tu sois le plus beau petit garçon de la Terre. Tu tiens de ton père.

Génial. Même sa propre sœur était sous le charme de Jalal. Mais quelle femme normalement constituée ne le serait pas ?

Hier soir, il avait pris possession de son corps comme si elle était son oxygène. Ou peut-être avait-elle projeté ses propres sentiments sur lui…

— Je veux dire, je comprends que tu ne l'aies pas dit à maman et au reste du clan Al, pardon, *Aal*-Ghamdi, vu leur mentalité moyenâgeuse. Mais à moi ? Tu le crois, mon trésor ? ajouta-t-elle en regardant Adam. Elle ne m'a rien dit, à moi !

Lujayn sourit puis ralentit, guère impatiente d'atteindre leur destination.

Elle ignorait comment elle allait se passer leur face-à-face avec Jalal. Quelle serait la réaction de Jalal devant Adam, et celle d'Adam devant lui ? Elle comptait sur Dahab pour désamorcer la situation avec sa vivacité et sa légèreté.

Elle lui adressa d'ailleurs un regard d'avertissement.

— Devant Jalal, évite d'exprimer chaque pensée et chaque question qui te passent par la tête, compris ?

— Hé, je ne suis pas aussi inconsciente que tu te l'imagines ! s'exclama Dahab, feignant l'indignation. Mais ne t'inquiète pas. Je suis ici pour voir de près le prince Splendide et être témoin de la rencontre historique entre un père et son fils, mais je ne resterai pas. J'ai un rendez-vous à 14 heures.

Génial ! Pour que Lujayn ait l'inconvénient de son imprévisibilité sans l'avantage de sa présence.

Pendant le reste du trajet, Lujayn observa les jardins qu'elle avait à peine remarqués la veille. Sans la présence de Jalal pour l'aveugler, elle se rendait enfin compte que cet endroit ressemblait à une petite oasis. De grands palmiers entouraient la propriété. Au-delà, elle distingua des dunes miniatures, de vastes pelouses et de magnifiques massifs de plantes du désert sous l'ombre d'autres palmiers de toutes formes. Sur la dune la plus élevée, surplombant le désert qui s'étendait à perte de vue, se trouvait un *ein,* une source entourée d'un bassin immense en forme de croissant, qui cernait la maison principale. La villa elle-même était un chef-d'œuvre d'élégance moderne et de style exotique, mélange d'influences arabes, ottomanes et perses.

Et comme Jalal l'avait promis, l'endroit était désert, pour assurer leur intimité. Sur le chemin sinueux qui

menait à la terrasse par laquelle elle était entrée la veille,
Adam se jeta de nouveau dans ses bras, désignant les
choses, curieux de tout savoir.

Elle lui expliquait ce qu'était le *ein*, et était en train
de s'interroger avec Dahab pour savoir s'il était naturel
ou artificiel que toute pensée quittât soudain son esprit.

Jalal traversait la terrasse d'un pas alerte, mais en
voyant Dahab, Jalal ralentit le pas. Il ne fallut que
quelques secondes pour qu'elles le rejoignent en haut
des marches. L'intensité de son regard la fit trembler,
même si pour une fois, il n'était pas dirigé sur elle.

Tout son être était concentré sur Adam.

Les minutes suivantes, durant lesquelles le père et
le fils se regardèrent dans un silence et une immobilité
totale, furent les plus bouleversantes de sa vie.

C'étaient comme si tous les mois qui s'étaient écoulés
depuis la conception d'Adam avaient été compressés,
comme si tout ce qu'elle avait ressenti, pensé et souffert
s'était condensé dans son cœur.

Retenant ses frissons et ses larmes, elle regarda les
deux personnes qui avaient entre leurs mains son cœur,
son âme et sa destinée.

Adam, qui n'était jamais aussi calme d'habitude,
restait immobile, accordant toute son attention à l'être
impressionnant qui le regardait comme si rien d'autre au
monde n'existait en dehors de lui. Né dans une grande
famille, Adam était habitué à côtoyer des gens, à accepter
les nouveaux visages. Mais il n'avait jamais réagi ainsi
devant un inconnu. Devant personne, d'ailleurs. Elle
le sentait, Adam savait que Jalal était différent. Et pas
uniquement parce qu'il était l'homme le plus grand
qu'il ait vu ou celui qui dégageait la plus forte aura. Elle
aurait pu jurer qu'elle pouvait sentir, et presque toucher
même, le lien qui se tissait sous ses yeux.

Soudain, Jalal avança, mettant fin à cet instant insupportablement poignant, et les yeux pleins de larmes, elle le vit tendre une main tremblante pour caresser la joue d'Adam.

— *Ya Ullah, ya Lujayn — ya Ullah* ! Notre fils !

L'émerveillement rendait sa voix rauque et étranglée. Quant au plaisir douloureux qui se peignait sur ses traits, il fit trembler le cœur de Lujayn et mit ses nerfs à vif.

Elle ne s'était jamais autorisée à imaginer cet instant. Elle avait refusé d'échafauder les scénarios de ce qu'il ferait, de ce qu'il ressentirait s'il voyait Adam, en sachant qu'il était son fils. Elle avait étouffé toute pensée avant qu'elle éclose. Car la moindre rêverie aurait été une écharde dans son cœur, une blessure qui aurait constamment saigné, épuisant sa vie et sa volonté.

— *Ma ajmalak men subbi. Enta mo' jezah* ! Quel beau garçon tu es. Tu es un miracle.

— *Baba* ?

La voix d'Adam avait articulé doucement le mot, avec précaution. Ce simple petit mot eut raison de son contrôle, et elle se mit à pleurer.

Les yeux de Jalal, rougis et frappés de stupeur, se détachèrent d'Adam pour se reporter sur elle. Elle comprit sa question silencieuse et y répondit en secouant la tête. Elle n'avait rien dit à Adam. Mais son fils savait que d'autres enfants avant leur *baba*. Il avait reconnu Jalal comme le sien.

Un frisson secoua le grand corps de Jalal, et des larmes emplirent ses yeux quand un sourire qu'elle n'aurait jamais cru voir trembla sur ses lèvres, un sourire d'une tendresse désarmante.

— *Aih, ya sugheeri, ana baba.*

Il posa un doigt sur le cœur d'Adam.

— *W'enta ebni.*

« Oui, mon petit, je suis ton père. Et tu es mon fils. »

Puis il tendit les bras à Adam.

Avant de laisser une nouvelle personne le porter, Adam la regardait toujours, attendant son consentement sous la forme d'un sourire ou d'un encouragement verbal. Mais cette fois, il n'en demanda aucun. Il se lança dans les bras de Jalal.

Elle laissa échapper un sanglot.

Jalal poussa un grondement de joie en portant précautionneusement le petit corps robuste d'Adam avec précaution.

Adam dit son propre nom et fit répéter Jalal après lui, avant de nommer ses vêtements. Puis, examinant son père avec la plus grande concentration et le plus grand intérêt, il toucha son visage et nomma triomphalement ses traits. Satisfait de son exploration préliminaire, il lui sourit timidement et sortit son précieux éléphant rose de sa poche.

Quand Jalal l'accepta, plus ému qu'elle ne l'aurait cru possible, elle entendit la voix de Dahab comme surgissant d'un autre monde.

— Vous devriez vous estimer extrêmement privilégié. Personne, et je dis bien personne, n'est autorisé à toucher Mimi.

Souriant de tout son être, Jalal se tourna vers Dahab.

— Je vous assure, je me sens bien plus que privilégié. Je me sens béni pour la première fois de ma vie, alors que je ne le mérite absolument pas.

Il lui offrit une poignée de main, et Adam cria le nom de sa tante. Jalal rit.

— Merci pour les présentations, *ya sugheeri,* dit Jalal en riant. Je vois certainement pourquoi ta tante a été nommée ainsi.

Avec ses cheveux d'or pur, d'où elle tenait son nom,

et ses yeux chocolat noir, Dahab était l'exact opposé de Lujayn.

Tandis que Jalal échangeait une poignée de main chaleureuse avec sa sœur, un frisson traversa Lujayn. Malgré ses airs bravaches, Dahab était troublée par Jalal, et elle était aussi la plus belle femme que Lujayn connaisse. Et si…

Jalal reporta son regard sur Adam, l'air émerveillé par le petit visage qui le regardait toujours avec la même fascination. A la fin, il poussa un soupir et plongea enfin son regard dans le sien.

— *Ya Ullah, ya* Lujayn, quel est cet être miraculeux que nous avons réussi à concevoir tous les deux ? Ce prodige qui m'a reconnu au premier regard ?

Il sourit à Adam, l'étreignit et le chatouilla.

— Alors, qui suis-je ? Toi le plus merveilleux et le plus intelligent des enfants, dis-le-moi encore.

Adam s'agita d'excitation.

— *Baba* !

— C'est vrai, mon magnifique garçon ! Je suis ton *baba* Jalal. Peux-tu dire cela ?

— *Baba* Jalal !

Jalal battit des cils, comme s'il refoulait des larmes.

— *Ya Ullah,* je n'ai même pas pensé que tu pourrais parler à ton âge.

— Mais bien sûr qu'il parle, gloussa Dahab. Tout le temps. Bon, beaucoup de mots sont dans son propre langage, c'est vrai, comme « *bannend* » pour ballon, et « *minkilonti* » pour macaroni, mais il réussit à se faire comprendre.

— Il dit cinquante-six mots, en arabe et en anglais.

Lujayn ne se rendit compte qu'elle n'avait parlé que lorsqu'ils la regardèrent.

— J'écris tout ce qu'il dit, expliqua-t-elle. C'est plus

que la moyenne des enfants de son âge, qui connaissent au mieux cinquante mots, dans une seule langue…

Elle s'interrompit, troublée par l'intensité du regard de Jalal. Soudain, elle se retrouva plaquée contre lui, avec Adam. Avant qu'elle ait pu reprendre sa respiration, il avait déposé sur ses lèvres un baiser brûlant et ardent qui fit pulser son sang.

A la périphérie de sa conscience, noyés sous les sensations, des cris joyeux et des sifflements résonnèrent, jusqu'à ce que Jalal détache ses lèvres des siennes et sourie à leur public approbateur et encourageant.

Adam réunit leurs deux visages de nouveau.

— Bise, bise.

— Mon fils, tes désirs sont des ordres.

Jalal lui donna un autre baiser qui souleva de nouveau l'enthousiasme de leur fils et de Dahab.

Il recula quelques secondes, la passion et la joie allumant un feu doré dans ses yeux.

— Il faut que tu me donnes cette liste. Et une autre de ses propres mots.

Elle hocha la tête, hébétée, tandis qu'Adam se blottissait contre lui avec satisfaction.

— Comment pourrais-je jamais te remercier pour le trésor inestimable de notre fils, *ya' yooni'l feddeyah* ?

— Alors, vous êtes aussi un poète ! s'exclama Dahab. Y a-t-il un domaine dans lequel vous ne soyez pas doué, prince Jalal ?

— Voulez-vous une liste alphabétique ? D'après ce que j'ai découvert récemment, elle pourrait être très longue.

Il haussa un sourcil.

— Et appelez-moi simplement Jalal. Si vous ne voulez pas que je vous appelle cheikkah Dahab.

— Quelle horreur ! Réservez cela à maman et à ma tante. Je ne sais toujours pas comment je vais survivre quand mes amis découvriront que je porte un titre aussi pompeux et archaïque.

Jalal rit.

— Est-ce si terrible d'être une cheikkah ? demanda-t-il en riant.

— A vous de me le dire. Comment est-ce d'être un prince, jusqu'ici ?

Il se reprit, et expira.

— *Aih*. Les avantages ont certainement été dépassés par les contrariétés, les inimitiés et les chagrins.

— C'est bien ce que je pensais. Je préférerais donc rester simplement cette bonne vieille Dahab Morgan.

Jalal soupira.

— Il semblerait donc que je vous doive des excuses pour avoir révélé la noblesse de votre famille.

— Vous plaisantez ? C'est la meilleure chose qui leur soit arrivée et je ne peux vous remercier assez en leur nom. Moi, je vais juste gérer la situation en me comportant d'une manière aussi peu digne d'une cheikkah que possible.

Jalal sourit à Adam, et passa une main émerveillée sur ses cheveux noirs et son doux visage. Lujayn crut entendre son fils ronronner de plaisir.

— Dites à votre tante qu'elle ne me devra jamais aucun merci. Elle peut me demander n'importe quoi, et je le ferai. Je suis à ses ordres, comme je le suis de tous ceux qui vous aiment.

— Eh bien ! A présent, je sais ce que ressentait Aladin !

Comme s'il comprenait la plaisanterie de sa tante, Adam éclata de rire, prit le visage de Jalal dans ses mains potelées et l'embrassa fermement.

Jalal plissa les yeux et gémit, l'air sonné par le trop-plein d'émotions.

Dahab rit.

— Pardon de vous le dire, Jalal, mais vous vous comportez comme si vous n'aviez jamais entendu un bébé rire. Ou que vous n'aviez jamais été embrassé par un bébé.

— Je n'avais en effet jamais entendu le mien rire et je n'avais jamais été embrassé par lui.

Il serra Adam contre son cœur, frotta son visage dans ses cheveux soyeux et embrassa le sommet de sa tête. Se rendant compte qu'il était adoré par cet homme immense, Adam se blottit davantage dans les bras de Jalal, comme si c'était sa place depuis toujours.

Jalal les serra, lui et Lujayn, et les regarda tour à tour.

— Il a tes yeux, dit-il d'une voix rauque. C'est ton portrait craché. Mais il me ressemble aussi. Grâce à lui, je viens de remarquer que nous nous ressemblons.

Elle le regarda, puis examina Adam. Et elle fut stupéfaite. Jalal avait raison. Elle n'avait jamais voulu voir Jalal en Adam, mais il était là. Dans la forme de ses yeux, les fossettes de ses joues, le creux dans son menton, l'implantation de ses cheveux, ses cheveux eux-mêmes. Ils ne ressemblaient pas aux siens, comme elle l'avait toujours cru, mais ils avaient exactement la même nuance et la même ondulation que ceux de Jalal…

— A présent que vous avez mis le doigt dessus, je le vois aussi ! s'exclama Dahab. Soudain, vous vous ressemblez tous les deux, alors qu'il y a une seconde à peine, je ne voyais rien de commun entre vous, sauf ces fabuleux cheveux noirs qui, en y regardant de plus près, ne sont même pas de la même couleur !

A cet instant, Adam tapa sur l'épaule de Jalal et ordonna :

— Pose.

Riant devant l'ordre non négociable de son fils, et

la tenant toujours contre lui, Jalal se pencha et reposa Adam, qui fila aussitôt vers les portes ouvertes donnant sur la terrasse.

— Jouer, décréta-t-il en se retournant sur le seuil.

Jalal les prit, elle et Dahab, par les épaules.

— Le petit prince a parlé, plaisanta-t-il.

Lujayn sentit son cœur tressauter. Elle faillit trébucher quand Jalal les conduisit à l'intérieur, où il avait fait préparer un somptueux déjeuner. Il insista pour que Dahab annule son rendez-vous et partage leur repas.

Pendant tout le déjeuner, il rit avec Dahab, s'émerveilla devant Lujayn et Adam, et répondit aux questions et aux demandes d'attention incessantes d'Adam avec une patience infinie et une joie indéfectible. Lujayn toucha à peine à son assiette et ne participa que très peu à la conversation.

Elle n'aurait jamais cru que tout ce qui arrivait en ce moment soit possible. La réaction de Jalal devant Adam, ce lien immédiat, cette appréciation et ce plaisir mutuels. Et cela la mettait dans une situation intenable, à la fois rétroactivement et pour l'avenir.

Elle avait privé Jalal — les avait privés tous deux, Adam et lui — non, tous les trois, de tout cela. Et elle ne voyait pas comment elle pourrait réparer ce tort.

La seule façon était d'accepter la proposition de Jalal. Quand elle quitterait Azmahar, il viendrait la voir quand il le voudrait, pour qu'il puisse être le père d'Adam. Elle devait l'admettre, après ce qui s'était passé entre eux hier soir, après cette journée, il n'y avait rien au monde qu'elle désire plus.

Mais cette solution avait ses limites. Selon son oncle, Jalal était presque assuré de monter sur le trône. Une fois qu'il deviendrait roi, il aurait besoin d'une reine et d'héritiers légitimes. Ce qui signifiait que leur arrangement ne serait que temporaire. Toutefois, même si leur relation s'arrêtait lorsqu'il se marierait, ses liens avec Adam ne seraient pas coupés pour autant. Mais elle resterait clandestine, pour le bien du trône et des héritiers légitimes. Ce pourrait être acceptable maintenant, Adam étant jeune et inconscient, mais dans quelques années ? Elle ne laisserait jamais Adam souffrir d'être un fils non reconnu, un fils de seconde classe.

Mais comment pouvait-elle le priver de son père maintenant, après les avoir vus ensemble, après avoir pris conscience de tout ce que Jalal pouvait apporter à Adam ? Si le devoir de Jalal envers le trône le forçait à ne pas reconnaître Adam publiquement, elle était sûre qu'il l'aimerait et qu'il voudrait être son père de toutes les façons qui comptaient.

Mais serait-ce suffisant ? Pouvait-elle prendre la décision pour Adam, alors que quoi qu'elle choisisse, cela finirait par le blesser ?

L'esprit au bord de l'explosion, elle resta en retrait, jusqu'à ce qu'Adam s'endorme et que Dahab soit partie. Mais, dès lors, elle ne put échapper à l'attention de Jalal plus longtemps.

Avant qu'il puisse dire quoi que ce soit et rendre toute pensée impossible, elle prit la parole

— Il faut que nous parlions.

— D'abord, laisse-moi te remercier de ne pas avoir dit à ta sœur quel fils d'ex-garce royale j'ai été avec toi. Je parie que si tu lui avais dit la moitié des choses que j'ai faites, au lieu de m'accepter et de rire avec moi, elle m'aurait taillé en pièces. Et même si je ne le mérite pas, tu n'as pas influencé Adam, en aucune façon, tu l'as laissé se faire sa propre opinion sur moi.

La boule qui lui obstruait la gorge grossit encore.

— Ce qui s'est passé entre nous reste entre nous. Et

je me rends compte que j'ai mal interprété une bonne partie de tes actions, de toute manière.

— Cela ne change pas les faits. Alors, je te suis profondément reconnaissant de ne pas avoir exposé mes… méfaits.

Sa gorge se serra complètement.

— Je ne dirais jamais rien à personne, et je n'essaierais certainement pas de monter Adam contre toi.

Il avança vers elle et ne s'arrêta que lorsqu'il se retrouva tout contre elle.

— Jalal, s'il te plaît, il faut que nous discutions…

— Et nous parlerons. Mais avant tout, nous devons faire ce que tous les parents font.

Il la souleva et enfouit le visage dans son cou.

— Faire l'amour, vite et fort, avant que notre bébé ne se réveille.

Elle resta paralysée tandis que ses mains et ses lèvres l'exploraient, l'adoraient. Elle s'abandonna à son baiser, à son désir, quand soudain, une pensée jaillit dans son esprit.

Et elle se dégagea.

— Dieu, comment n'y ai-je pas pensé ?

Il tenta de la reprendre dans ses bras, avec douceur, le regard inquiet.

— Quoi donc ?

Elle recula d'un pas tremblant.

— Je sais que Dahab gardera notre secret, mais Adam ? Il n'est pas près d'oublier cette visite.

— J'espère bien que non !

— Mais il parlera à tout le monde de *baba* Jalal, s'exclama-t-elle.

Il afficha un sourire fier.

— Je l'espère bien.

Elle secoua la tête, tandis que les répercussions de

cette révélation défilaient dans sa tête comme autant de coups de massue.

— Je dois quitter la maison de mon oncle et retourner à l'hôtel jusqu'à notre départ d'Azmahar, pour qu'il ne voie personne.

— Inutile. Tu peux l'annoncer à tout le monde, à présent.

— Tu sais bien que non. Un scandale a déjà gâché une grande partie de la vie de ma famille. Je ne veux pas en causer un autre. Et c'est hors de question pour toi, surtout maintenant. Avec ta campagne, la dernière chose dont tu aies besoin, c'est d'un scandale portant sur un enfant illégitime.

Il la prit par les épaules, le visage empreint d'une émotion puissante.

— Adam n'est pas un scandale. C'est mon fils, et je le reconnaîtrai comme mon héritier devant le monde entier.

Elle resta muette.

— Tu... tu ne peux pas faire ça, murmura-t-elle enfin.

— Je le peux, et le ferai. J'ai un fils, et je serai son père, de toutes les manières possibles.

Soudain, un soupçon la glaça d'effroi. Elle retira ses mains des siennes comme si elle s'était brûlée.

— Si tu crois que tu peux me le prendre...

Il leva les mains, l'air blessé.

— Ne finis même pas ta phrase. *Ya Ullah,* tu crois vraiment que je pourrais envisager une telle chose ne serait-ce qu'une seconde ?

Elle secoua lentement la tête, confuse.

— Eh bien, c'est que je ne vois pas de quelle autre manière tu ferais tout... cela.

— Il n'y a qu'une seule manière. Nous allons nous marier.

10

— Nous ne pouvons pas faire ça.

La réponse directe de Lujayn lui fit l'effet d'une balle en plein cœur.

Ce n'était même pas une exclamation, mais une affirmation.

Il la quitta des yeux, avança vers leur fils, ce miracle, qui dormait si paisiblement sur sa couverture colorée, à même le sol. Adam semblait déjà faire partie de lui, comme s'il l'avait connu bien avant sa naissance. De même que Lujayn faisait partie de lui. Leur présence avait fait de cette maison un foyer. Et il ne voulait qu'une chose, les avoir auprès de lui pour toujours.

Mais il commençait à peine à mesurer à quel point Lujayn avait souffert, depuis toujours. Il n'avait pas le droit de lui en vouloir, si sa première réaction était de rejeter l'idée de l'épouser, même après avoir vécu une nuit de passion avec lui hier, même si elle lui avait déjà donné un fils.

Les besoins de Lujayn devaient être sa première et seule priorité. A partir de maintenant, tout tournerait autour d'elle. D'Adam. De sa famille.

En chassant de son visage et de sa voix toute émotion qui pourrait la braquer, il demanda :

— Y a-t-il une raison qui nous en empêche ?

— Pas une, mais plusieurs.

— Je vois seulement que nous avons toutes les raisons de nous marier. Notre relation, Adam…

— Nous n'avons pas de relation, nous avons juste couché ensemble quelquefois durant ces deux dernières années.

— J'aurais été dans ton lit toutes les nuits, ces deux dernières années si tu ne m'avais pas dit que tu me détestais. C'est pour ça que je suis parti…

— Si tu m'avais respectée et estimée, rien de ce que j'ai dit ne t'aurait fait partir, coupa-t-elle, le regard enfiévré. Mais tu m'as méprisée, tu ne m'as pas fait confiance, alors que tu n'avais aucune raison. Tu croyais que je t'avais trahi, mais la trahison, c'est lorsque l'on donne quelque chose de soi, et que quelqu'un le piétine. Tu ne m'as rien donné, alors qu'aurais-je pu trahir ? J'ai essayé de me préserver moi-même et tu m'as poursuivie, en m'accusant et en me calomniant. Et tu es parti, comme tu en avais eu l'intention depuis le début, sans un regard en arrière. Lorsque je suis venue ici, tu as voulu reprendre notre liaison sans attaches. Ensuite, tu as découvert l'existence d'Adam, et tout à coup, tu veux m'épouser ? Permets-moi de douter.

Chaque mot était un coup de poignard, car tout était vrai.

— Je reconnais tous mes crimes envers toi, Lujayn. Tu as donné sans prendre en retour, tu n'as jamais rien fait qui puisse m'amener à douter de toi. Tu m'as dit pourquoi tu me quittais, mais je ne pouvais pas l'accepter. J'étais obsédé par ma déception et ma douleur. Plus je pensais à ton absence, plus je déformais les choses pour apaiser mes blessures. Je suis programmé pour présumer le pire de tout le monde. C'est que j'ai Sondoss pour mère. Mais je ne me méfierai plus jamais de toi, et je ne te quitterai jamais, plus jamais.

Des larmes emplirent les yeux de Lujayn, les rendant aussi éclatant que des diamants.

— Pour l'amour du ciel, cesse de prétendre qu'il s'agit de moi. Tu veux m'épouser uniquement pour Adam.

— Reconnaître Adam m'a juste poussé à faire ma demande plus vite, mais…

— Avais-tu déjà pensé à m'épouser auparavant ?

Il voulait répondre « oui ». Mais il n'y aurait plus que la vérité entre eux, à partir de maintenant.

— Dans le passé, je n'ai jamais pensé à me marier, non. Pour moi, il n'y avait pas de raison.

— Tu vois. Et il n'y a toujours pas de raison.

— Ce n'est pas ce que je voulais dire. Tu sais maintenant que je me satisfaisais de notre situation, à l'époque. Nous étions trop occupés, et je pensais que tu étais trop jeune, et qu'avec ta carrière, un mariage était hors de question, et la responsabilité d'une famille à plus forte raison.

Ses yeux se plissèrent et envoyèrent des éclairs argentés.

— Es-tu en train de dire que tu as pensé au mariage, et que tu as décidé que ce n'était pas une bonne idée ?

— Je dis que je n'y ai pas pensé pour toutes ces raisons, mais pas pour celles que tu sous-entends. Tu étais ma femme, mon amante, et je ne songeais pas à changer de mode de relation… et je t'ai perdue. Puis nous nous sommes revus, et jusqu'à hier, je me battais pour t'amener simplement à me parler. Je ne pensais qu'à te récupérer, pour commencer.

Elle eut un rire sarcastique.

— Tu avais déjà prévu que notre future liaison serait caractérisée par la même absence d'engagement que notre liaison passée.

— Parce que quand il s'agit de toi, je ne suis plus l'homme d'affaires qui planifie tout à long terme, mais un mendiant qui ne peut se permettre de se projeter dans l'avenir. J'avais l'impression que si j'arrivais à te faire accepter ne serait-ce que cela, j'aurais déjà de la chance. Tout ce que je savais, c'était que si nous nous remettions ensemble, je voulais que ce soit pour toujours. Alors, t'épouser, bien sûr que j'y ai pensé. Adam a simplement accéléré le processus. Mais il n'est pas la raison pour laquelle je fais ma demande, il m'a seulement donné une raison de le faire maintenant.

L'incrédulité se lisait encore dans son regard.

— Je peux légitimer Adam sans t'épouser, Lujayn.

La vague de douleur qui émana d'elle l'atteignit.

— Mais je t'en prie, fais donc.

Il eut envie de se gifler. Allait-il apprendre un jour à ne pas réveiller son sentiment d'insécurité et à ne pas rouvrir ses cicatrices ?

— J'essaie seulement de te prouver que je veux t'épouser seulement pour toi.

Méfiante comme une tigresse, elle rétorqua :

— Comment le reconnaîtrais-tu sans m'épouser ?

— Je dirai que nous étions brièvement mariés quand il a été conçu, un *orphy,* un mariage secret, ou même un mariage classique, qui s'est terminé par un divorce. Il suffirait de ton témoignage concordant, de quelques documents rétroactifs, et il serait mon héritier et mon fils légitime.

Elle hocha la tête, lentement, prudemment.

— J'accepterai de faire tout ce qui sera le mieux pour lui.

Il guetta l'instant où elle le laisserait approcher de nouveau, puis tendit le bras vers elle.

— Je veux seulement que tu me fasses l'honneur d'être ma femme.

Il perçut sa lutte intérieure. Elle était incapable de se laisser aller à espérer, après tant de déceptions.

— Est-ce le rang noble de ma famille qui t'amène à envisager désormais de m'épouser ?

Il faillit plier sous la douleur. Celle de Lujayn. La douleur qu'il lui avait infligée, quand il lui avait donné l'impression qu'elle ne signifiait rien pour lui.

— Laisse-moi être très clair sur ce point, dit-il, contenant à peine le tremblement dans sa voix. C'est toi que je demande en mariage. Si les membres de ta famille étaient des criminels ou pire, je te demanderais quand même en mariage. C'est de toi que je tiens le bonheur le plus intense de ma vie et la plus grande douleur. Tu es la seule femme que j'ai toujours aimée et que j'aimerai toujours.

Les larmes jaillirent des yeux de Lujayn, son visage se crispant sous l'assaut d'émotions trop brutales.

— Non, ne dis pas ce que tu ne penses pas…

Il lui prit le visage entre ses mains tremblantes.

— Mon plus grand crime, c'est de ne pas t'avoir dit plus tôt à quel point je le pensais. Je t'aime tant que j'ai été à toi dès l'instant où j'ai posé le regard sur toi.

Elle hoqueta, les yeux écarquillés, le corps tremblant.

— Même quand j'ai cru t'avoir perdue pour toujours, quand je me suis dit que je devrais te détester, je ne pouvais être avec personne d'autre. Il n'y a jamais eu personne d'autre pour moi.

Il vit l'instant où ses défenses s'effondraient et où elle le crut enfin, submergée par une vague qui apaisait toutes ses souffrances.

Elle se jeta dans ses bras, écrasa le visage contre son torse, son cou, brûlant sa peau avec ses larmes, prononçant son nom comme une litanie.

— Jalal… Jalal… oh, Jalal…

— *Baba* Lal !

Ils se retournèrent en même temps en entendant la voix d'Adam.

Il courait vers eux avec un sourire qui dévoilait ses dents nacrées.

Il se jeta entre leurs jambes, exigeant d'être porté. Aussitôt ils se penchèrent tous deux et l'étreignirent entre leurs deux corps tremblants.

Au milieu d'un déluge de baisers, Jalal annonça :

— J'ai demandé à ta maman de m'épouser, *ya sugheeri*.

— Mama Lu ! s'écria Adam d'un ton triomphal.

Jalal rit, se sentant incroyablement béni d'avoir sa famille dans ses bras.

— C'est ce à quoi tu nous as réduits ? Lu et Lal ? Ça sonne bien pour moi.

La joie illumina le visage de Lujayn.

— Au début, il aime dire les choses correctement, puis il les interprète à sa convenance.

— Il peut m'appeler de tous les noms qu'il veut.

— Surtout pas ! Tu ne vas pas compenser ton absence dans les premiers mois de sa vie en le laissant te marcher sur les pieds et en le gâtant.

— Adam est merveilleusement solaire et équilibré, et je ne saboterai jamais l'éducation que tu lui as donnée. Tu me montreras les ficelles jusqu'à ce que je sois assez entraîné pour exercer mon rôle de père.

— Facile, maintenant que les nuits sans sommeil sont terminées.

Il la serra contre lui. Adam toujours blotti entre eux cria son enthousiasme, pensant que c'était un jeu.

— Ces mois perdus resteront une cicatrice dans mon être, *ya rohi*. Mais je promets que je ne te perdrai plus. Je serai toujours là pour vous deux, jusqu'à mon dernier jour.

— Ce n'était pas ta faute, si tu n'étais pas là depuis le début. Je…

Il lui donna un baiser pour l'interrompre.

— Je ne te ferai jamais porter la responsabilité de quoi que ce soit que nous ayons perdu. Je n'étais pas là, je ne suis pas allé à tes visites prénatales, je n'ai pas tenu ta main pendant le travail, je n'ai pas endossé ma part de responsabilités quand tu en avais besoin. Alors, laisse-moi porter cette responsabilité-là.

Avec difficulté, elle hocha la tête.

Il sourit, voulant absolument alléger l'atmosphère.

— Et même si j'ai échappé aux nuits sans sommeil, je vais connaître les joies de l'apprentissage de la propreté.

Elle éclata de rire, semblant soulagée de changer de sujet.

— Au fait, dit-il, tu te rends compte que tu m'as laissé tremper ma chemise, sans me dire « oui » ?

Elle jeta les bras autour de son cou et les étreignit, Adam et lui.

— Oui, un million de fois ! Un milliard !

Il frissonna dans ses bras.

— Un seul suffira, *ya hayati*. Un oui irrévocable, mon amour.

Depuis que Lujayn avait douze ans, elle avait perdu tous ceux qu'elle aimait.

Sa mère, son frère et sa sœur pendant les longues années de séparation, son père, occupé à chercher des emplois qui ne duraient pas, Jalal, qui ne lui avait jamais vraiment appartenu, et Patrick, dont elle savait que la mort l'emporterait depuis leur premier jour de mariage.

Même quand elle avait réussi à sauver sa mère et son père, elle ne les avait pas vraiment récupérés. Les années de séparation avaient laissé des traces, et ils n'étaient plus les gens dont elle se souvenait. Son frère et sa sœur avaient à peine réintégré sa vie. Puis, découvrant sa grossesse, elle avait été terrorisée à l'idée de perdre son bébé aussi. Même si Adam était né en parfaite santé, elle avait subi des attaques de panique chaque jour.

Elle avait caché son tourment, pour le bien d'Adam, pour le bien de sa famille fragile. Mais au fond, elle s'était disloquée, dépensant toute son énergie à paraître intacte. Et un jour, Jalal était revenu dans sa vie.

Sa résistance farouche n'avait pas été dictée par la colère, mais par la peur de succomber et de découvrir qu'il n'était qu'un mirage, une fois de plus.

Pourtant, si elle se fiait aux dernières vingt-quatre heures, il n'était pas seulement réel, il était là pour toujours.

Rien ne pouvait être aussi parfait. Elle ne pouvait pas vraiment avoir droit à Jalal et à son amour, à la joie transcendante de voir leur famille réunie. Etait-ce vraiment impossible ?

Jalal lui avait promis qu'elle aurait tout ce dont elle rêvait. Il avait juré que non seulement il lui appartenait, mais qu'il lui avait toujours appartenu.

Et elle était là, au milieu de leur salon familial, dans la villa que Jalal avait achetée en un coup de fil dès l'instant où elle avait dit l'adorer, en train de les regarder, leur fils et lui, jouer, parler et rire comme s'ils l'avaient toujours fait.

Quand Jalal lui avait demandé, inquiet, pourquoi elle gardait le silence, elle avait dit qu'elle savourait simplement le plaisir de les voir ensemble, Adam et lui. Il avait cessé de s'inquiéter et l'avait laissé admirer le magnifique spectacle d'un homme et de son fils forgeant un lien éternel.

Dahab revint le soir, pour ramener Adam, déjà endormi, à l'hôtel, annonçant à sa famille que Lujayn, Adam et elle y passeraient la nuit. Elle avait concocté ce plan quand Jalal lui avait annoncé que Lujayn avait accepté sa demande en mariage. Folle de joie à la perspective de préparer un mariage royal, Dahab avait décrété que les jeunes fiancés avaient besoin d'une nuit ensemble, avant que les préparatifs du mariage ne les rendent fous et ne les séparent.

Dès qu'ils furent seuls, Lujayn voulut lui arracher ses vêtements, et répéter leurs ébats, mais Jalal avait d'autres projets.

Malgré ses supplications, il lui ferait la cour, scellant leur pacte d'éternité dans l'amour et l'harmonie, avant de passer à l'abandon et à l'extase. En bref, il avait décidé de la rendre folle.

Durant les heures suivantes, Labeeb et lui travaillèrent en équipe pour cuisiner, la servir, la gâter.

Elle avait supporté tant bien que mal l'attente, en revivant chaque instant de leur nuit précédente. Assise sur un canapé, elle essayait de ne pas s'agiter, malgré le désir qui montait en elle et fut immensément soulagée quand Labeeb disparut enfin.

Jalal l'avait observée avec une lueur complice dans le regard, ses yeux lui promettant la satisfaction de ses moindres désirs. Il se leva et avança vers elle pour l'entraîner au centre de la pièce et danser avec elle sur un air azmaharien doux et vibrant.

Elle posa la tête sur son torse, ondulant au rythme des battements réguliers de son cœur, tandis que le sien battait la chamade, qu'elle avait les lèvres et les tétons douloureux, que ses nerfs étaient électriques…

— A présent, extase et abandon, lui chuchota-t-il à l'oreille, de sa voix grave et caressante.

Il avait failli la conduire à l'extase avec ces seuls mots. Savoir à quel point il tenait ses promesses suffisait à réveiller son excitation. Elle quitta ses bras, l'attira vers la pièce qui était leur chambre, à présent…

— Je veux que tu fasses quelque chose pour moi, annonça-t-elle d'une voix rauque, dès qu'elle eut refermé la porte.

Il la regarda, le visage marqué par la passion et la détermination.

— Tout ce que tu veux. Toujours. Tu n'as qu'à demander.

— Laisse-moi faire ce que je veux de toi. Tout ce que je veux.

La lueur sauvage et sensuelle dans son regard provoqua une nouvelle vague d'excitation en elle.

— Alors, vas-y. De toutes les manières que tu désires.

Quand il commença à se déshabiller, sa première réaction fut de lui crier de la laisser faire. Mais elle se ravisa, et observa son strip-tease, brûlante de désir, se retenant de se jeter sur lui. Mais elle se calma bientôt. A présent, elle pouvait admirer sans retenue et sans limite la beauté de ce corps dont elle avait cru être définitivement privée.

La nuit durant laquelle Adam avait été conçu et la nuit dernière avaient été trop époustouflantes et trop courtes. Elle n'avait pas pu profiter de sa splendeur. Et même ce mot était un euphémisme.

Elle admira sa peau de bronze, ses muscles à la fois lourds et déliés. Ses larges épaules, son torse et son ventre sculptés, ses hanches étroites. Puis elle posa le regard sur ses fesses fermes, ses jambes musclées, sur chaque centimètre de son corps viril et plein d'énergie. Elle savait d'expérience qu'il était une œuvre d'art.

Enfin, il ôta son caleçon.

Ne lui donnant qu'un aperçu de son sexe engorgé, il lui lança un regard plein de promesses et grimpa nonchalamment sur le lit tel un félin arrogant.

Avec des mouvements langoureux, il s'appuya contre la tête de lit, étendit ses longues jambes, le sexe tendu de désir, prêt à enfourcher.

N'y tenant plus, elle se débarrassa de ses vêtements à la hâte.

Puis elle fondit sur lui.

Elle rampa sur son corps et en adora chaque centimètre carré. Quand enfin elle se mit à califourchon sur lui, il avait cessé de jouer les fauves nonchalants, et haletait comme elle. Ses gémissements étaient aussi douloureux que les siens, ses mains exploraient son corps fiévreusement, son corps tremblait contre sa peau.

Pourtant, il ne la pressa pas, ne l'attira pas sur lui pour se glisser en elle, afin de mettre un terme à leur supplice. Au contraire, il la laissa établir la cadence. Elle voulait que ces premiers ébats de futurs époux soient rapides et effrénés.

Plaçant les mains dans ses épaules, écrasant ses lèvres sur les siennes, inspirant son parfum, elle s'empala sur lui jusqu'à la garde, en un seul mouvement.

La douleur et le plaisir la parcoururent aussitôt. Elle s'effondra sur lui, puis recula pour échapper à la douleur déchirante. Elle était déjà moite, mais le sexe de Jalal était presque trop grand pour elle. Pourtant, la sensation de l'avoir en elle atteignait un tel niveau de perfection, à présent qu'ils s'étaient déclaré leur amour, qu'elle pleura. Il sécha ses larmes, grondant son nom, attisant le feu de son désir, ondulant en elle, jusqu'à ce qu'elle se consume dans les flammes d'une extase dévastatrice.

Des ondes de choc se brisèrent sur eux. Elle cria son nom quand les déflagrations de chaque orgasme la traversèrent, quand sa semence jaillit en elle en jets brûlants et successifs, emplissant son sexe, la comblant de plaisir...

Depuis les profondeurs d'une félicité languide, elle sentit bientôt des mains caresser son corps rassasié. Elle était étendue sur lui, tremblante, le sexe de Jalal encore plongé en elle.

Elle l'entendit ronronner comme un lion près de son oreille.

— Promets-moi que tu feras souvent ce que tu veux de moi comme tu viens de le faire.

Elle eut un sourire nonchalant.

— Entendu. Très souvent.

Son rire se transforma en gémissement quand elle se contracta autour de son sexe de nouveau en érection.

— Oublie ce que je viens de dire. Mon besoin de faire ce que je veux de toi devient trop puissant.

Elle rit quand il se souleva, pour l'allonger sous lui et la plaquer entre le matelas et son corps chaud et ferme.

Longtemps après l'avoir satisfaite, il l'enjoignit à s'étendre de nouveau sur lui et poussa un soupir de contentement.

— Tu sembles... différente.

L'euphorie qu'elle ressentait retomba aussitôt.

— Je ne suis plus aussi étroite qu'avant ?

— Non.

Toute sa félicité s'envola. Elle s'agita pour se dégager de son étreinte, mais il la rattrapa, l'obligeant à s'étendre sur le dos et vint se placer au-dessus d'elle.

— Je veux dire que non, ce n'est pas ça. Physiquement tu es la même, ou presque, c'est peut-être juste un peu moins difficile d'entrer en toi. Les sensations sont différentes, c'est tout.

Toujours incertaine, et inquiète, elle demanda :

— A cause d'Adam ?

— A cause de nous. Tu es différente. Et moi aussi. Nous avons mûri. Nous sommes certains que nous nous désirons, et que nous ne désirons personne d'autre. Cela nous rend meilleurs. Mais il faut que tu cesses de t'améliorer, ajouta-t-il en souriant. Sinon, je pourrais bien rendre l'âme.

Soulagée, espérant qu'elle cesserait bientôt d'avoir ces accès de doute, elle le regarda avec adoration.

— Tu sais que tu as les plus beaux yeux de la Terre ? Si nous avons une fille, j'espère qu'elle aura tes yeux.

Il se figea.

— Tu veux d'autres enfants ?

Déjà, l'incertitude s'abattait de nouveau sur elle. Elle déglutit.

— Je dis juste que si un jour, tu crois que nous devrions…

— Je crois que nous devrions avoir autant d'enfants que tu le veux. Je veux tout ce que tu veux, quand tu le veux.

Tremblante à force d'osciller entre le soulagement et l'angoisse, elle caressa sa joue piquante.

— Eh bien, je veux m'enivrer de toi un peu plus longtemps avant que nous ne concevions un autre petit miracle.

— Alors, je t'en prie, sers-toi.

Avec un sourire de plaisir, il la prit dans ses bras et l'emmena dans la salle de bains.

Le reste de la nuit et la journée suivante s'écoulèrent dans un brouillard d'ébats sensuels.

Le soir, ils se rappelèrent à contrecœur que le reste

du monde existait, firent venir la famille de Lujayn à la villa, et annoncèrent la nouvelle.

Ils s'étaient mis d'accord sur une version des faits. Ils s'étaient rencontrés après la mort de Patrick, avaient trouvé du réconfort l'un auprès de l'autre, s'étaient mariés. Mais elle avait pensé faire une erreur et avait insisté pour qu'ils divorcent. Il avait essayé de la récupérer depuis. Jalal avait observé que cette version n'était pas loin de la vérité.

Sa famille accueillit la nouvelle avec joie et stupéfaction. Et ils furent encore plus stupéfaits, quand Jalal annonça qu'ils se marieraient la semaine suivante. Il avait assuré que cela suffirait pour préparer un mariage digne de Lujayn.

Portée par la vague de bonheur et d'enthousiasme collectifs, Lujayn passa la journée suivante au palais royal, où se tiendrait le mariage, selon la décision de Jalal. Il leur donna à elle et à sa famille, en particulier à Dahab, toute latitude pour transformer l'endroit en décor de rêve. Lujayn ne voulait rien de tout cela, mais il insistait pour le lui offrir et pour qu'elle lui fasse le plaisir d'accepter.

Plus amoureuse que jamais, elle accepta ce cadeau comme un autre effort pour compenser les années qu'ils avaient perdues et la douleur qu'il lui avait causée sans le vouloir. Car même si elle ne demandait aucune preuve ni aucun dédommagement, elle savait qu'il avait besoin de les lui donner.

Elle venait de laisser sa famille et Adam dans le hall du *Qubbat*, littéralement, le dôme, faisant référence au dôme en mosaïque de trente mètres de haut au centre de la pièce, et devait trouver Jalal, afin d'avoir son opinion sur le plan de table pour ses amis personnels.

Lorsqu'elle pénétra dans l'antichambre du bureau royal, situé au premier étage, elle entendit une voix qui n'était pas celle de Jalal.

Si les voix avaient des couleurs, celle-ci aurait été noire comme de l'encre.

— … tu te comportes déjà comme si le palais était à toi.

Elle entendit Jalal pousser un soupir.

— Et je suis moi aussi ravi de te revoir, Rashid.

Ce devait être Rashid Aal-Munsoori, le troisième candidat au trône. Elle savait que c'était un parent éloigné de Jalal, et autrefois son meilleur ami. Elle ignorait en revanche où en étaient leurs relations, maintenant qu'ils étaient rivaux pour le trône.

D'après ce qu'elle avait entendu, ils ne semblaient pas en bons termes. Du moins, Rashid avait l'air hostile. Il venait plus ou moins d'accuser Jalal de s'approprier indûment le palais.

Mais Jalal n'abusait pas de son pouvoir, il avait payé une grosse somme au royaume afin d'utiliser le palais pour leur mariage. Comme elle avait objecté qu'ils auraient pu louer le Taj Mahal pendant un mois, pour ce montant, il avait rétorqué qu'ils auraient pu utiliser le palais du Zohayd gratuitement. Le roi Amjad, son frère aîné, lui avait même suggéré de se contenter d'un mariage de répétition dans sa patrie maternelle pour faire plaisir à ses beaux-parents, puis d'aller se marier pour de bon dans sa patrie paternelle, dans le palais d'Amjad, un endroit vraiment digne de sa femme et de son héritier.

Mais Jalal considérait qu'il faisait d'une pierre deux coups en organisant son mariage ici. Il lui offrait un mariage dans sa patrie à elle, renforçant son statut familial, et injectait en même temps de l'argent dans le royaume, sans que cela ressemble à un don de charité

Elle se mordilla la lèvre, ne sachant si elle devait attendre le départ de Rashid ou s'en aller et revenir plus tard.

Retraverser le hall du *Qubbat* prenait beaucoup de temps, elle décida donc d'attendre et prit un livre dans la petite bibliothèque de l'antichambre. Autant mettre à profit ce temps pour rafraîchir ses connaissances en arabe.

Elle venait à peine de commencer sa lecture qu'elle entendit de nouveau la voix de Rashid.

— … puisque Haidar a contrecarré tes plans et que tu n'as pas pu utiliser Roxanne pour gagner la campagne, tu crois qu'en servant aux habitants d'Azmahar, abreuvés de contes des fées, une histoire larmoyante avec une famille à l'honneur restauré, une épouse cachée et un héritier secret, tu vas gagner leurs faveurs ?

Son cœur s'emballa tandis qu'elle attendait la réponse de Jalal. Il ferait ravaler son venin à Rashid.

Mais il ne le fit pas. Il ne répondit rien.

Elle ne pouvait même pas deviner sa réaction à la qualité de son silence. Comment regardait-il Rashid ? D'un air moqueur ? Exaspéré ?

Rashid reprit la parole.

— Vas-y, enchaîne-toi à une femme et à un enfant dont tu ne veux pas puisque tu veux aussi désespérément du trône. Ce sera un châtiment approprié pour toi que de te retrouver avec un bébé sur les bras, sans même un strapontin pour t'asseoir après ta défaite.

Elle tremblait de la tête aux pieds quand Jalal répondit enfin.

— Haidar m'a dit à quel point tu avais changé. Je croyais qu'il exagérait. Il s'avère qu'il était dans sa retenue habituelle et qu'il a laissé de côté les détails les plus criants. Qu'est-ce qui t'est arrivé, Rashid ?

Un long silence s'ensuivit, insoutenable.

Puis, d'une voix d'outre-tombe, Rashid répondit :

— Ton frère te l'a dit, non ?

— Il m'a seulement parlé du résultat, pas du processus. Nous ne savons rien sur toi, hormis que tu as rejoint l'armée, et que tu as fini par disparaître totalement. Et puis — elle devinait le geste frustré de Jalal dans le temps de silence — le monstre que voilà est revenu à ta place.

— Ce « monstre », comme tu dis, est le vrai moi, rétorqua Rashid d'une voix si neutre qu'elle n'en était que plus glaçante. Le seul moi que tu verras jamais. Alors, si les hybrides déficients que vous êtes, ton frère et toi, pensez que vous avez une chance contre moi, épargnez-vous cette humiliation. Toi en particulier, tu es si pathétique que j'ai décidé d'être clément et de te conseiller de ne pas sacrifier ta liberté sur l'autel des ambitions royales que tu n'atteindras jamais

Lujayn resta plantée là, tandis que la voix de Rashid se rapprochait et qu'il ouvrait la porte entrouverte du bureau.

Il la vit immédiatement, et s'arrêta.

Il la fixa, telle une force des ténèbres ayant pris forme humaine.

Et cette cicatrice…

— Je suis navré que vous ayez dû entendre cela, cheikkah Lujayn. Au moins maintenant, vous pouvez prendre une décision en toute connaissance de cause.

Il fit une révérence en passant devant elle tandis que Jalal criait un juron qui pénétra dans son esprit engourdi.

Jalal arriva en trombe dans l'antichambre et fixa d'un regard noir Rashid, qui s'éloignait. Quand ses yeux se posèrent sur elle, il sembla inquiet.

— Est-ce pour cela que tu nous veux, Jalal ? murmura-t-elle avant qu'il puisse dire quoi que ce soit.

Il grimaça, comme si elle l'avait poignardé.

— Tu penses donc toujours le pire de moi, Lujayn ? Tu te méfies encore de moi ?

Elle déglutit, secoua la tête. Elle lui faisait confiance, mais…

Il prit ses épaules entre ses mains tremblantes.

— Rashid ne faisait que me provoquer, comme il provoque Haidar depuis son retour à Azmahar. En plus de tout ce qui l'a monté contre nous personnellement, il nous considère comme des intrus, plus zohaydiens qu'azmahariens. Il mène une guerre psychologique pour nous écarter de son chemin. Mais je t'assure, tout ce que tu l'as entendu dire ne repose sur aucun fait. Si je vous veux, Adam et toi, c'est pour une seule raison. Parce que je ne peux pas vivre sans vous. Dis-moi que tu me crois, *ya habibati* !

Elle se jeta dans ses bras, et s'accrocha à lui comme si elle venait d'échapper à une mort certaine.

— Oui, Jalal, oui.

Il gémit contre sa joue et ses lèvres.

— Je ne pourrai pas le supporter si tu as le moindre doute, *ya'youni*. Je retirerai ma candidature.

— Non ! s'exclama-t-elle en reculant. N'y pense même pas ! Je t'aime tant, je suis si heureuse que cela me rend nerveuse. Je ne peux pas croire que je suis aussi chanceuse.

Il l'attira de nouveau contre lui.

— Ce n'est pas de la chance, c'est le moins que tu mérites. Et que je devienne roi ou non, peu importe. Je veux juste vous aimer, Adam et toi, et vous rendre plus heureux encore.

Tandis qu'elle s'abandonnait à son baiser, à ses bras rassurants et à sa promesse, une petite voix lui souffla qu'il était impossible que la vie la laisse tout avoir sans intervenir…

11

Le thème des tables et la couleur des robes des demoiselles d'honneur venaient d'être choisis. *Dahabi*. En tant que fille « en or », Dahab elle-même avait décrété que la couleur or allait de soi.

Restait à décider de tous les autres éléments. Les compositions florales, la décoration des jardins, la lumière, les décorations du hall, le menu. Le *kooshah* — sorte de belvédère sous lequel Lujayn et Jalal présideraient les festivités — en particulier. Et Lujayn ne voulait même pas songer à ce qui se passerait quand elle devrait donner un avis définitif sur sa robe. Sans parler des accessoires. Tout le monde avait une opinion, et bien sûr, tout le monde pensait avoir raison.

Elle avait été sidérée par l'enthousiasme de sa mère. Dès l'instant où Jalal avait arrêté une date de mariage, elle s'était transformée en reine de l'organisation. Plus étonnant encore, l'enthousiasme sans retenue de sa tante. Celle-ci s'était remise de sa mastectomie à une vitesse phénoménale, surtout après avoir appris qu'elle n'aurait pas besoin de chimiothérapie ni de rayons. Mais Lujayn était sûre que la bonne humeur de sa mère et de sa tante avait surtout à voir avec leur statut social restauré, et le fait que Jalal les traitait comme des reines.

Pour elles, il avait transformé le palais en véritable atelier. Il avait mis à leur disposition des tailleurs, des joailliers, des chefs cuisiniers, des fleuristes, des ouvriers de tous les corps de métiers, pour qu'elles puissent régler chaque détail du mariage. Ses demoiselles d'honneur étaient ravies. Elles avaient l'impression d'être entrées dans un monde merveilleux où chaque rêve de femme pouvait se réaliser. Dahab avait dit à Jalal qu'il avait gagné le titre de génie.

Après le premier jour, quand elle avait pris la mesure de tout ce qu'il y aurait à préparer, Lujayn avait pensé qu'ils feraient mieux de reporter la cérémonie. Jalal n'avait pas voulu en entendre parler. Son explication rationnelle ? S'ils donnaient aux demoiselles d'honneur une année, elles trouveraient encore des détails à régler au dernier moment. Même si elle était d'accord en principe, Lujayn avait objecté que ses proches et elles devraient se relayer pour garder Adam. Jalal avait aussitôt suggéré qu'Adam reste avec lui jusqu'au mariage.

Elle l'avait couvert de baisers. Pas parce qu'il avait proposé de s'occuper d'Adam, mais à cause de l'enthousiasme avec lequel il l'avait fait.

Il lui avait amené Adam deux fois par jour. Son fils considérait le palais comme un immense parc de jeux et Jalal le laissait s'en donner à cœur joie, mais sans le quitter des yeux une seconde. Pendant leur dernière visite, quelques heures plus tôt, sa famille avait voulu l'entraîner pour d'autres essayages et avait chassé Jalal pour qu'il ne voie pas la robe sur laquelle elles pourraient arrêter leur choix.

Lujayn avait insisté pour les raccompagner, Adam et lui, en le suppliant en silence de ne pas protester. Elle avait bien besoin d'une pause, loin de ces demoi-selles d'honneur monomaniaques. Quand elles avaient protesté, arguant qu'elles n'avaient vu que six tenues dans une liste de quatorze, que Lujayn ne pouvait pas se permettre de prendre une pause, Jalal était venu à son secours, affirmant qu'il avait besoin d'un baiser et qu'il ne pouvait le lui donner qu'en privé.

Les joues rouges et les yeux brillants, elles l'avaient laissée partir.

Mais lui ne l'avait pas laissée lui échapper. Après avoir confié Adam à Labeeb, il l'avait attirée dans l'une des pièces secrètes du palais et lui avait fait l'amour avec frénésie, lui faisant presque perdre la tête.

Elle était retournée à sa famille, pantoise, et avait accepté tout ce qu'on lui avait proposé ensuite. D'où cet or qui allait transformer le hall du *Qubbat* en une réplique du palais du roi Midas.

Mais le *Qasr Al Majd* — littéralement, le Palais de la gloire — pourrait rivaliser avec les palais les plus célèbres du monde. Il n'était peut-être pas aussi majestueux que le palais royal du Zohayd, mais il était tout de même époustouflant.

Haidar était venu la veille pour rencontrer le secret le mieux gardé de son jumeau. Elle l'avait apprécié d'emblée, et était heureuse que Jalal et lui aient enfin réglé leurs différends. Elle sentait qu'elle allait l'apprécier de plus en plus et que ceci ne ferait qu'en rajouter à son bonheur.

A présent, elle était confortablement installée dans un bow-window, dans la salle de réunion transformée en atelier. Encore troublée par l'assaut sensuel de Jalal, elle regardait d'un air rêveur le soleil d'automne se coucher, avant que la nuit de velours ne prenne le relais.

— Alors c'est pour ça que tu m'évitais !

Elle sursauta. Aliyah !

Bondissant de son siège, elle se tourna vers la femme qui avait été autrefois sa bouée de sauvetage, le cœur tremblant de plaisir à l'idée de la revoir. Et elle faillit pousser un cri de surprise.

Aliyah avait toujours été belle, mais à présent, elle était magnifique. Comme une vraie reine de conte de fées.

Aussi grande que Lujayn, mais plus mince désormais, Aliyah avait l'allure altière d'une femme accoutumée à son rôle et à son pouvoir.

Aliyah était accompagnée d'une autre magnifique jeune femme : Roxanne Gleeson, ou plutôt, maintenant qu'elle était l'épouse de Haidar, la princesse Roxanne Aal-Shalaan, une femme dont Lujayn avait cru autrefois qu'elle avait été une des maîtresses de Jalal.

Avant que Lujayn puisse échanger quelques mots avec elles, ses demoiselles d'honneur arrivèrent en troupeau, pour l'emmener faire de nouveaux essayages. Aliyah et Roxanne se joignirent à elles avec enthousiasme. Pendant les heures qui suivirent, Lujayn eut l'impression d'être une poupée, à force d'être habillée et déshabillée, de devoir défiler, marcher, s'asseoir, courir, danser et grimper des marches, tandis que les autres prenaient des notes et discutaient des pour et des contre avec animation.

Aliyah insista finalement pour que Lujayn essaie une dernière robe, à la surprise de tout le groupe. La tenue était constituée d'un incroyable amas de tulle, de taffetas et de dentelle, rehaussé d'arabesques splendides en sequins, miroirs, perles et fils de soie. Le corset sans bretelle et moulant accentuerait la poitrine de Lujayn et flatterait sa taille fine. Quant au bas de la robe, constitué d'une superposition d'étoffes assez près du corps, il mettrait en valeur ses courbes. Bref, elle serait parfaite.

L'objection fut unanime : la robe était grise.

Aliyah leur rappela en riant qu'elles parlaient à la femme qui avait choqué l'opinion en portant du noir à son mariage. Et puis cette robe n'était pas grise, elle était aube argentée, crépuscule profond, plus tout un camaïeu de nuances intermédiaires. Et elle semblait tissée avec des fils de l'exacte nuance des yeux de Lujayn.

Les jeunes femmes se rangèrent finalement à l'opinion d'Aliyah, non parce qu'elle était reine, mais parce qu'elle était une artiste de renommée mondiale.

Lujayn percevait encore leur scepticisme, jusqu'à ce qu'elles voient la robe sur elle.

— C'est elle ! s'écrièrent-elles toutes en chœur.

Une autre heure passa, avant que Lujayn soit enfin autorisée à retirer la robe, après avoir choisi un *tarhah* — un voile — assorti. Aliyah et Roxanne promirent toutes deux de lui apporter les bijoux pour orner cette tenue, choisis parmi les joyaux de la couronne de Judar et du Zohayd.

Laissant sa famille s'émerveiller à cette perspective, Aliyah et Roxanne emmenèrent Lujayn pour une pause bienvenue.

Dans le silence béni et l'isolement d'un salon à l'autre bout du palais, elle leur sourit.

— Merci de m'avoir sauvée, les filles. C'est une bonne chose que les mariages n'arrivent normalement qu'une fois dans la vie. Je ne pense pas que je pourrais survivre une seconde fois à une épreuve de ce genre.

— Ne t'inquiète pas, tu n'auras pas à revivre ça.

Dans le deuxième trimestre de sa grossesse, Roxanne était d'une beauté rayonnante. Elle donnerait bientôt naissance à de nouveaux jumeaux dans la famille.

— Tu épouses un Aal-Shalaan. Ce sont de beaux partis que l'on garde toute une vie.

— Comme les Aal-Masoud, ajouta Aliyah.

Roxanne soupira.

— Nous sommes toutes des princesses Aal-Shalaan maintenant, de naissance ou par mariage. Et laisse-moi te le dire, Lujayn : d'après mon… expérience intensive, il n'y a rien de mieux.

Lujayn hocha la tête vigoureusement, sa peau la picotant encore de la récente « expérience intensive » avec son prince Aal-Shalaan.

— Vous avez remarqué comme avec mes origines emmêlées, je suis liée à tout le monde d'une manière ou d'une autre ? demanda Aliyah.

— Oui, dit Lujayn en souriant, tu es la seule qui ait grandi en portant le nom de Morgan, qui se soit avérée être une Aal-Shalaan, et qui soit ensuite devenue une Aal-Masoud.

— Autrefois, je pensais que c'était un guêpier auquel je ne survivrais jamais, mais il s'avère que c'est la plus grande bénédiction possible.

Aliyah fit un clin d'œil à Lujayn.

— Découvrir que tu n'es pas qui tu pensais, c'est aussi fantastique pour toi, n'est-ce pas ? Sans parler du fait que tu as conquis le cœur d'un de ces merveilleux princes. Et même si tu as gardé cela secret, je n'arrive pas à croire que tu aies réussi à me tromper, moi. Tu as raté ta vocation d'actrice.

Lujayn s'agita sous le regard taquin d'Aliyah.

— Oui, eh bien, ce n'était pas quelque chose que je pouvais partager, à l'époque. J'ai arrêté le manne-quinat depuis longtemps, aussi, tu sais ? Je suis entrée à l'université quand j'ai épousé Patrick, et j'ai obtenu un diplôme en économie et en gestion d'affaires. Je prépare un doctorat maintenant.

— Eh bien, je n'arrive toujours pas à croire que nous ayons tant en commun, s'exclama Roxanne. T'avoir dans la famille va être plus drôle que je ne l'imaginais. Et n'hésite pas à faire appel à moi si jamais tu as besoin d'aide dans tes projets ou dans la gestion de tes sociétés. Je suis une bonne conseillère financière, à ce qu'il paraît.

Roxanne était modeste, sa réputation d'analyse politique et financière était excellente.

— Ce ne sont pas mes sociétés, précisa Lujayn.

Elle leur expliqua quelle était la situation, avec la famille de Patrick.

— J'ai contrôlé tout cela le temps que le danger soit écarté. Je vais bientôt tout donner aux œuvres caritatives dont il m'avait fait la liste. L'argent ou les parts que ma famille en a obtenu n'étaient qu'un paiement pour notre travail. Autrement dit, je ne suis pas l'héritière milliardaire que tout le monde croit, même si je n'ai jamais nié, puisque j'arrangeais encore les choses avant de venir à Azmahar.

Roxanne sembla impressionnée.

— Et que tu aies aussi réussi à garder cela secret prouve à quel point tu es douée. J'ai entendu dire que beaucoup voulaient faire des affaires avec toi, en tant qu'héritière de Patrick. Prépare-toi à ne plus entendre ton téléphone sonner aussi souvent, quand la nouvelle se répandra.

Les mots de Roxanne la frappèrent soudain.

Elle n'avait jamais vraiment expliqué ce qu'il en était à Jalal.

Mais il avait été clair, il croyait qu'elle détenait la fortune de Patrick. Et si une part de son statut acceptable était due à sa supposée richesse ? Les princes avaient bien d'autres choses à prendre en compte dans le mariage que les hommes normaux. L'argent et le pouvoir s'unissaient à l'argent et au pouvoir. Et s'il revenait sur sa décision, quand il comprendrait qu'elle ne possédait ni l'un ni l'autre ?

Obnubilée par cette idée, elle sut à peine ce qu'Aliyah

et Roxanne dirent et ce qu'elle répondit. Au bout d'un moment, elles se levèrent, l'embrassèrent, tout en promettant de revenir le lendemain.

Comme en pilote automatique, elle retourna vers sa famille pour régler d'autres détails avant que l'heure de rentrer n'arrive enfin. Au lieu de passer la nuit au palais comme eux, elle s'échappa dans la villa de Jalal. Ou plutôt, dans leur villa, comme il se plaisait à l'appeler.

Labeeb l'accueillit au portail et suggéra qu'elle fasse une surprise à Jalal. Avant de disparaître, il l'informa qu'Adam s'était endormi après un bain qui l'avait joyeusement épuisé. Labeeb et Jalal avaient leur babyphones sur eux, en cas de besoin, et Adam n'avait pas bougé depuis trois heures.

Dans la villa, la musique préférée de Jalal, mélange occidental, zohaydien et azmaharien, s'échappait du salon, l'enveloppant dans sa magie évocatrice. Approchant en silence, elle observa son futur mari, assis de profil, sur le canapé. Penché sur son ordinateur et ses dossiers, il était plus beau que jamais. Pieds nus, les cheveux ébouriffés, un pantalon de toile noir qui tombait bas sur sa taille et le torse nu, il était tout simplement irrésistible.

En le voyant ainsi, détendu dans leur foyer, son cœur se gonfla de bonheur. Mais son anxiété reprit très vite le dessus.

Il se tourna soudain, son regard croisant le sien, le plaisir se lisant dans ses yeux.

Après avoir fermé prestement son ordinateur, il se leva d'un bond et se dirigea droit vers elle, les bras tendus. Il la souleva et l'étreignit

— *Habibati*…, gémit-il dans ses cheveux avant de prendre ses lèvres et de la submerger de désir.

Elle se sentit presque chanceler lorsqu'il la reposa à terre.

— Alors, comment as-tu fait ?

Elle cligna les yeux, interloquée.

— Comment as-tu échappé à tes gardiennes de prison ? insista-t-il.

Elle le serra contre lui, s'émerveillant de l'avoir dans ses bras.

— Je leur ai filé entre les doigts. Que voulais-tu que je fasse d'autre ?

— Elles m'intimidaient tellement avec leurs listes et leurs thèmes que je n'osais même pas te suggérer de fuir.

Elle rit en imaginant son guerrier du désert marcher sur la pointe des pieds, fuyant ce groupe de femmes obsessionnelles, de crainte qu'elles ne l'attaquent avec des rubans et des échantillons de gâteaux.

Elle oublia un peu son inquiétude dans ses bras, s'abandonnant à son étreinte, voulant prendre tout ce qu'elle pouvait maintenant, avant que quelque chose n'arrive et ne gâche cette magie. Car elle vivait dans la crainte que cela ne se produise…

La brise du soir soufflait dans les rideaux ivoire de leur chambre quand elle refit surface, après de nouvelles étreintes passionnées. Il caressait son corps couvert de sueur et encore tremblant quand, sans préambule, elle lui raconta tout au sujet de l'empire de Patrick.

Il continua de la caresser pendant tout son compte rendu.

Quand elle se tut, il haussa les épaules.

— Et ?

Elle se pencha au-dessus de lui, anxieuse de lire son expression, mais elle ne vit que sa bienveillance habituelle.

— Et je ne suis pas une héritière.

— Mince !

Il passa les doigts dans ses tresses emmêlées, un sourire malicieux aux lèvres.

— J'espérais que tu pourrais me prêter un million ou deux pour développer un procédé qui nous rendrait invisibles, afin de pouvoir faire l'amour n'importe où.

— Sois sérieux une seconde, tu veux bien ? gémit-elle.

— Pourquoi être sérieux ? Ton implication ou ton absence d'implication dans l'héritage de Patrick ne change pas ma volonté de le préserver. En dehors de cela, en quoi cela m'importe-t-il ? Il n'y a que toi qui comptes pour moi, tu en doutes encore ? ajouta-t-il en fronçant les sourcils.

Quand elle lut la déception dans son regard, elle hésita.

— Je… je me demandais juste… tu sais, étant donné que tu es un prince, si… si…

Il se redressa et la fit rouler sur le côté pour qu'elle puisse le voir. Alors il se dirigea vers son bureau, saisit son lecteur mp3, tapota sur quelques touches, puis revint vers elle en portant l'appareil vers ses lèvres.

— Moi, Jalal Aal-Shalaan, jure solennellement, sur ma vie, sur mon honneur, sur mon fils — dont le seul petit doigt vaut plus que ma vie — qu'une seule femme a été et sera toujours la plus grande part de mon âme, uniquement parce ce qu'elle est ce qu'elle est. Ma bien-aimée, ma chérie, Lujayn.

Retournant vers le lit, il approcha le lecteur, et rejoua la promesse qu'il venait d'enregistrer.

— Chaque fois que tu auras la moindre inquiétude et que je ne suis pas là, écoute ce message.

Avec un sanglot, elle se jeta dans ses bras.

— Et quand je suis là, fais-le-moi savoir, et je m'occuperai de toi, comme ça…

Et pendant le restant de la nuit, il lui montra comment

il comptait prendre soin de chacune de ses inquiétudes et de chacun de ses besoins…

Le grand jour était arrivé.

Le jour où il dirait au monde entier qu'il appartenait à Lujayn. Le jour où il allait commencer à guérir toutes les blessures et les injustices que sa famille et lui avaient infligées à cette femme.

Il parcourut les lieux du regard, et sourit. Il devait le reconnaître, les demoiselles d'honneur de Lujayn avaient en effet réalisé un miracle. Elles avaient fait du palais un lieu raffiné et somptueux, qui semblait tout droit sorti d'un conte des *Mille et Une Nuits*. Surtout le hall du *Qubbat*. C'était un décor digne de sa princesse, de l'amour de sa vie, de la mère de son incomparable fils.

Sa famille, arrivée au complet dans la matinée, s'était installée dans l'immense demi-cercle qui faisait face au *kooshah,* où Lujayn et lui rejoindraient le *ma'zoun,* l'officiant religieux, pour écrire leurs vœux dans le livre du mariage. Son père n'avait pas eu l'air aussi en forme et heureux depuis longtemps. Son mariage avec Anna Beaumont, la mère biologique d'Aliyah, et l'amour de sa vie, lui réussissait. Après une vie gâchée dans deux mariages, d'abord avec la mère d'Amjad, Harres et Shaheen, suivi par une union encore pire avec Sondoss, leur père avait eu besoin de paix. Et il l'avait enfin trouvée. Anna semblait n'être qu'amour pour son époux. Son père avait mérité toute cette beauté et cette dévotion, et il avait fait le bon choix en cédant le trône du Zohayd à Amjad. A présent, il pouvait profiter de sa retraite avec la seule femme que son cœur ait choisie, et dont la vie et le devoir l'avaient privé pendant trois décennies.

Mais, même s'il était ravi pour son père, ce soir, il lui dirait, ainsi qu'à ses grands frères et à Haidar, que l'homme le plus heureux du monde ne se trouvait pas parmi eux.

Un soupir de plaisir et d'anticipation lui échappa, quand le parfum de jasmin préféré de Lujayn emplit le hall gigantesque, porté par une brume onirique.

Adam sauta dans ses bras. Le cœur battant, il porta son regard vers l'endroit que le petit garçon pointait avec excitation. Le cortège de la mariée venait de pénétrer dans le hall, précédé de Dahab.

Dans leurs robes dorées, elles ressemblaient à des bijoux ambulants. Toutes les femmes de la famille de Lujayn étaient présentes. Et presque toutes celles de sa propre famille. Les épouses de ses frères étaient toutes là, Johara, Talia, Maram et Roxanne. Aliyah avançait avec sa fille, qui sautillait à côté d'elle, telle une fée espiègle, qui jetait de la poussière d'or derrière elle.

La seule femme qui n'avait pas pu venir à son mariage était Laylah, l'une des trois précieuses femmes de la famille Aal-Shalaan. Et sa mère.

Personne ne parla de Sondoss, comme si le fait de la mentionner pouvait jeter un mauvais sort sur cette journée. Même s'il lui rendrait visite quand il le pourrait, il ne l'inviterait sûrement pas dans sa vie, maintenant que son existence tournait autour de Lujayn et d'Adam. De toute façon, plus elle resterait loin de Lujayn et de sa famille, mieux cela vaudrait.

Le battement lourd et régulier du *zaffah,* l'air traditionnel du cortège, commença. Après une introduction de percussions, avec Dahab en guise de meneuse, toute l'assistance commença à chanter l'air nuptial le plus célèbre du pays, vantant la mariée, la félicitant pour son magnifique époux et lui souhaitant un bonheur prospère et une progéniture bénie.

Les nerfs tendus, il attendit l'entrée de Lujayn, tandis qu'Adam commençait à crier le nom de sa mère. La chanson fut répétée au moment où les femmes du cortège prirent place autour du *kooshah* et que tous les yeux se tournaient vers l'entrée du hall.

Mais l'entrée demeurait vide. La chanson fut répétée trois fois de plus, et toujours rien. A la cinquième répétition, la musique s'arrêta. Les murmures s'élevèrent, puis se répandirent comme une traînée de poudre. Tout le monde regardait, s'attendant à une surprise. Mais comme rien ne venait, ils tournèrent leurs regards vers lui.

Et il resta là, figé, incapable de penser. Il ne ressentit rien, sauf Adam qui gigotait dans ses bras. Il posa alors son fils, qui courut vers sa grand-mère et rencontra le regard de Badreyah. Il vit dans son regard qu'elle non plus n'avait aucune idée de ce qui se passait. Et qu'elle était de plus en plus inquiète.

— Attendez ici. Nous allons voir ce qui se passe, dit Harres, qui venait de parler au *ma'zoun*.

— Qu'est-ce qui pourrait bien se passer ? demanda Haidar, à ses côtés depuis le début de la cérémonie.

Etant ses frères les plus proches, tous deux avaient accepté d'être ses témoins.

— Soit elle a changé d'avis pour la robe, soit elle te fait attendre un peu pour te punir de toutes ces années pendant lesquelles tu n'as pas pensé à l'épouser.

Haidar lui donna une tape rassurante sur l'épaule et s'éloigna.

Jalal se tenait là, l'esprit en alerte. Rien ne le ferait bouger, hormis le fait de voir Lujayn.

Le temps s'étira, et tout lui devint insupportable. L'air, le poids de son costume, le regard des gens.

Puis Haidar et Harres revinrent dans le hall.

Harres se dirigea vers Amjad, Shaheen et leur père, tandis que Haidar s'avançait vers lui.

Jalal le dévisagea, mais sans pouvoir déchiffrer son expression. Il s'y refusait. Tout son être refusait de coopérer. Son esprit, sa voix, son cœur.

Puis d'une voix aussi sombre et pleine de regrets que son expression, Haidar annonça :

— Lujayn est partie.

12

Partie.

Le mot ne cessait de tourner dans sa tête. Cela n'avait pas de sens. C'était impossible. C'était faux.

Lujayn ne pouvait pas être partie.

Puis une peur atroce l'étreignit, provoquée par une pensée insupportable. La seule qui expliquerait son départ.

Elle avait été enlevée. *Kidnappée.*

La terreur l'envahit. Les griffes du désespoir transpercèrent son esprit, alors il se tourna vers le seul être susceptible de lui apporter un soutien indéfectible, son jumeau. Sa vision se troubla tandis que sa propre voix, qu'il reconnut à peine tant elle était déformée par la peur, prononçait le nom de Lujayn, comme une litanie.

— Tu t'effondreras plus tard, Jalal, murmura Haidar. Nous devons d'abord donner une explication à cette foule, contenir cette catastrophe, puis nous te sortirons d'ici et…

Incapable de supporter un mot de plus, il repoussa son frère, et sortit du hall en courant, tandis que l'agitation s'élevait autour de lui. Il entendit des cris, des questions, des exclamations, et avança malgré les gens qui entravaient son chemin. S'il courait assez vite, il pourrait encore la retrouver, la sauver…

Soudain, une force inexorable le retint, l'obligeant à

se retourner. Haidar et Harres lui avaient empoigné les épaules. Amjad et Shaheen les suivaient de près.

— Où crois-tu aller ? dit Haidar entre ses dents serrées.

— Je ne vais pas te dire pas que je peux imaginer ce que tu ressens, dit Harres. Parce que je ne peux fichtrement pas. Mais calmons-nous un moment...

— Me calmer ? rugit Jalal. Lujayn a été kidnappée et tu veux que je me calme ?

— Kidnappée ? s'exclama Shaheen en regardant ses frères.

Amjad s'arrêta à quelques mètres.

— Alors, tu penses que la seule explication pour qu'elle te fasse faux bond devant le *ma'zoun,* c'est un kidnapping ?

Se dégageant de l'emprise de Haidar et de Harres, Jalal avança d'un air menaçant vers Amjad.

Son demi-frère resta imperturbable.

— Elle n'a pas été kidnappée, alors tu peux te calmer.

Tout en Jalal se figea, tandis que son esprit ne parvenait pas à comprendre ces quelques mots. *Elle n'avait pas été kidnappée.*

Une vague de soulagement déferla en lui.

— Tu... tu en es sûr ?

Ses frères échangèrent un regard embarrassé. Puis, en poussant un grand soupir, Haidar lui tendit une feuille de papier.

Elle ne contenait que trois mots, tracés de la main de Lujayn.

« Je suis désolée. Lujayn. »

Il fixa les mots, comme s'ils allaient se multiplier, comme s'ils allaient en dire plus, sous la seule force de son regard. Mais les trois mêmes vocables continuaient de le narguer, sans rien expliquer.

— Où as-tu trouvé ça ? demanda-t-il d'une voix râpeuse.

— Dans la pièce où les dames ont laissé Lujayn, répondit Haidar. Elle avait demandé à ce qu'on la laisse seule un moment. Puis elle a enlevé sa robe de mariée et elle est partie par le balcon.

Jalal secoua la tête, refusant chaque parole, chaque preuve.

— C'est impossible. Elle ne partirait pas. Pas de son propre chef. Ce message ne signifie pas qu'elle n'a pas été kidnappée. Elle aurait pu être forcée à l'écrire pour… pour…

Des larmes acides lui montèrent aux yeux et glissèrent sur ses joues.

— *Ya Ullah*… Lujayn… *ya Ullah*…

Harres le maintint rudement par les épaules.

— Elle n'a pas été kidnappée, Jalal, alors ne te rends pas malade, en tout cas pas pour ça.

— Les gardes ont essayé de la retenir, renchérit Haidar. Mais elle a insisté, disant qu'ils seraient punis s'ils la retenaient. Ils étaient si surpris par sa détermination qu'ils l'ont laissée partir. Quand ils en ont informé Fadi et qu'il a contacté l'aéroport, elle était déjà dans l'avion. Fadi a ordonné d'arrêter le décollage et de faire débarquer, mais elle a invoqué sa citoyenneté américaine, et l'avion a décollé.

Jalal fixa Haidar, n'osant regarder personne d'autre.

Elle était vraiment partie.

Mais cela ne pouvait pas être de son plein gré. Elle l'aimait. Plus encore. Il était la moitié de son âme autant qu'elle était la moitié de la sienne. Et l'autre moitié, c'était Adam. Jamais elle ne les aurait quittés de son plein gré. Sans eux, elle mourrait. Tout comme eux sans elle.

Il semblait qu'il avait dit cela à voix haute, car Amjad lui répondit :

— Elle sait que si vous n'êtes pas mariés, tu ne pourras pas empêcher sa famille de lui ramener Adam. Alors, elle n'a quitté que toi.

Il se tourna vivement vers Amjad.

— Toi, croirais-tu que Maram puisse te quitter un jour ?

Amjad ne répondit rien.

— Alors, Lujayn est partie, mais pas de son plein gré, déclara Amjad. Cela ne laisse qu'une possibilité.

Tous se tournèrent vers lui, l'air surpris.

— Vous ne pouvez vraiment pas comprendre ? s'étonna-t-il. Qu'est-ce qui vous arrive, un aveuglement sélectif et collectif ?

Harres donna un coup de poing dans le bras d'Amjad.

— Encore un mot inutile et, tout roi que tu sois, mon prochain coup de poing te mettra au tapis.

Amjad se frotta le bras et afficha un air contrit.

— Ces deux-là, dit-il en désignant d'une main Haidar et Jalal, je peux le comprendre, puisqu'ils sont génétiquement altérés par elle. Mais vous, quelle est votre excuse ?

Shaheen et Harres se regardèrent, l'air sombre, et Amjad secoua la tête en poussa un soupir de dégoût.

— C'est un coup de Sondoss, voyons. Qui d'autre ?

Le cœur de Jalal se serra douloureusement en entendant le nom de sa mère. Puis toutes les pièces du puzzle se mirent en place.

Sa mère. C'était elle qui avait fait fuir Lujayn.

— Nous vous avions prévenus qu'elle n'avait pas fini de vous gâcher la vie, souligna Amjad, en s'adressant à Jalal et à Haidar. Mais vous vous êtes laissé attendrir, et vous l'avez exilée sur cette île tropicale au lieu de me laisser concevoir un donjon digne de ce dragon. A présent, vous en payez le prix.

— Si tu crois qu'un donjon aurait mis un terme à sa dangerosité, ironisa Shaheen, alors tu ne mesures pas vraiment ce qu'est Sondoss.

Harres opina.

— Jalal et Haidar ont pris la bonne décision, même si ce n'est pas pour les bonnes raisons. En prison, Sondoss aurait été bien plus nocive qu'en exil. Le pire qu'elle ait fait jusqu'à présent, c'est de saboter un mariage. Mais si elle avait été en prison, elle aurait œuvré à la fin du monde.

Amjad eut un sourire ironique.

— Bien, je vois enfin que vous n'êtes pas aussi crédules que je ne le crains parfois. Mais il nous a fallu des années pour découvrir par hasard son plan diabolique. Je parie qu'en temps voulu, nous découvrirons qu'elle a mis en branle des actions bien pires que l'annulation d'un mariage. Peut-être même un scénario de fin du monde ?

Il porta son regard sur Jalal.

— Quoique, à te regarder, elle ait peut-être signé la fin de ton monde.

— Il pourrait y avoir une autre explication à tout cela, objecta Shaheen.

Haidar secoua la tête, l'air aussi ébranlé que Jalal.

— Non. Mère est une parfaite explication.

— C'est vrai, approuva Harres. Cela dit, il y a une chose que je ne comprends pas. Comment a-t-elle fait en sorte que Lujayn s'enfuie ?

Jalal tourna les talons et s'éloigna. Cette fois, ses frères ne cherchèrent pas à le retenir.

Il ne savait pas encore comment, mais il y arriverait.

Il mettrait un terme aux méfaits de sa mère, une bonne fois pour toutes.

*
* *

Dix heures atroces plus tard, Jalal entra dans la maison en bord de mer que Haidar et lui avaient trouvée à Aruba, pour accueillir leur mère.

Ils avaient choisi un endroit aussi proche que possible du climat d'Azmahar, et du niveau de confort auquel elle était habituée. En dépit de tout ce qui s'était passé, ils avaient voulu qu'elle se sente à l'aise dans son exil.

Mais c'était fini. Il n'aurait plus pour elle de faiblesse filiale. Non parce qu'il avait failli mourir de peur en pensant que Lujayn avait été kidnappée, ou parce que sa mère avait saboté leur mariage. Mais à cause de ce qu'elle avait fait subir à Lujayn, une fois de plus. Il ne lui avait pas encore pardonné ses crimes passés. A présent, c'était certain, ce ne serait jamais le cas. Il ne pouvait supporter d'imaginer l'angoisse de Lujayn quand sa mère l'avait forcée à renoncer à leur mariage.

Ya Ullah, comment avait-elle fait ?

Faisant signe aux gardes de s'en aller, il pénétra dans la grande maison de plain-pied aux premières lueurs du jour. L'idée qu'elle puisse dormir après avoir gâché le mariage et peut-être la vie de son propre fils faisait pulser le sang dans ses oreilles, tandis qu'il approchait de sa chambre.

— … tout ce que vous vouliez.

Les mots étaient à peine audibles, mais ils lui poignardèrent le cœur. Car il n'y avait pas de doute sur la personne qui les avait prononcés.

Lujayn. Elle était ici.

Il courut en direction de sa voix, qui le mena aux quartiers privés de sa mère. Il entra en trombe, et découvrit une scène qu'il n'aurait jamais cru voir. Sa mère, assise, détendue, face à Lujayn, autour de deux tasses de thé fumant.

Aucune des deux ne réagit à son arrivée, comme si elles l'attendaient. Sa mère, dans une robe de satin émeraude qui se reflétait dans ses yeux d'acier, semblait plus majestueuse et sans âge que jamais. Lujayn, dans son sobre tailleur-pantalon anthracite, portait encore le chignon qu'elle aurait sans doute dû arborer pour le mariage qui n'avait jamais eu lieu. Elle ne s'était pas retournée.

Il devait lui dire qu'elle ne devait pas s'en vouloir, qu'il était ici pour…

— Je suis contente que tu sois là, *ya helwi,* dit sa mère en lui tendant la main, l'air absolument calme. Prends le thé avec nous. Ou peut-être as-tu assez bu dans l'avion ?

Il serra les dents.

— Arrête, *ya ommi.* Ne m'appelle plus mon « mon sucre ». Plus jamais.

Sa mère eut un soupir théâtral.

— *Zain,* laisse-moi aller droit au but sans rien… édulcorer. Lujayn a toujours été ma taupe.

Tout se figea. Venait-elle de dire ?…

Une vague d'incrédulité et de fureur déferla en lui.

— *Ya Ullah,* n'y a-t-il jamais de fin à tes surprises ? Pourquoi ne pas me dire que Lujayn est en réalité un homme ? Ce serait plus crédible.

Sa mère resta imperturbable.

— Je te l'ai envoyée quand tu développais tes affaires à New York. J'avais besoin de quelqu'un pour t'éloigner des femmes indignes de ton rang qui se pressaient autour de toi, une femme qui te donnerait tout ce dont tu avais besoin, et qui semblait sans attaches. Mais lorsque tu as continué à retourner vers elle, durant des années, j'ai compris que mon plan avait trop bien fonctionné, j'avais peur que tu ne t'attaches à elle. Alors, je lui ai ordonné de s'éloigner de toi. Mais, avec l'esprit de contradiction qui te caractérise, tu l'as aimée davantage pour cela. J'ai attendu que tu la quittes pendant presque deux ans, en vain, alors je lui ai ordonné de sortir de ta vie, je lui ai dit qu'elle pouvait se consacrer à l'autre homme qu'elle fréquentait. Lujayn a obéi, bien sûr, elle t'a quitté et a épousé ton ami, qui, cela tombait bien, était mourant. Après cela, j'ai décidé qu'il était plus sûr de t'éloigner des femmes nocives au fur et à mesure. Mais toi et moi, nous savons que je n'ai rien eu à faire.

Jalal ne put que dévisager sa mère, et lancer des regards vers Lujayn, dont le visage était toujours tourné, mais le peu qu'il pouvait en voir était figé, sans expression.

Sa mère continua.

— Si, au début, j'étais soulagée de constater que tu ne laissais personne t'approcher, j'ai commencé à me sentir inquiète puis coupable de t'avoir piégé pour que tu tombes amoureux de mon imposteur. Cela étant, j'espérais toujours qu'en fin de compte, tu trouves une autre femme. Je n'avais pas prévu que tu poursuivrais Lujayn après la mort de son mari, c'était là mon erreur. Et j'avais encore moins prévu que tu la mettes enceinte. Quand elle me l'a dit, je lui ai ordonné de rester loin de toi et de cacher l'enfant. Du moins, jusqu'à ce que j'aie besoin de créer un scandale pour toi.

Sous le choc, Jalal se contenta de la regarder, tandis qu'elle réécrivait toute l'histoire qu'il avait vécue avec Lujayn.

— Mais, une fois de plus, mon fils imprévisible, tu as contrecarré mes plans. Juste avant qu'elle puisse dévoiler le scandale de ton enfant illégitime conçu avec la fille de ma servante, il a fallu que tu déterres l'histoire des origines de sa famille. Et tandis que j'étais en train de déterminer comment gérer ce nouveau rebondissement et quel était le meilleur moyen d'utiliser son enfant, tu as découvert son existence, tu t'es empressé de le reconnaître, et tu as proposé à Lujayn de l'épouser. Alors, je lui ai ordonné d'accepter ta demande, pour t'abandonner au pied de l'autel. A présent que la nouvelle a voyagé dans la région, voire dans le monde, personne à Azmahar ne pensera qu'un homme aussi stupide a l'étoffe d'un roi.

Les coups, les blessures ne cesseraient donc jamais. Il aurait pu tout supporter d'un ennemi. Mais d'elle…

Le visage de sa mère afficha enfin une émotion, quand elle se leva avec une grâce infinie et s'approcha de lui, l'air suppliant.

— Je t'aime, Jalal, mais je veux que le trône revienne à Haidar. Tous les deux, vous m'avez forcée à agir, quand il a abdiqué et que tu as activement continué à faire campagne. A présent que tu es hors course, c'est lui qui deviendra roi. Mais il fera de toi son prince héritier, et tout sera pour le mieux.

Le silence tomba à la suite de ses justifications. Jalal ferma les yeux pendant plusieurs minutes.

Quand il les rouvrit enfin, il avait l'impression qu'ils étaient brûlés par le sable. Sa gorge et son cœur étaient secs quand il lui lança :

— Je ne crois pas un mot de ce que tu dis.

— Je m'y attendais. Mais tu croiras Lujayn. Vas-y, pose-lui la question.

— A quoi bon ? ironisa-t-il d'un ton amer. Elle dira tout ce que tu veux lui faire dire, car elle sait que tu mettras à exécution les menaces qui l'ont forcée à venir jusqu'ici.

Sa mère inclina la tête avec une grâce de reine.

— C'est une théorie fascinante, *ya helwi*. A ton avis,

qu'impliquaient mes menaces ? Que je fasse du mal à sa famille ? Comment le pourrais-je, alors que je suis en exil ?

— Epargne-moi tes mensonges, *ya ommi*. Nous savons tous les deux que même en exil, ton influence demeure, mais je vais y remédier à partir de maintenant. Et je n'aurai plus aucun scrupule à employer l'aide de mes frères et de mon père pour couper tes tentacules. J'espère donc vraiment que tu as apprécié d'abuser de ton pouvoir pour la dernière fois de ta vie.

— Si tu crois que me servir de mon pouvoir pour faire ce qui doit être fait, c'est en abuser, alors j'avais raison. Tu n'es pas fait pour être roi.

— Tu m'as toujours détesté à cause de mes traits Aal-Shalaan, n'est-ce pas ? Mon visage te rappelle tes ennemis détestés, mon père et ses fils.

Elle haussa les épaules.

— J'avoue que te regarder est perturbant, mais tu as aussi de mes traits, heureusement, et tu es mon fils. Tu es l'une des deux seules personnes que j'aime en ce monde, même si, c'est vrai, je ressens un attachement plus intense pour Haidar.

L'amertume faillit le submerger, alors qu'il avait cru avoir accepté cette vérité depuis longtemps.

— *Aih,* la vraie partie de toi.

— Tous les parents ont des préférences. Je suis simplement honnête dans les miennes.

Il regarda la mère qu'il aimait toujours, en dépit de tout. D'où venait tout ce flot d'émotions, qui aurait dû se tarir depuis des années ?

Il secoua la tête.

— J'ai longtemps cru que Haidar était le plus à plaindre, étant ton préféré. Mais j'aurais dû comprendre que ta préférence pour lui est une arme à multiples tranchants, puisque tu détruirais n'importe qui pour lui, même ton autre fils.

Sa mère soupira, rien sur son visage parfait ne trahissant son approbation ou son pardon.

— Simple pragmatisme, *ya helwi*. Je t'aime, et tu feras un fantastique prince héritier, mais avec son visage azmaharien et son patronyme zohaydien, Haidar fera un meilleur roi pour Azmahar.

— Tu croyais déjà qu'il ferait un meilleur roi avec ce visage pour Zohayd et Ossaylan. Tu veux juste qu'il soit sur un trône, alors pourquoi essayer de le justifier autrement ? Tu es prête à tout pour atteindre tes objectifs, indépendamment des dommages que tu peux causer. C'est exactement pourquoi j'ai essayé de garder le secret sur ma relation avec Lujayn. Je craignais tes manipulations, que tu justifieras toujours en disant que c'est pour notre bien, quels que soient les dommages collatéraux. En l'occurrence, ce sont des années que j'ai perdues, des années pendant lesquelles j'aurai pu être avec Lujayn et mon fils. Tu nous as presque coûté notre bonheur d'être ensemble.

— Si je comprends bien, tu admets mon ingéniosité, mais tu persistes à croire que ta relation avec elle n'est pas mon œuvre ? Pourquoi ne pas simplement admettre la vérité et tourner la page ? Les ragots iront bon train pendant quelque temps, ils te coûteront le trône, mais tu deviendras prince héritier…

— Tu parles comme si Haidar et moi étions les seuls candidats.

Elle écarquilla les yeux, comme si ce qu'il venait de dire était trop ridicule pour mériter une réponse.

— Vous êtes les seuls valables. Rashid Aal-Munsoori est un fou. Aucune personne saine d'esprit ne voudrait que cette créature instable contrôle quoi que ce soit, encore moins un royaume. Il a autant de chances qu'un iceberg dans le désert d'Azmahar en plein été.

Il ne put que rire de sa comparaison.

— Tu as tout planifié, n'est-ce pas ?

— Je l'ai dit et je le redis. Vous me remercierez tous, plus tard.

Il secoua la tête, incapable de prendre toute la mesure de sa fourberie. *Ya Ullah,* quel dommage qu'elle utilise toute cette clairvoyance et cette intelligence pour des buts aussi diaboliques et dévastateurs. Y avait-il un moyen de la neutraliser, de rediriger ses capacités pour faire le bien, ou devrait-il renoncer ?

Renonce, lui criait une voix en lui. Et pour une fois, il l'écouta.

Il contourna sa mère et avança vers Lujayn, toujours pétrifiée. Elle ne leva pas les yeux, pas même quand ses jambes touchèrent les siennes, qui étaient raides de tension.

— La version de ma mère semble des plus crédibles.

Elle se raidit encore et retint son souffle. Elle avait toujours les yeux baissés.

Il s'agenouilla devant elle.

Elle laissa échapper un souffle quand il prit ses mains dans les siennes, pour la retenir car elle tentait de s'éloigner, refusant toujours de le regarder.

— Mais elle a oublié une chose. Même si ma version de ce qui s'est passé n'est pas, loin s'en faut, aussi plausible que la sienne, même si elle m'apporte des preuves que tout cela n'a été qu'un de ses complots à long terme, je sais ce qui est vrai. Tu — il porta ses mains tremblantes à ses lèvres puis l'attira dans une étreinte convulsive — es ma seule réalité, *ya rohi.* Mon âme. Toi et Adam.

Elle le regarda enfin, et la force de son désespoir lui serra le cœur. Des larmes coulèrent sur ses joues.

— Je ne peux pas être ta réalité, dit-elle d'une voix étranglée. Mais elle pourrait laisser Adam faire partie de ta vie, si je m'efface.

— Vous serez tous les deux ma vie, pour le reste de mes jours.

Elle échappa à ses bras, tremblante, et ses larmes mouillèrent son torse.

— Elle fera tout pour m'éloigner de toi. Elle croit te rendre service, à toi, et même à Adam.

— Elle ne pourra rien faire. Je vous protégerai, toi et ta famille. Je ne la laisserai plus jamais te faire de mal.

— Tu crois que cela m'inquiéterait autant, si elle menaçait de nous faire du mal, à moi ou à ma famille ?

Les sanglots se firent plus forts, plus déchirants.

— Quelle blessure plus grande pourrait-elle m'infliger que le fait de te perdre ? Quant à ma famille, elle leur a déjà infligé le pire, elle le sait.

— Alors, comment te tient-elle ? Qui menace-t-elle de blesser ?

Un horrible soupçon l'assaillit.

— Adam ?

— Toi ! cria-t-elle.

Abasourdi, il chancela.

Trop. C'était trop. Sa mère ne cesserait donc jamais de lui porter des coups ?

Lujayn pleurait sans retenue à présent.

— Elle m'a affirmé qu'elle te détruirait. Elle a dit que si je la défiais et que j'allais au bout de cette cérémonie, si jamais je t'en parlais même, elle le ferait, sans hésiter. Et ce n'était pas une menace. C'était une promesse. Je l'ai crue. Je la crois toujours, d'ailleurs. Je suis venue pour essayer de la raisonner, mais cela ne sert rien.

Il regarda sa mère, sidéré.

— Tu la crois ? dit sa mère avec un soupir d'exaspération.

— Je croirais Lujayn plutôt que mes propres yeux, affirma-t-il d'une voix glaciale.

— Cela prouve seulement que j'avais encore plus raison que je ne le pensais. A présent que je sais à quel point elle t'a réduit en esclavage, je ferai tout pour t'empêcher d'abandonner ton nom et ton honneur à cette femme. Sinon, sa famille fera de toi l'un des siens, tu ne seras plus toi-même ni le fils de ta famille. Ou le mien. Si tu étais dans ton état normal, tu saurais que personne à Azmahar n'acceptera jamais sa famille, réhabilitation ou pas. Si tu penses que les préjugés disparaissent, alors tu ne connais rien du peuple que tu veux diriger.

Le regard de sa mère se durcit, alors qu'elle continuait :

— Pire, tu ne peux pas épouser une femme comme elle. Personne n'acceptera une union contre nature entre un homme issu de lignées royales pures et une bâtarde doublée d'une garce, qui a vendu son image au plus offrant, une veuve noire que tu prétends avoir épousée pendant sa période de deuil, mais dont tout le monde sait qu'elle est coupable du pire : d'avoir couché hors mariage avec toi pendant cette période interdite, pour te piéger avec un enfant illégitime.

Une lueur d'acier brilla dans son regard.

— Mais le pire absolu, c'est toi. Tu es encore pire que Haidar quand il s'agit de donner ton cœur. Je n'attendrai pas qu'elle le pulvérise. Je vais d'abord te détruire, avant que tu ne te détruises toi-même. Une frappe chirurgicale, qui me permettra de te reconstruire une fois que je serai certaine que tu es à l'abri de cette femme.

Tandis qu'il dévisageait sa mère, il se demanda s'il trouverait jamais les mots pour lui répondre. *Ya Ullah…* Elle était vraiment convaincue d'agir pour son bien.

Elle alla à la fenêtre ouverte. L'aube avait vaincu la nuit.

— La solution est simple, Jalal. Je dois être tes yeux et ta raison jusqu'à ce que tu retrouves tes capacités de jugement. J'aurais pu te laisser l'épouser pour que tu reconnaisses l'enfant, mais quand j'ai appris que tu laissais le *essmuh* dans sa main, que tu lui donnais le pouvoir de divorcer de toi, et de contrôler tes affaires, j'ai su que je ne pouvais pas attendre que tu te réveilles. Tu peux reconnaître ton fils, qui est de ton sang, mais elle et sa famille, jamais.

Un silence assourdissant suivit ses paroles.

Il serra les mains tremblantes de Lujayn et se leva, puis vint affronter sa mère.

— Voici ma solution, *ya ommi*.

Il était surpris que sa voix soit si calme, son esprit si clair, alors qu'il s'apprêtait à faire un dernier effort pour elle. Si elle répondait de manière défavorable, il n'aurait plus de mère.

— Je ne vais pas dire qu'en toi, il y a une mère qui ne veut pas faire de mal à son fils, car je sais que tu es persuadée d'agir pour mon bien. Mais il y a une mère qui ne veut pas perdre son fils, même s'il n'est pas son préféré et qu'elle le juge idiot. Je sais que pour toi, les liens du sang sont tout, et que tu ne prendras pas le risque de perdre la troisième personne que tu es capable d'aimer, ton premier petit-fils. Tu me perdras, et lui aussi, irrémédiablement, si tu continues dans cette voie, et si tu fais de nouveau du mal à Lujayn. Ce n'est pas une menace. C'est une promesse.

Sa mère le fixa pendant une éternité. Une foule de choses non dites passa entre eux, des choses profondes dont il n'avait jamais espéré qu'elles existent.

Etait-ce du compromis qu'il voyait dans les profondeurs

de son regard ? De la surprise ? Et même du désarroi ?
Ou voyait-il juste les choses qu'il espérait voir ?

Quand elle parla, sa voix portait les traces de tout
cela et — était-ce une illusion : de la défaite aussi ?

— *Zain*. Je renonce.

Cela signifiait-il qu'elle craignait de le perdre au point
d'aller contre sa nature ? Pouvait-il l'espérer ?

Elle poursuivit, et la nature en question fut de retour,
toujours aussi vigoureuse.

— Sache cependant que tu en viendras à regretter
ta décision. Prie simplement pour qu'elle ne soit pas
« irrémédiable ». Et promets-moi que tu ne seras pas
assez bête pour refuser de demander mon aide.

Eh bien ! Le dragon était vraiment secoué. Elle avait
joué gros, elle avait perdu, et elle essayait de revenir à
la surface.

— Je peux te dire tout de suite que cela n'arrivera
pas, *ya ommi*.

Soudain, il fit ce que lui-même n'avait pas prévu. Il
la prit dans ses bras et l'étreignit.

— Mais je ne peux te dire à quel point j'espère qu'un
jour tu regretteras tes actes, que tu changeras d'avis et
que tu prendras un nouveau départ. Penses-y. Ta famille
s'agrandit, et au lieu de visites réticentes et peu fréquentes
de tes fils, tu peux choisir de te rapprocher de nous tous,
et de retrouver un peu de paix et de satisfaction.

Sa mère resta dans ses bras. Il savait qu'il n'obtiendrait
pas de réponse immédiate, surtout devant Lujayn. Il
n'en aurait peut-être jamais, d'ailleurs. Mais pour son
propre bien, pour celui de Lujayn et d'Adam, il ne voulait
pas nourrir la moindre amertume envers quiconque, à
commencer par sa mère.

Il recula enfin. Son visage était soigneusement neutre,
ce qui lui en dit plus que n'importe quelle expression.

Puis elle lui adressa un léger sourire, lui tapota la joue et s'éloigna. Il y avait de la majesté dans chacun de ses mouvements quand elle s'assit sur le canapé, faisant face à Lujayn qui n'avait pas bougé. Dès qu'elle eut pris place, elle agita une clochette de cristal.

— Si nous prenions le petit déjeuner ? dit-elle, en regardant Lujayn comme si elle venait de la rencontrer. Avez-vous des préférences ?

— Pince-moi.

Installé sur le siège inclinable de son jet privé, Jalal obtempéra aussitôt et pinça le délicieux postérieur de Lujayn, assise sur ses genoux. Elle poussa un cri strident puis gloussa, encore nerveuse et hébétée.

— Ta mère me fait chanter pour que je t'abandonne devant l'autel, puis me sert un petit déjeuner à des milliers de kilomètres de chez moi. Alors, était-ce une hallucination ? Un délire psychotique ?

Il sourit.

— Que veux-tu, ma mère adore dérouter son monde !

— A qui le dis-tu !

Elle se blottit contre lui.

— Oh ! Jalal, elle était si convaincante ! Moi-même, j'ai presque cru à sa version. Comme tu l'as dit, cela expliquait tout de manière bien plus plausible que la vérité. Mais tu m'as crue, malgré toutes les preuves accablantes.

Il l'étreignit.

— Je t'ai dit que je ne douterais plus jamais de toi. Non seulement je ne le ferai pas, mais je ne le peux pas.

— On dirait que je t'ai ensorcelé, comme ta mère le pense.

— *Maa'loum*, c'est le moins qu'on puisse dire : je

suis subjugué et je n'ai aucune envie de recouvrer mes esprits.

Elle l'étreignit, le regard embué, et ils s'immergèrent dans une bulle de compréhension mutuelle et de communion.

Soudain, elle se releva en sursaut.

— Mais, et ta campagne ! Seras-tu dans une position plus faible maintenant ?

— Tu veux dire, parce que je n'ai même pas pu contrôler ma fiancée ?

Devant son air de pure mortification, il ne put s'empêcher de rire.

— *Aah, ya habibati,* je ne peux pas te dire à quel point c'est… non pertinent pour moi. Mais pour apaiser ta culpabilité mal placée, et contrairement à ce que ma mère a affirmé, cela va sans doute redorer mon image, surtout auprès des femmes et des jeunes. Nous serons un couple romantique encore plus mémorable, et notre *matrimonius interruptus* contribuera à notre légende. Non pas que ce genre de publicité permette de décider ce qui est le mieux pour Azmahar. Mais je ne compte pas laisser le trône me passer sous le nez. Quand bien même je le voudrais, Haidar ne me le pardonnerait pas, si je ne me donnais pas à fond, comme toujours. Et après le mauvais tour qu'il t'a joué, Rashid aura affaire à un adversaire coriace. Et que le meilleur gagne.

— Ce sera toi. C'est toi le meilleur sur Terre !

Elle lui donna un baiser ardent.

— Et je serai à tes côtés pour chaque combat. Je lutterai contre le diable en personne pour toi, pour notre avenir, pour notre fils et notre bonheur.

Il s'esclaffa.

— Tu l'as déjà fait quand tu es entrée dans l'antre du dragon pour l'affronter.

— Un affrontement que j'ai perdu, dit-elle en gémissant. C'est toi qui nous as tirés d'affaire.

— Non, c'est toi. La femme qu'elle imaginait serait allée à la cérémonie, en se disant soit que ma mère ne pourrait pas me faire de mal, soit que je pouvais me protéger. Cette femme m'aurait laissé gérer les conséquences de la situation, une fois qu'elle aurait assuré son statut social et ses intérêts. En te pliant à sa volonté et en allant la trouver à cet instant crucial, tu as prouvé que tu m'aimais d'un amour si total que tu étais prête à renoncer à moi pour me protéger. Cela a sûrement mis la pagaille dans ses plans et l'a forcée à réfléchir. Puis elle a vu elle-même que mon amour pour toi est total, que ma confiance en toi est entière, et cela a dû bousculer ses certitudes. C'est à mon avis la vraie raison de son renoncement. Je crois réellement qu'elle essayait de faire ce qu'elle pensait le mieux pour moi et que si elle t'avait soupçonnée d'en avoir après mon argent et mon pouvoir, elle m'aurait pris à part pour se débarrasser de toi. Alors c'est toi, et toi seule qui as gagné ce combat.

— Je ne me sens pas si triomphante quand je pense à… Seigneur, qu'allons-nous faire ? Le scandale que j'ai causé en m'enfuyant, quelle qu'en soit la raison — que nous ne pouvons même pas partager — a eu pour témoins un millier d'invités et… ta famille !

— Nous allons juste les réunir ce soir et recommencer.

— Ce soir ? s'exclama-t-elle, à la fois stupéfaite et terrifiée.

— Bien sûr. L'essentiel du menu est toujours mangeable, et tout le monde est encore à Azmahar. S'ils se dispersaient à travers la région, les ramener serait une gageure, surtout s'ils exigent la garantie de voir vraiment nos noces avant de revenir.

Elle enfouit le visage dans son torse, ses larmes coulant de nouveau.

— Comment pourrais-je affronter les gens à Azmahar ? Et ta famille ?

Il lissa ses cheveux dans un geste apaisant.

— Une fois que ma famille saura toute l'histoire, tu seras leur héroïne favorite. Quant à tous les autres, je m'en moque. Ils t'adoreront, ou ils ne compteront pas.

— Ils comptent pour toi. Alors ils comptent pour moi.

— Pourquoi tu n'écouterais pas ce petit message que j'ai enregistré pour toi ? Juste histoire de te rafraîchir la mémoire sur ce qui m'importe vraiment ?

Elle le serra si fort que c'en était presque douloureux.

— Ah, *ya habibi*, je ne pourrais jamais te dire ce que j'ai ressenti quand j'ai retiré cette robe, quand j'ai quitté le palais et Azmahar, quand j'ai imaginé ce que tu ressentirais en découvrant que j'étais partie. Chaque kilomètre que je parcourais était un supplice, car mon âme refusait de te quitter. Et puis j'ai pensé qu'il était impossible que je te perde, et mon cœur s'est brisé…

Il la chatouilla pour lui faire oublier son angoisse.

— D'abord, aucune distance, aucun complot ni aucun dragon ne se dressera jamais entre nous. Tu ne me perdras jamais et je te retrouverai toujours. Je serai toujours avec toi, quoi qu'il advienne. Deuxièmement, je suggère que nous nous rendions au palais dès notre atterrissage. Nous allons nous habiller, nous asseoir dans le *kooshah*, et envoyer à tout le monde une vidéo prouvant notre présence. Nous allons retenir en otage ce miraculeux gâteau en forme de palais miniature et menacer de le démolir si les invités ne reviennent pas en courant. Qu'en dis-tu ?

Elle le couvrit de baisers, de rires et de larmes.

— Je dis que c'est un plan fantastique conçu par

mon extraordinaire guerrier du désert, qui possède mon cœur et mon âme…

— Garde toutes ces descriptions pour les vœux.

Elle se hissa sur lui, rouge d'émotion, ses yeux lançant les éclairs d'argent hypnotiques que lui seul pouvait provoquer.

— Je ne garderai plus jamais rien pour moi. Je vais te le dire maintenant, plus tard, et toujours. Je te montrerai et te donnerai mon amour de tout mon cœur, à chaque souffle, aussi longtemps que je vivrai.

La conviction et la dévotion qui emplissaient ses paroles inondèrent son cœur de joie. Il était si heureux d'avoir eu tant d'occasions de réparer ses torts, de ramener Lujayn dans sa vie. Elle était sa raison de vivre. Mais il gardait cela pour les vœux. Non pas parce qu'il manquait d'idées, mais parce qu'il voulait qu'elle entende cette confession en même temps qu'il l'annoncerait à la face du monde, lorsqu'il ferait d'elle sa femme et qu'elle ferait de lui son époux.

Pour l'heure, il la prit dans ses bras et murmura contre ses lèvres :

— Marché conclu, *ya hayati,* pour toute la vie.

Retrouvez les princes d'Azmahar dès le mois prochain dans votre collection* Passions *!

RaeANNE THAYNE

Une troublante attirance

Passions

éditions HARLEQUIN

Titre original : A COLD CREEK NOEL

Traduction française de GABY GRENAT

© 2012, RaeAnne Thayne. © 2013, Harlequin S.A.
83-85, boulevard Vincent-Auriol, 75646 PARIS CEDEX 13.
Service Lectrices — Tél. : 01 45 82 47 47
www.harlequin.fr

1

— Allez, Luke, mon brave toutou, encore un peu de courage, nous sommes presque arrivés !

Les essuie-glaces chassaient inlassablement la neige qui tombait sur le pare-brise du pick-up de Caidy Bowman en ce dimanche glacial de décembre. La couche de neige accumulée sur le sol n'avait que quelques centimètres d'épaisseur seulement, mais le verglas rendait la route extrêmement glissante. Consciente du danger, Caidy traversait avec prudence la petite ville de Pine Gulch. Elle se hasarda pourtant à lâcher le volant d'une main un court instant pour caresser la tête du chien qui gémissait sur le siège voisin du sien.

— Un peu de patience, nous sommes presque arrivés. Tu vas voir, on va bien te soigner et tu pourras courir comme avant, je te le promets !

Le border colley lui adressa en retour un regard plein de confiance, et gênée, car elle ne s'en estimait pas digne, elle détourna les yeux pour fixer la route avec une intensité redoublée.

Oui, c'était entièrement sa faute si Luke avait été blessé. Elle se reprochait amèrement de ne pas l'avoir mieux surveillé d'autant plus que c'était un tout jeune chien particulièrement fougueux. A ce stade de son dressage, malgré les grands progrès qu'il avait faits ces derniers temps, le moindre instant d'inattention pouvait s'avérer désastreux, ce que l'accident venait de démontrer, hélas. Pourquoi n'avait-elle pas veillé à le tenir à distance de l'enclos du taureau ? Ce dernier était bien peu disposé à supporter la curiosité d'un jeune chien assez audacieux pour empiéter sur son territoire. Alertée par les aboiements de Luke, elle s'était précipitée, mais trop tard : elle n'avait pu qu'assister, impuissante, au vol plané du pauvre chien qui était retombé aux pieds l'animal furieux. Le taureau l'avait piétiné sans le moindre état d'âme.

Encore un feu rouge avant d'arriver chez le vétérinaire...

Elle hocha la tête tristement. On aurait dit que le sort s'acharnait sur elle.

Les mains crispées sur le volant, elle fut tentée de griller le feu mais se ravisa finalement. Pas tellement par crainte de l'amende qu'elle risquait d'avoir si elle était pincée, mais à l'idée qu'elle perdrait alors encore plus de temps qu'en respectant la signalisation.

Elle finit par arriver devant le bâtiment carré où se trouvait la clinique vétérinaire de Pine Gulch. Elle s'arrêta le plus près possible de l'entrée, envisageant un instant de transporter elle-même le pauvre Luke à l'intérieur. Puis, en se souvenant des efforts que son frère Ridge et elle-même avaient dû déployer pour glisser une couverture sous le colley afin de le soulever et de l'installer dans le pick-up, elle y renonça. Mieux valait demander le brancard prévu pour ce genre de circonstances.

Affectueusement, elle flatta l'encolure du malheureux Luke qui lui répondit par un gémissement de douleur. Elle se mordit la lèvre, contrite. Elle adorait ce chien qui le lui rendait bien et même en ce moment lui manifestait la plus totale confiance. Dans sa tête de compagnon affectueux et confiant, il était sans doute persuadé qu'elle avait le pouvoir de l'empêcher de mourir.

Elle se hâta de descendre de la voiture et prit la direction de l'entrée, insensible à la neige glacée qui lui fouettait le visage malgré la protection des larges rebords de son Stetson.

Dès qu'elle ouvrit la porte, elle fut accueillie par une bouffée de chaleur, mêlée à l'odeur animale bien particulière et celle des produits utilisés pour la désinfection des lieux. Mais il planait aussi une odeur de peinture fraîche qui la surprit, dans ce lieu qu'elle connaissait si bien. Le mélange d'odeurs, en tout cas, lui souleva le cœur.

— Salut, Caidy, lança la réceptionniste. Tu n'as pas mis longtemps pour venir du River Bow Ranch !

— Bonjour, Joni. J'ai fait le plus vite possible. A vrai dire, je n'ai peut-être pas tout à fait respecté les limitations de vitesse, mais après tout, il s'agit d'une urgence, n'est-ce pas ?

— Tout de suite après ton coup de fil, j'ai expliqué au Dr Caldwell ce qui s'était produit et je lui ai dit que tu étais en route. Il t'attend. Je vais le prévenir de ton arrivée.

Caidy jeta un regard autour d'elle. Chaque seconde qui passait la rendait de plus en plus anxieuse. Le nouveau vétérinaire n'était là que depuis quelques semaines seulement mais avait déjà apporté de nombreuses modifications à la clinique. Comme elle était d'un tempérament vindicatif, elle se fit la réflexion qu'elle préférait la clinique quand c'était le Dr Harris qui y officiait.

La salle d'attente, autrefois peinte d'une couleur jaune gaie et chaleureuse, avait été laquée d'un blanc immaculé, parfaitement hygiénique mais qui la démoralisait. Le vieux canapé, quelque peu défoncé, certes, mais ô combien accueillant, avait fait place à des bancs modernes recouverts de vinyle et à des chaises assorties, inconfortables et froides. Bref, avec le Dr Caldwell, on était passé de la bonne vieille clinique de campagne à un établissement dernier cri à la déco épurée et design.

Mais l'erreur d'aménagement la plus grossière, à ses yeux, était d'avoir séparé la réception qui faisait autrefois partie de la salle d'attente par une cloison de verre transparent, renforçant l'aspect glacial de l'ensemble.

Elle convenait que la clinique du Dr Harris, parti à la retraite, avait bien besoin d'être modernisée mais elle préférait mille fois le style vieillot et familier d'autrefois.

A vrai dire, tout cela ne comptait guère, vu les circonstances, et elle avait mieux à faire avec le pauvre Luke qui attendait d'être soulagé de ses souffrances dans la voiture. Elle s'impatienta. Pourquoi le nouveau vétérinaire n'était-il pas déjà venu à sa rencontre ? Il était sans doute trop occupé à prévoir quelque nouvel aménagement au lieu de se soucier de ses patients…

Finalement, la porte de la salle de soins s'ouvrit sur la blouse blanche du vétérinaire. Elle découvrit enfin l'homme, qui était grand et brun.

— Où est votre chien ? demanda-t-il brusquement, sans même la saluer.

Elle pinça les lèvres, agacée par son manque de manières. Cet homme se croyait donc tout permis pour s'adresser à elle sur un ton si peu aimable et en fronçant les sourcils d'un air fâché ?

— Dans mon pick-up, se contenta-t-elle de répondre pour ne pas envenimer la situation.

Le Dr Caldwell lui jeta un regard dénué de toute sympathie. Le bleu de ses yeux, incroyablement clair, était froid comme l'acier.

— Vous croyez peut-être que je vais le soigner sur place ?

Elle fronça les sourcils à son tour. Quel ton dédaigneux ! Il la prenait pour une imbécile ? Il croyait que sa blouse blanche lui donnait tous les droits, y compris celui de toiser ses clients ? Elle l'aurait volontiers traité de tous les noms d'oiseaux qui lui venaient à l'esprit et regretta une nouvelle fois de ne pas avoir affaire à l'ancien vétérinaire. Non seulement le nouveau vétérinaire avait fait disparaître tout le charme de la vieille clinique, mais en prime, il se comportait comme un rustre doublé d'un arrogant. Et dire qu'il était le seul vétérinaire à des kilomètres à la ronde ! Elle se trouvait en situation d'être quasiment obligée de recourir à lui à l'avenir chaque fois qu'un de ses animaux aurait besoin de soins. Triste perspective ! Ah, quel dommage que le bon vieux Dr Harris ne soit plus là, avec ses manières aimables et son sourire accueillant !

Elle se redressa de toute sa petite taille et le foudroya du regard.

— Figurez-vous, docteur Caldwell, que je ne suis pas assez sotte pour avoir imaginé cela une seule minute. Par contre, je pensais que vous, en tant que vétérinaire diplômé, vous auriez eu le bon sens de préparer le brancard prévu pour les animaux gravement blessés, ce qui est le cas de mon chien, comme je l'ai signalé à votre secrétaire au téléphone.

Sans doute surpris par la virulence de son ton, le Dr Caldwell l'observa plus attentivement.

— Qu'est-il arrivé à votre chien ?

— Il a été projeté par un taureau qui l'a ensuite piétiné avant que je puisse intervenir.

A cette réponse, elle vit son visage se durcir un peu plus.

— Un jeune chien n'a rien à faire dans le corral d'un taureau, déclara-t-il sèchement.

Elle qui se sentait déjà coupable, s'en trouva double-
ment mortifiée.

— Je travaille dans un ranch, docteur Caldwell. Des
accidents de ce genre arrivent de temps à autre.

— Eh bien, ils ne devraient pas se produire si vous
étiez plus attentive.

Une fois de plus, de sa voix sèche, l'homme en
blanc avait réglé la question ! Elle n'en croyait pas ses
oreilles : l'arrogance de cet homme frôlait le ridicule.
Jamais le Dr Harris n'aurait laissé échapper la moindre
parole désagréable, bien trop conscient des difficultés
du métier qu'elle exerçait.

Mais le Dr Caldwell était un être hautain, et elle était
résolue à lui montrer que ses déclarations tranchantes et
définitives ne l'impressionnaient pas le moins du monde.
Oui, elle allait se faire un plaisir de lui tenir tête et il
découvrirait rapidement à qui il avait affaire !

Une nouvelle fois, elle déplora le départ du Dr Harris.
Il était devenu son ami au fil du temps. En pareille
circonstance, il l'aurait serrée affectueusement dans ses
bras qui sentaient toujours le liniment pour lui donner du
courage, et l'aurait assurée qu'il allait faire son possible
pour guérir le pauvre Luke.

Le Dr Caldwell n'avait décidément rien à voir avec
son prédécesseur et elle le détestait déjà de toutes ses
forces. Restait seulement à souhaiter qu'il soit aussi
compétent en tant que vétérinaire qu'il était antipathique
en tant qu'être humain.

Comme il se dirigeait vers la salle de soins, elle lui
emboîta le pas et, lorsqu'il s'en rendit compte, il se
retourna vers elle, manifestement contrarié.

Elle ne lui laissa pas le temps de la rabrouer, comme
elle s'attendait à ce qu'il le fasse.

— C'est plus rapide si nous passons par ici, expliqua-

t-elle. Je me suis garée de ce côté pour simplifier l'uti-
lisation du brancard depuis ma voiture.

Face au silence du Dr Caldwell, elle estima qu'elle
venait de marquer un point et se sentit un peu mieux.
Elle s'était fait une raison. Inutile d'attendre l'amabilité
et la compassion que son prédécesseur savait si bien
offrir à chacun de ses clients. Tant pis. Tout ce qu'elle
demandait maintenant au nouveau venu, c'était d'être
suffisamment compétent pour sauver Luke.

Ils sortirent donc tous les deux par la porte arrière,
non sans avoir récupéré au passage le fameux brancard,
et se dirigèrent vers le pick-up. Sans attendre, il ouvrit
la portière et prit les opérations en main. A partir de
ce moment, elle fut stupéfiée de son changement de
comportement, au point d'avoir l'impression qu'elle
n'avait plus tout à fait affaire au même homme. Les traits
de son visage s'étaient détendus et même ses épaules
paraissaient s'être relâchées.

— Et alors, mon vieux ? lança-t-il en tapotant la
tête de Luke. Il paraît que tu as voulu faire peur à un
taureau ? demanda-t-il d'une voix grave et caressante.

Malgré sa souffrance, Luke fut sensible à l'intona-
tion rassurante de sa voix. Il fit un effort pour remuer
la queue en signe de bienvenue pendant qu'elle-même
passait du côté du volant pour aider le transfert du chien
sur le brancard. Mais avant même qu'elle ait contourné
le véhicule, le Dr Caldwell avait glissé d'un geste habile
une bâche sous le corps de Luke et la soulevait à deux
mains.

Deux grandes mains, remarqua-t-elle, avec une trace
plus claire à l'annulaire gauche où il avait sans doute
porté une alliance.

Elle n'était pas du genre à prêter l'oreille aux commé-
rages, mais il se trouvait que Ben Caldwell résidait

actuellement à Cold Creek Inn, l'auberge tenue par son frère Taft et Laura, sa belle-sœur, et elle n'avait pas pu éviter d'entendre les rumeurs qui couraient sur lui. Par ailleurs, Trace, son autre frère, était le chef de la police locale, ce qui faisait que sans même le vouloir, elle était informée de tout ce qui se passait à Pine Gulch.

C'est ainsi qu'elle avait appris que Ben Caldwell était veuf depuis deux ans et qu'il avait la charge de sa fille et de son fils, respectivement âgés de neuf et cinq ans. En revanche, nul ne savait pour quelles mystérieuses raisons le Dr Caldwell avait atterri dans ce coin perdu de l'Idaho. D'après son expérience, elle avait constaté que les gens qui agissaient de la sorte fuyaient tous quelque chose, mais dans ce cas précis, personne ne savait rien. D'ailleurs, pourquoi s'en serait-elle souciée ? Seule comptait la façon dont il traiterait son chien. A présent, elle observait le moindre de ses gestes, et dut reconnaître qu'à voir avec quelle attention il manipulait Luke, il avait l'air tout à fait compétent et même capable de manifester une certaine douceur, tout au moins, en ce qui concernait les animaux. Tant mieux, c'était l'essentiel, elle n'avait pas l'intention de lui en demander davantage.

— Ne bouge pas, mon vieux, poursuivit le vétérinaire. Nous allons te transporter tout doucement. Je vais le soulever légèrement, annonça-t-il en se tournant vers elle, et pendant ce temps, glissez le brancard sous lui. Voilà, comme ça… Parfait.

Elle n'avait pas vraiment besoin de ses conseils car elle avait des années d'expérience en la matière, mais ce n'était pas le moment d'expliquer quoi que ce soit.

Ils soulevèrent le brancard par les poignées, et à eux deux, ils transportèrent Luke. Une fois le chien installé sur la table de soins, le Dr Caldwell l'examina soigneusement, sans qu'elle relâche sa vigilance.

— Sa blessure est profonde, déclara-t-il au bout d'un moment qui lui sembla une éternité, mais étant donné ce qui s'est passé, il a de la chance, il devrait être dans un état beaucoup plus grave.

Elle fut soulagée d'être arrivée à temps pour éviter le pire, et pour la première fois depuis de longues minutes, elle se sentit un peu réconfortée.

— Qu'est-ce que vous pensez de sa patte ?

— Rien pour l'instant. Il faut que je fasse une radio avant de donner mon avis.

Il releva la tête.

— Jusqu'à quelle somme êtes-vous disposée à mettre pour ses soins ?

Elle tiqua. Le Dr Caldwell avait repris son ton cassant, et encore une fois, il n'y allait pas par quatre chemins ! Elle savait toutefois que cet aspect désagréable de la consultation était inhérent au métier de vétérinaire. Il arrivait au Dr Harris lui-même de ne pas pouvoir appliquer à un animal le traitement voulu parce que le propriétaire n'avait pas les moyens de payer les soins ou ne souhaitait pas débourser la somme nécessaire pour le faire.

— Je payerai ce qu'il faudra. Faites ce que vous devez faire sans tenir compte de la dépense.

Il hocha la tête et elle eut la nette impression qu'il s'était radouci.

— Quel que soit le résultat des radios, les soins que je dois donner à votre chien vont durer plusieurs heures. Vous pouvez rentrer chez vous. Laissez votre numéro de téléphone à Joni, elle vous appellera quand j'en saurai davantage.

— Non, j'attendrai ici, déclara-t-elle avec fermeté.

Il eut l'air surpris de sa réponse et elle s'en trouva une fois de plus agacée. Pour qui la prenait-il donc ? Pour une irresponsable qui abandonne son chien aux mains d'un inconnu pendant qu'elle va se faire faire une mise en plis ?

— Comme vous voudrez, déclara-t-il.

— Vous savez, je peux vous aider. J'ai… une certaine pratique parce que j'ai souvent assisté le Dr Harris. En fait, j'ai régulièrement travaillé chez lui quand j'étais lycéenne.

A l'évocation de ce souvenir, elle sentit sa gorge se nouer. Si sa vie s'était déroulée selon les projets d'avenir qu'elle avait caressés, c'était elle qui aurait succédé au Dr Harris. Hélas, les circonstances en avaient décidé autrement.

— Non, ce n'est pas nécessaire, dit-il d'un ton tranchant.

Si elle avait pu nourrir un faible espoir de collaborer avec lui en venant, ces simples mots le firent disparaître sur-le-champ.

— Joni et moi pouvons parfaitement nous occuper de votre chien, poursuivit-il. Si vous tenez réellement à rester ici, installez-vous dans la salle d'attente.

Quel imbécile ! pesta-t-elle en silence.

— Parfait, répondit-elle à haute voix.

Furieuse et frustrée, elle poussa la porte de la salle de soins. Si elle avait renoncé à discuter, c'était uniquement afin de ne pas retarder le moment où Luke serait pris en charge.

Elle jeta un coup d'œil à la salle et, à regret, alla s'asseoir sur une chaise en vinyle. Hygiénique, peut-être. Horrible, à coup sûr.

Maintenant que Luke était entre de bonnes mains, elle pouvait téléphoner à son frère Ridge. Elle l'informa de la situation et lui rappela qu'il devrait pour le coup aller chercher Destry, sa fille, à l'arrêt d'autobus à son retour de l'école. Puis elle attrapa un magazine et se mit à le feuilleter distraitement, trop inquiète pour la santé de Luke pour être capable de lire autre chose que les gros titres.

Elle leva la tête lorsque la cloche de la porte d'entrée se fit entendre. Un petit garçon âgé d'environ cinq ans déboula dans la pièce, bientôt suivi par une fillette un peu plus grande et beaucoup plus calme.

— Papaaaa ! On est là !

— Chut ! fit la dame qui les accompagnait. Votre père est peut-être en train de procéder à une opération délicate. Vous savez très bien qu'il ne faut pas faire de bruit dans la clinique.

Elle paraissait âgée d'une soixantaine d'années et Caidy la trouva tout de suite sympathique.

— Je peux aller le chercher ? demanda la fillette.

— Non. Si Joni n'est pas à la réception, cela signifie qu'ils sont tous les deux occupés et qu'il ne faut pas les déranger. Asseyez-vous bien sagement pendant que je vais dire que nous sommes arrivés.

— Je peux très bien faire ça moi-même, maugréa la fillette en croisant les bras d'un air boudeur.

Caidy, qui n'avait rien perdu de la scène, ne put s'empêcher de penser : *Tel père, telle fille !* La petite avait des yeux du même bleu très clair que ce dernier et sans doute aussi mauvais caractère que son vétérinaire de père.

— Assieds-toi ! ordonna-t-elle à son frère.

Le gamin tira la langue à sa sœur, puis l'ignora superbement, ce qui, d'après les souvenirs que Caidy avait de sa propre enfance entourée de trois frères turbulents, était une insulte bien plus grave. Le petit garçon avait lui aussi les mêmes yeux bleu glacier. *Un trait caractéristique de la famille Caldwell*, se dit-elle. L'épi qui se dressait sur le sommet de son crâne lui donnait l'air espiègle et attendrissant à la fois.

Pas du tout intimidé par sa présence, il vint s'installer juste en face d'elle.

— Bonjour, je suis Jack Caldwell. Ma sœur s'appelle Ava, et toi ?

— Moi, je m'appelle Caidy.

— Mon papa est un médecin pour les chiens, ajouta-t-il fièrement.

— Pas seulement les chiens ! corrigea sa sœur. Il soigne aussi les chats et même les chevaux et les vaches.

— Oui, je sais, affirma Caidy. C'est pour cela que je suis ici.

— Ton chien est malade ? demanda Jack.

— Non, il a été blessé dans mon ranch. Votre père est en train de le soigner.

— Alors ton chien va guérir, assura la fillette. Mon père est un très bon vétérinaire.

Elle avait parlé avec une assurance désarmante.

— Je l'espère ! se contenta de répondre Caidy.

— Tu sais, une fois, notre chien est passé sous une voiture, reprit Jack. Eh bien, papa l'a tellement bien soigné que maintenant il va très bien. Sauf qu'il a que trois pattes, mais c'est pas grave parce qu'il court partout quand même. Il s'appelle Tri.

Elle ne put s'empêcher de sourire. Ce petit garçon était vraiment craquant ! Comment un homme aussi grincheux que Ben Caldwell pouvait-il avoir un fils aussi délicieux ?

— Il s'appelle Tri justement parce qu'il a seulement trois pattes, nigaud ! coupa Ava d'un air docte. « Tri », ça veut dire trois, comme dans tricycle…

— Bravo, lâcha Caidy. Tu es déjà très savante.

A ce moment-là, la dame qui les accompagnait sortit de la salle de soins et les rejoignit.

— Mes chéris, nous dînerons tout seuls ce soir. Votre papa a beaucoup de travail pour soigner le chien de cette dame. Il rentrera plus tard. Nous allons regagner l'hôtel. Vous ferez vos devoirs tranquillement et vous prendrez votre bain en l'attendant.

— Je crois que vous logez à Cold Creek Inn, n'est-ce pas ? demanda Caidy.

La dame parut surprise de cette question.

— Pardon ? Vous nous connaissez ?

— Non, mais je suis Caidy Bowman. C'est ma belle-sœur Laura qui tient cette auberge.

— Ah, je vois ! Vous êtes donc la sœur de Taft Bowman, le chef des pompiers ?

Elle avait prononcé ces mots d'un ton chaleureux, et Caidy comprit que, une fois de plus, le charme de son frère avait agi. C'était incroyable ! Qu'elles soient jeunes ou vieilles, il ensorcelait toutes les femmes !

— C'est ça. Et comme je suis aussi la sœur de Trace Bowman, le chef de la police, je suis vite au courant de tout ce qui se passe à Pine Gulch.

— Enchantée de faire votre connaissance ! répondit la dame. Je suis Anne Michaels, la gouvernante du Dr Caldwell. Tout au moins, j'espère le devenir bientôt, c'est-à-dire dès qu'il sera installé dans sa propre maison. Pour l'instant, comme nous vivons à l'hôtel, je n'ai pas grand-chose à faire si ce n'est tenir mon rôle de nounou auprès de Jack et Ava.

— Il va avoir sa maison à Pine Gulch ?

— Oui. Il en fait construire une sur Cold Creek Road. Elle aurait dû être terminée la semaine dernière mais il y a eu quelques problèmes avec les finitions et nous

nous voyons obligés de rester à l'hôtel jusqu'au début du mois de janvier.

Elle sembla tout à coup craindre que Caidy ne trouve ses propos désobligeants car elle se hâta d'ajouter :

— L'auberge de votre belle-sœur est tout à fait agréable et nous y sommes très bien, mais cela reste tout de même un hôtel, ce n'est pas comme être chez soi ! Au bout de trois semaines, nous commençons à en avoir un peu assez. Le plus triste dans l'histoire, c'est que nous allons devoir y passer les fêtes de fin d'année. Vous vous rendez compte de ce que cela représente pour les enfants ?

Caidy hocha la tête. Voilà qui expliquait peut-être la mauvaise humeur du Dr Caldwell ? Elle se reprocha aussitôt de lui chercher des excuses. Le souvenir de l'accueil désagréable qu'il lui avait réservé était encore trop vif. Non, il était probablement né comme ça, les sourcils froncés et le mot vexant à la bouche !

— Ce doit être très contraignant pour vous tous, en effet, admit-elle.

— Vous ne pouvez pas imaginer ! Deux jeunes enfants à l'hôtel pendant une période aussi longue, c'est terrible. Comme tous les enfants, ils ont besoin d'espace pour courir et jouer. Quand nous vivions à San José, nous avions un grand jardin avec une piscine et des balançoires. Pour eux, c'était le paradis.

— Ah, vous venez donc de Californie ?

Anne Michaels hocha la tête d'un air de regret.

— Oui. C'est là que je suis née et que j'ai grandi. Par contre, le Dr Caldwell vient de l'est — de Chicago pour être plus précise. Il a quitté cette ville pour faire ses études de vétérinaire à l'université U.C. Davis où il a rencontré cette pauvre Mme Caldwell. J'ai été engagée pour l'aider quand elle est tombée enceinte du petit Jack, et depuis, je suis toujours restée chez eux. Ces pauvres petits avaient encore plus besoin de moi après la mort de leur mère. Quelle tristesse…

— Oui, je comprends.

— Quand il a décidé de venir s'installer dans l'Idaho, il m'a laissé le choix entre les accompagner ou rester en Californie. Il m'avait fait une lettre de recommandation si élogieuse que j'aurais retrouvé du travail tout de suite. Mais comment vouliez-vous que j'abandonne ces petits ? Je me suis attachée à eux depuis le temps que je m'en occupe.

Caidy n'avait pas de mal à comprendre. Elle-même aimait sa nièce Destry, la fille de son frère Ridge, autant que si elle avait été la sienne propre. De fait, c'est elle qui élevait la petite depuis que sa mère était partie en les abandonnant, son père et elle.

— Je comprends parfaitement.

Anne Michaels hocha de nouveau la tête.

— Regardez à quoi j'en suis réduite ! Je me confie à la première personne venue. Voilà ce que c'est que de vivre à l'hôtel si longtemps, ça finit par atteindre le moral.

— Pourquoi ne cherchez-vous pas une location temporaire en attendant la fin de la construction ? suggéra Caidy, qui compatissait au malheur de la pauvre dame.

— C'est ce que je voulais faire, mais Ben est persuadé que personne n'acceptera de nous louer quelque chose pour une période aussi courte, surtout pendant la période des fêtes.

Caidy songeait au cottage réservé au contremaître de leur ranch, qui était inoccupé depuis le départ du dernier contremaître, six mois plus tôt, parti travailler au Texas après s'être marié. C'était un appartement entièrement meublé qui comptait trois chambres. Il pourrait sans doute convenir aux Caldwell, tout au moins comme solution de dépannage, mais elle hésitait à en parler. Franchement, elle trouvait l'homme déplaisant. Alors pourquoi vouloir en faire son voisin ?

— Si vous voulez, je peux en parler autour de moi, proposa-t-elle. Il y a certainement des maisons à louer dans les environs. Ce serait agréable pour vous d'avoir un peu plus d'espace en attendant d'emménager définitivement.

— Vous êtes adorable ! s'exclama Anne Michaels.

Caidy se sentit gênée par une telle sincérité. Si elle était *réellement* aussi adorable, elle offrirait sans hésiter la maison du contremaître.

— Tout le monde s'est montré très accueillant avec nous depuis notre arrivée à Pine Gulch, reprit Mme Michaels.

— Tant mieux. J'espère que vous commencez à vous y sentir chez vous.

— Oui, c'est vrai. Au fait, j'imagine que le chien qui est sur la table d'opération est le vôtre ?

— Oui. Il a été blessé par un taureau dans notre ranch.

Elle se reprocha une nouvelle fois de ne pas se trouver auprès de lui au lieu de faire la conversation avec cette brave dame. Pourquoi s'était-elle résignée si facilement et n'avait-elle pas tenu tête au Dr Caldwell ?

— Je peux vous assurer qu'il est entre de bonnes mains, reprit Anne Michaels. Le Dr Caldwell est un vétérinaire extraordinaire. Votre animal de compagnie va être rétabli en un rien de temps.

En fait, au River Bow Ranch, les borders colleys n'étaient pas à proprement parler des animaux de compagnie. A part Sadie, devenue trop vieille pour travailler avec le bétail, ils faisaient au contraire partie de l'équipe de travail.

Les enfants, jusque-là plongés dans des jeux vidéo qu'Ava avait tirés de son cartable, ne s'étaient pas manifestés, mais le petit Jack se leva tout à coup.

— J'ai faim, madame Michaels. Quand est-ce qu'on va manger ?

— Bientôt. Puisque votre père est encore occupé, je vous propose que nous nous arrêtions au petit restaurant du coin pour un dîner rapide. Qu'est-ce que vous en pensez ?

— Est-ce que je pourrai avoir des brownies ? demanda Jack, les yeux brillants de gourmandise.

Mme Michaels se tourna vers Caidy.

— Je crois que leur vente de brownies a triplé depuis l'arrivée de Jack à Pine Gulch ! dit-elle avec un sourire entendu.

— Je comprends ce jeune homme, assura Caidy. Leurs brownies sont réputés dans toute la région.

Mme Michaels se mit debout et rassembla ses affaires.

— Je suis ravie d'avoir fait votre connaissance, Caidy.

— Moi de même. Je vous promets de regarder si je vous trouve quelque chose à louer.

— Parlez-en avec le Dr Caldwell, mais je vous remercie déjà de votre aide.

Une fois le trio parti, Caidy trouva la salle d'attente encore plus triste et froide. Il était à peine 18 heures mais il faisait déjà nuit noire.

Elle se leva, fit les cent pas, se rassit, reprit son magazine qui ne l'intéressa pas davantage que précédemment. Finalement, elle le referma et le reposa sur la pile. Inutile de faire semblant de lire, elle ne trompait personne, même pas elle-même.

Dire que son chien était là, juste derrière la cloison et qu'elle ne pouvait rien pour lui ! C'était insupportable. Au moins, elle avait le droit de savoir comment se passait l'intervention.

Elle prit une profonde inspiration et, résolument, poussa la porte de la salle de soins.

2

Ben posait le dernier point de suture sur la blessure de Luke. Il se sentait épuisé. Le sang battait à ses tempes et ses épaules étaient douloureuses à force de tension accumulée. Il ne s'était pas arrêté depuis le matin où un appel en urgence l'avait appelé auprès d'un cheval atteint de coliques.

Il aurait adoré passer une soirée tranquille avec ses enfants et un peu plus tard, une fois ceux-ci bien bordés dans leur lit, s'accorder un moment de détente devant la télévision de sa chambre à regarder un match de basket-ball. Bien sûr, l'obligation de garder le son bas afin de ne pas réveiller Jack était un peu contraignante, mais cette perspective lui paraissait tout à fait divine. Hélas, il y avait bien peu de chances pour qu'elle se réalise étant donné l'état de santé de son nouveau patient.

La semaine précédente avait été très chargée et le travail harassant. Pourtant, il aurait mauvais goût de se plaindre puisque c'est ce qu'il souhaitait. Il avait enfin l'opportunité de se faire une clientèle à lui, de se créer un réseau de nouvelles relations et de s'intégrer dans une communauté.

— Voilà… je crois que nous avons terminé pour maintenant.

— Franchement, depuis que j'ai vu à quel point la

perforation était proche du foie, je me dis que le chien de Caidy a eu bien de la chance de survivre, déclara Joni.

Il se redressa et prit une grande inspiration. Depuis trois semaines qu'il avait pris la succession du Dr Harris, Joni avait toujours approuvé ses initiatives et ses interventions. Il trouvait cela encourageant car elle avait été l'assistante de son prédécesseur pendant de longues années et connaissait la qualité des soins dispensés par ce dernier. Toutefois, il se retint de dire que, malgré la réussite de l'opération, l'animal n'était pas encore tiré d'affaire, laissant Joni continuer sur sa note optimiste.

— Je suis persuadée que Luke aura plus de chance que la chienne terre-neuve de ce matin et qu'il va s'en sortir.

Toute la contrariété qu'il s'était efforcé de ravaler au cours de la journée retomba sur lui brutalement. La chienne en question était superbe, mais elle était aussi toute jeune et avait été laissée sans surveillance. Elle avait sauté de l'arrière du pick-up en marche et était passée sous la voiture qui roulait derrière. Ses blessures s'étaient avérées très graves et elle était morte sur la table d'opération.

Cela aurait suffi à le contrarier, mais ce qui l'avait le plus désolé, c'était la réaction du propriétaire qui avait paru davantage affecté par l'argent qu'il avait dépensé inutilement pour les soins que par la perte de la chienne.

— Aucun de ces accidents n'aurait dû se produire si les maîtres avaient été un peu plus vigilants, maugréa-t-il.

Joni, occupée à nettoyer la table d'opération et les instruments utilisés, leva la tête.

— Je suis d'accord avec vous à propos d'Artie Palmer. C'est un imbécile à qui l'on devrait interdire d'avoir des animaux. Mais pas du tout à propos de Caidy Bowman. C'est vraiment la dernière personne au monde que je qualifierais d'irresponsable avec ses animaux. Elle dresse des chiens et des chevaux au River Bow Ranch et personne ne fait un aussi bon travail qu'elle à des lieues à la ronde.

— Pardon ! A mon avis, elle n'a pas fait un bon travail avec ce chien puisqu'il est allé se jeter sous les pattes d'un taureau.

— Je suis tout à fait d'accord avec vous, reconnut une voix de femme depuis la porte.

Ben Caldwell se tourna et découvrit la propriétaire du chien qui lui faisait face. Les traits réguliers de son visage étaient tendus, et ses yeux verts étincelaient de colère.

Certes, il pensait ce qu'il venait de dire mais il aurait préféré que sa cliente ne l'entende pas.

— Il me semble que je vous avais invitée à rester dans la salle d'attente.

— Invitée ? se rebiffa Caidy. C'est comme ça que les vétérinaires des villes disent quand ils donnent des ordres ?

Elle haussa les épaules et fit un pas en avant.

— Docteur Caldwell, sachez que je ne suis pas très douée pour obéir.

Il se détourna pour déposer une pince sur le plateau que transportait Joni. Au cours de l'opération, il lui était venu à l'esprit qu'il s'était conduit comme un goujat avec sa cliente. Jamais il ne refusait l'accès à la salle de soins aux maîtres de ses patients, sauf quand il savait qu'ils n'étaient pas de taille à supporter le spectacle d'une intervention. Pourquoi avait-il changé de politique avec Caidy Bowman ?

En fait, sans qu'il puisse dire exactement quoi, quelque chose en elle le rendait nerveux. Peut-être était-ce le vert intense de ses yeux ? Ou la façon moqueuse qu'elle avait de retrousser les lèvres ? Bref, face à cette jeune femme décidée et qui n'avait pas sa langue dans sa poche, il se sentait assez démuni.

— Nous venons de terminer. J'allais vous appeler.

— J'ai donc bien fait de ne pas totalement respecter votre « invitation ». Vous permettez que je m'approche ?

Il hocha la tête en signe d'assentiment et Caidy s'avança jusqu'à la table d'opération où Luke était encore sous le coup de l'anesthésie.

Elle lui caressa doucement la tête.

— C'est moi, Luke… Il faut te réveiller maintenant.

Le chien entrouvrit les yeux, puis les referma en respirant tranquillement, comme s'il savait désormais qu'il pouvait s'abandonner puisque sa maîtresse était auprès de lui.

— Il lui faudra probablement une bonne demi-heure pour que les effets de l'anesthésie disparaissent. De toute façon, je vais le garder ici cette nuit pour le surveiller.

— Quelqu'un va rester avec lui ?

Quand il travaillait à San José, lui et un de ses assistants se relayaient au cours de la nuit pour surveiller les animaux opérés, mais depuis qu'il était ici, il n'avait pas encore eu le temps d'engager tout le personnel nécessaire à la clinique.

Il devait mettre une croix sur la petite soirée tranquille qu'il avait envisagé de passer. Finalement, il avait fini par s'habituer à dormir sur le lit pliant de son bureau, mais que deviendrait-il sans la présence de Mme Michaels ?

— Ne vous inquiétez pas, il y aura quelqu'un auprès de lui.

Elle eut l'air surprise par sa réponse et il s'interrogea. Il n'avait rien dit de monstrueux, pourtant ! Il lui fallut un petit moment avant de comprendre qu'elle réagissait au ton de sa voix qui était redevenue douce et normale.

Décidément, il avait dû se comporter comme une brute tout à l'heure.

— Heu… je suis désolé à propos de tout à l'heure…

Il avait toujours du mal à présenter des excuses. Sans doute à cause de l'exemple que lui avait donné son grand-père, si rigide et totalement dépourvu d'humour.

— Je veux dire… J'aurais dû vous laisser assister à l'opération puisque vous le souhaitiez. Et puis aussi… je vous ai parlé de façon un peu rude tout à l'heure. Je ne suis pas comme ça en temps normal. En fait, j'ai eu une journée particulièrement pénible et je crains de vous l'avoir fait payer.

Elle cligna les yeux, mais pour le reste, demeura impassible. Du coup, il se sentit encore plus bête, ce qui lui déplaisait au plus haut point.

— Vous avez réussi à sauver la patte de Luke alors que j'étais persuadée qu'il faudrait l'amputer.

— Il ne serait plus très utile alors dans votre ranch ! s'exclama-t-il pour détendre l'atmosphère.

Mais elle l'observait froidement.

— En effet, mais je vais vous surprendre si je vous dis que son utilité n'est pas la seule chose qui compte à mes yeux ?

Il se détendit un peu. Il reconnaissait au moins à Caidy cette qualité de ne pas être comme son client du matin qui n'avait pensé qu'à son argent.

— J'ai fait ce que j'ai pu, reprit-il, mais je ne peux pas vous garantir que sa patte va guérir. Il sera peut-être nécessaire de l'amputer d'ici quelque temps. En tout cas, Luke a eu beaucoup de chance. Quand un chien affronte un taureau, normalement, il ne reste pas grand-chose de lui.

— Et sa blessure ? Qu'est-ce que vous en pensez ?

— Aucun organe vital n'a été atteint et la plaie est

moins profonde que je l'ai cru au premier abord. Le
taureau n'était sans doute pas vraiment en colère.

— Vous ne seriez pas de cet avis si vous aviez assisté
à la scène ! Il était fou furieux. Juste après que j'ai retiré
Luke, il a foncé si violemment dans la barrière qu'il
a fait tomber l'un des poteaux de bois qui servent de
support à la clôture.

Abasourdi, il considéra sa cliente. Quoi ? C'était *elle,*
ce petit bout de femme brune, avec sa longue tresse dans
le dos, qui avait soustrait le chien à la furie du taureau ?
Elle devait être folle pour s'être approchée d'un fauve
aussi dangereux !

— Regardez, on dirait qu'il se réveille, dit-il en se
tournant vers Luke afin d'éviter d'entrer dans cette
discussion.

En effet, le chien clignait les yeux et se mit à gémir.
Elle se pencha aussitôt sur lui, et, plongeant les doigts
dans sa fourrure aussi noire que ses propres cheveux,
le caressa doucement.

— Tout va bien, mon toutou joli. Tu vas voir, tout ira
bien ! Tu vas pouvoir bientôt courir de nouveau dans le
ranch avec Sadie et tes autres copains.

Il avait beau avoir mille choses à faire et un tas
impressionnant de paperasse à mettre à jour, il ne
réussissait pas à s'arracher au spectacle qu'offrait cette
jeune femme en train de parler à son chien. Se serait-il
trompé sur son compte ? En voyant avec quel tact elle
caressait son chien blessé, il se rendait compte qu'elle
savait s'y prendre avec les animaux.

Que cette mésaventure lui serve de leçon ! Désormais,
il s'interdirait toute réflexion désagréable envers ses
clients, même au bout d'une mauvaise journée.

Et puis, s'avisa-t-il, elle sentait délicieusement bon
la vanille. Un parfum d'autant plus délicieux qu'il

contrastait totalement avec celle des désinfectants qui flottait dans la pièce jusqu'à son arrivée.

Il se reprit. Il ne voulait rien remarquer sur elle. Ni son parfum printanier, ni la courbe délicate de son cou, ni le petit grain de beauté qu'elle venait de dévoiler sur le lobe de son oreille lorsqu'elle avait rejeté en arrière une mèche de ses cheveux bruns.

Pas question de laisser libre cours à son imagination. Que lui arrivait-il ? Pourquoi est-il troublé ? Il ne se reconnaissait pas ! Il frotta ses tempes douloureuses. Oui, c'était la fatigue qui prenait le dessus, il n'était plus lui-même. Allons, il allait quitter cette pièce. Il n'entendrait plus cette voix douce qui fredonnait une chanson au chien blessé, le charme serait brisé et lui, enfin tranquille.

Heureusement que Joni, qu'il avait complètement oubliée, revint dans la salle à ce moment. Elle était allée chercher ses affaires et enfilait sa parka, prête à partir.

— Est-ce que vous m'autorisez à partir, docteur Caldwell ?

— Bien sûr, Joni. Excusez-moi de vous avoir gardée aussi tard.

— Ce n'était pas votre faute.

— Non, c'est la faute de mon chien et de sa curiosité, assura Caidy avec un petit sourire désolé.

Joni haussa les épaules.

— Des accidents arrivent de temps en temps, surtout dans un ranch.

Il se sentit indirectement visé par ces quelques mots. Joni avait raison. Même le maître le plus vigilant ne pouvait protéger son animal de tout danger.

Son assistante ouvrit la porte et leur adressa un dernier salut.

— Bonsoir, donc. A demain.

— Attendez, Joni ! l'arrêta-t-il. Je vous raccompagne jusqu'à votre voiture.

Joni leva les yeux au ciel, mais pour une fois, ne protesta pas. C'était là un sujet de discorde entre eux depuis qu'il avait pris la relève du Dr Harris. Lorsqu'il travaillait à San José, dans un quartier pas toujours tranquille, il avait pris l'habitude de s'assurer que tout son personnel féminin était raccompagné jusqu'à sa voiture. Il ne voyait pas pourquoi il ne ferait pas de même à Pine Gulch même si Joni trouvait cela tout à fait déplacé. C'était sans doute une habitude un peu démodée mais il y tenait, estimant qu'il était de son devoir d'assurer la sécurité du personnel qui travaillait avec lui.

Une fois dehors, l'air frais le ragaillardit un peu. La neige ne tombait plus aussi fort que quelques heures plus tôt. Seuls quelques flocons tourbillonnaient encore dans la nuit froide. Tout autour du parking, les maisons voisines arboraient leurs décorations de Noël qui clignotaient gaiement. Une nouvelle fois, il regretta de ne pas avoir accroché quelques guirlandes aux fenêtres de la clinique.

Comme la voiture de Joni était recouverte de neige, il l'aida à l'en débarrasser.

— Merci mille fois, docteur Caldwell. Vous êtes bien le seul employeur qui se donne la peine de nettoyer mon pare-brise ! plaisanta Joni.

— Et moi, je vous remercie de pouvoir compter sur vous en toutes circonstances. Franchement, je ne sais pas comment je me débrouillerais si vous n'étiez pas là.

— N'hésitez pas à m'appeler si vous avez besoin de moi pendant la nuit.

— Merci, mais je pense que ce ne sera pas la peine. Bonne soirée, Joni.

Il regagna la clinique, ragaillardi par ce bol d'air

frais. Il eut l'impression, en poussant la porte, d'entendre quelqu'un chanter. Oui, c'était bien cela. Il s'approcha et une mélodie ancienne parvint à ses oreilles.

C'était Caidy qui chantait. Il s'arrêta et reconnut *Greensleeves*. Sous le charme, il se figea, n'osant plus avancer de crainte de l'interrompre. Les notes arrivaient jusqu'à lui comme porteuses d'une paix et d'une pureté qui tranchaient étrangement avec l'équipement médical de la clinique. Qui aurait imaginé que Caidy Bowman avait une aussi belle voix ?

Brusquement, la chanson prit fin. Elle avait sans doute deviné sa présence bien qu'il fût rentré sans faire de bruit. Il la rejoignit et elle sembla gênée de le voir.

— Vous devez penser que je suis folle de chanter pour un chien ! Mais comme il commençait à s'agiter, j'ai chanté pour le calmer.

Il hocha la tête. Quoi d'étonnant à cela ? La mélodie avait eu le même effet sur lui.

— Regardez, reprit-elle. Il s'est rendormi tranquillement. Je peux prendre le relais si vous avez besoin de partir.

Elle hésita un instant.

— Je vous assure que je peux rester. Mon frère et ma nièce peuvent très bien s'occuper des animaux sans moi.

— Inutile, ne vous inquiétez pas, miss Bowman, nous nous occuperons bien de lui.

— Oh ! Je vous en prie, pas de « miss Bowman » ! Personne ne m'appelle comme ça ici. Appelez-moi Caidy, comme tout le monde.

— Très bien, Caidy.

— Quelqu'un va venir vous relayer ?

— Je n'ai pas encore mon équipe au complet et Joni est invitée ce soir. Ensuite, il faut qu'elle rentre retrouver son mari et ses enfants, mais ce n'est pas un problème. J'ai un lit pliant dans mon bureau. Quand il y a des urgences, comme aujourd'hui, je me débrouille comme ça.

Elle parut surprise une nouvelle fois.

— Et vos enfants ?

— Mme Michaels s'occupe très bien d'eux. Et puis c'est seulement l'affaire d'une nuit.

— Je... Merci beaucoup.

— Je vous préviens que la note sera lourde.

— Je m'y attends. J'ai travaillé pour le Dr Harris il y a dix ans, et je me souviens de ce que coûtaient les interventions et les veilles à l'époque. Les prix ont sûrement augmenté, mais je sais à quoi je m'expose.

— Ne vous inquiétez pas pour Luke, je pense qu'il ira bien. Venez, je vous raccompagne à votre voiture.

— Vous faites ça pour toutes les femmes qui passent dans votre bureau ?

— Heu... De toute façon, il faut que je ferme la porte d'entrée.

Elle attrapa son manteau qu'elle enfila et ils firent ensemble le court trajet qu'il venait juste d'effectuer avec Joni. La lune perçait à présent à travers les nuages, ronde et pâle, et la neige étincelait sous sa lumière irréelle.

Il découvrit que la jeune femme conduisait un pick-up assez vétuste, couvert de boue et encore chargé de bottes de foin à l'arrière. Il imagina sans peine dans quelle urgence elle avait dû prendre la route pour emmener Luke jusqu'ici.

— Soyez prudente. La route est certainement très glissante après cette chute de neige.

— Je conduis sur ces routes depuis que j'ai seize ans. Ce n'est pas un peu de neige qui va me faire peur !

— Tant mieux. Mais je ne voudrais pas que ce soit vous ensuite qui ayez besoin de quelques points de suture.

— Il n'y a pas de risque, mais merci tout de même pour votre attention. Merci aussi pour tout ce que vous avez fait pour Luke... Je suis désolée que vous soyez privé de vos enfants ce soir à cause de lui.

— La clinique est fermée demain. Je pourrai passer toute la journée avec eux. Nous devons trouver un meublé à louer pour les semaines à venir. C'est impératif, sinon je sens que je vais avoir droit à une mutinerie de la part de Mme Michaels. Et Dieu sait ce que je deviendrai si elle me quitte !

Caidy ouvrit la bouche, puis la referma.

Il eut la nette impression qu'elle se livrait à un débat intérieur. Elle jeta un regard en direction de la porte de la clinique, puis elle ramena son regard sur lui.

Après une profonde inspiration, elle lança :

— Le cottage qu'occupait autrefois mon contremaître est libre en ce moment. Cela pourrait peut-être vous dépanner...

Il fut intrigué car il avait la nette impression qu'elle avait prononcé ces mots comme si elle avait envie de les retenir.

— Vraiment ?

— Ce n'est pas luxueux, poursuivit-elle, mais entièrement meublé. Il y a trois chambres, ce qui devrait vous suffire si les enfants partagent la même.

— Mais... comment savez-vous autant de choses sur moi ?

— J'ai fait la connaissance de Mme Michaels tout à l'heure dans la salle d'attente. C'est ma belle-sœur Laura qui tient l'auberge où vous logez en ce moment.

S'il n'avait pas surpris tout à l'heure ce moment de douceur pendant lequel elle chantait pour son chien, il aurait eu bien du mal à croire que la si gentille aubergiste appartenait à la même famille que cette jeune femme revêche.

— Mme Michaels a mentionné tout à l'heure le fait que vous alliez probablement chercher un logement. J'ai pensé alors à cette maison vide dans notre ranch. Personne ne l'utilise depuis quelque temps, mais je passe tout de même y faire le ménage une fois par semaine. Sans être luxueuse, elle est tout de même confortable.

— Ce serait merveilleux pour nous mais il ne faut pas que cela vous dérange.

— Il faut d'abord que j'en parle à mon frère. En fait, nous sommes quatre à gérer le ranch, mais dans la réalité, c'est surtout Ridge qui en est responsable. Je ne pense pas qu'il refuse cette proposition.

Il était abasourdi. Il n'arrivait pas à la comprendre. Comment pouvait-elle offrir de régler ses problèmes domestiques alors qu'il l'avait traité comme moins que rien un peu plus tôt ?

— Je… heu… je suis tout surpris de votre proposition, balbutia-t-il. Miss Bow… heu… Caidy. Pourquoi faites-vous une offre pareille à quelqu'un que vous ne connaissez pas ?

— Vous avez sauvé la vie de mon chien. Et puis j'ai sympathisé avec Mme Michaels et j'ai cru comprendre qu'elle en avait assez de vivre à l'hôtel.

Elle marqua une pause.

— Le plus grave, c'est que je ne vois pas comment le Père Noël trouvera les chaussures de vos enfants si vous n'êtes pas dans une vraie maison…

— Je n'avais pas pensé à cet aspect des choses, reconnut-il avec un sourire.

— Vos enfants ont besoin d'espace pour jouer pendant les vacances. Un hôtel, aussi agréable soit-il, ne peut pas leur offrir ce dont ils ont besoin pour se détendre.

— Je suis tout à fait d'accord avec vous. C'est bien ce qui était prévu d'ailleurs. Malheureusement, les circonstances en ont décidé autrement. Les travaux de ma future maison ont pris du retard et je me trouve dans l'impossibilité d'y emménager à la date prévue.

Dire qu'il avait prévu de passer toute la journée du lendemain à arpenter la ville en quête d'un logement qui leur permette de quitter l'hôtel… Voilà que la solution tombait du ciel sans qu'il ait eu seulement à lever le petit doigt. C'était carrément un miracle de Noël !

— Je vais parler à mon frère, reprit-elle et je vous apporterai la réponse demain matin en venant récupérer Luke.

— Je… je ne sais pas comment vous remercier.

— Eh bien, ne me remerciez pas !

Au moment où elle lui lançait cette boutade, les nuages s'écartèrent. Sous la clarté argentée de la lune, il eut l'impression que Caidy était transfigurée. S'il avait trouvé son visage gracieux jusque-là, il fut frappé par sa beauté lumineuse.

— Bonsoir, docteur Caldwell, et merci encore pour votre travail.

— Je suis heureux d'avoir pu faire mon métier.

Songeur, il regarda les phares du pick-up fendre la nuit noire de leur rayon lumineux tandis qu'elle s'éloignait.

Pine Gulch lui avait déjà réservé un certain nombre de surprises depuis son arrivée, et, à voir le tour que prenaient les événements, il commençait à se demander si la rencontre avec Caidy Bowman n'était pas la plus importante de toutes celles qui l'attendaient encore.

3

— Tu dis que le nouveau vétérinaire cherche un logement de dépannage pour quelques semaines ?

Caidy se contenta de hocher la tête. Ridge, son frère aîné se tenait appuyé contre l'évier de la cuisine en buvant son café pendant que Destry, sa fille, rangeait dans le lave-vaisselle les assiettes de leur dîner.

— C'est ce que j'ai compris. La maison qu'il fait construire dans la zone qui se développe du côté de chez Taft n'est pas prête pour Noël comme on le lui avait promis.

— Il a fait un bon choix. On a une vue superbe sur les montagnes de là-bas. Bien meilleure que depuis le ranch.

— Pour le moment, ils sont à l'auberge de Laura, mais les enfants et leur gouvernante n'en peuvent plus. Ils manquent d'espace et la perspective de passer les vacances à l'hôtel ne les réjouit guère. Ils ont cinq ans et neuf ans, ça se comprend.

Ridge se redressa et lui adressa ce regard qu'elle connaissait trop bien et qui signifiait : *mais où avais-tu donc la tête quand tu as parlé de ça ?* Il avait dix ans de plus qu'elle et elle l'aimait de tout son cœur. Après la mort tragique de leurs parents, il l'avait prise en charge pendant ses dernières années de lycée. Jamais elle ne pourrait le remercier assez d'avoir été son soutien, même au moment où son mariage s'écroulait. Sous des apparences rudes, il cachait un cœur en or, débordant de générosité.

— Est-ce que tu as pensé que Laura ne serait peut-être pas enchantée que tu lui enlèves ses clients ?

— Je lui en ai déjà parlé tout à l'heure au téléphone. Elle a immédiatement été de mon avis. Il lui a suffi d'imaginer les deux enfants enfermés dans son hôtel pendant la durée des vacances de Noël pour comprendre la situation. En plus, elle éprouve beaucoup de sympathie pour le vétérinaire et sa gouvernante, et se réjouit que cette solution soit envisageable.

Elle passa sous silence les commentaires que Laura s'était permis de faire sur son pensionnaire. En fait, la jeune femme n'avait pas tari d'éloges sur ce dernier qu'elle trouvait extrêmement séduisant et poli. Il parlait de son métier avec passion mais elle avait pu constater que, en plus, il adorait ses enfants dont il s'occupait dès qu'il avait un moment de liberté. Bref, à en croire Laura, Ben Caldwell était un homme bien sous tous rapports, et à partir de là, Caidy n'avait pas cherché à en savoir plus, persuadée que sa belle-sœur, voulait, une fois de plus, jouer les marieuses. Dans son entourage, chaque fois qu'un célibataire était en vue, le pas était vite franchi ! Caidy avait appris à se blinder contre toutes les allusions de ce genre.

Ridge n'avait pas besoin de savoir tout ça. Laura et Becca étaient des belles-sœurs parfaites, mais Caidy n'avait nul besoin que ni elles ni ses frères se mettent en quête de prétendants à son intention. A vrai dire, cette simple idée lui donnait des frissons et elle la chassa tout de suite de son esprit.

Ridge prit le temps de réfléchir avant de reprendre :

— Je ne vois pas d'inconvénient à ce que le Dr Caldwell

et sa famille occupent ce logement pendant quelque temps. Il ne sert à rien ni à personne en ce moment, autant rendre service à quelqu'un. Je vais faire passer le tracteur sur le chemin pour dégager la neige et m'assurer que le passage est libre.

Il s'arrêta un instant.

— Par contre, il faudrait sans doute que tu ailles aérer un peu et que tu chasses les toiles d'araignées.

— Oui, je m'en occuperai demain après avoir récupéré Luke à la clinique.

Et voilà… La machine était en route et elle le regrettait déjà. Dans quel guêpier s'était-elle fourrée ? Franchement, elle n'avait aucune envie d'avoir cet homme dans les parages. Certes, il s'était montré un peu plus aimable à la fin de la visite mais elle n'était pas obligée pour autant de lui proposer d'emménager à deux pas de chez elle !

Pourquoi diable lui avait-elle fait cette invitation ? Elle avait beau se creuser la tête, elle n'en voyait pas la raison. Peut-être à cause de l'étincelle de compassion qu'elle avait vue briller dans ses yeux clairs au moment où il s'occupait de Luke ? Ou bien… émotion moins avouable, le charme indéniable qui se dégageait de lui ?

De toute façon, il ne resterait au ranch que quelques semaines et les occasions de le rencontrer seraient très réduites puisqu'il passait le plus clair de son temps à la clinique. Allons, ce voisinage ne représentait pas un grand danger, elle pouvait tranquillement éprouver la satisfaction d'avoir fait une bonne action. Après tout, Noël est bien la période privilégiée pour ce genre de bonne action, elle n'avait fait que respecter la tradition.

Ridge posa sa tasse dans l'évier.

— Et en tant que vétérinaire, tu l'as trouvé comment ?

Elle revit mentalement Luke somnolent, ses plaies soigneusement pansées.

— Je regrette le Dr Harris, mais je pense qu'il fera l'affaire.

Ridge se mit à rire.

— Pour toi, jamais personne n'arrivera à la cheville du Dr Harris mais c'est normal, vous avez soigné tant d'animaux ensemble !

En effet, elle avait adoré seconder ce dernier dans sa clinique. C'était pratiquement cela qui l'avait rattachée à la vie après la mort de ses parents. Pendant toute une triste période, les seuls moments de paix qu'elle connaissait étaient ceux où elle l'aidait à soigner un animal malade ou blessé.

— Le Dr Harris était un homme réellement exceptionnel, reprit Caidy. Le Dr Caldwell aura du mal à lui succéder.

— D'après ce que j'ai entendu dire en ville par les gens qui ont déjà eu recours à lui, il est tout à fait compétent, affirma Ridge.

Caidy ne chercha pas à poursuivre cette conversation. Assez parlé du nouveau vétérinaire ! Elle trouvait déjà bien assez contrariant d'être incapable de penser à autre chose qu'à lui depuis qu'elle avait quitté la clinique. Mieux valait passer à un autre sujet.

— Qu'est-ce que tu étais en train de dire à Destry tout à l'heure ? Il me semble qu'il était question d'une balade en traîneau.

— Oui, c'est ça, admit Ridge. Destry me demandait si elle pourrait inviter Gabi et quelques amies pour faire une promenade de nuit dans la neige dimanche prochain. Elle avait envie d'aller de maison en maison dans le voisinage en chantant des cantiques de Noël. En fait de traîneau, j'utiliserai la charrette bleue qui dort dans la grange. Elle sera parfaite.

Elle sourit. Il n'y a pas si longtemps, elle avait raconté

à Destry que dans son enfance, avec ses frères et leurs parents, ils suivaient la tradition qui veut que les jeunes passent ainsi de maison en maison.

— Qu'est-ce que tu lui as répondu ?

L'expression qu'elle lut sur le visage de Ridge était éloquente. Ridge était incapable de refuser quelque chose à sa fille et, à vrai dire, l'adolescente ne lui demandait jamais de choses extravagantes ou dangereuses. Caidy était même très contente de voir cette coutume se perpétuer grâce à sa nièce.

— Quel bon père tu fais, Ridge !

— Destry adore Noël, je ne pouvais pas lui refuser ce plaisir.

Même si tout le monde essayait de faire bonne figure au moment de Noël, le restant de la famille n'était pas du tout sur la même longueur d'ondes que Destry. La mort de leurs parents, assassinés un peu avant Noël onze ans plus tôt, avait terni à jamais l'allégresse de cette fête familiale pour les quatre enfants Bowman.

Becca et Laura, les belles-sœurs, avaient néanmoins réussi à dissiper quelque peu ces tragiques souvenirs et à rendre aux frères jumeaux Trace et Taft un peu de la joie de cette période. Cette année, il y avait encore des progrès puisqu'ils s'étaient portés volontaires pour aller couper des sapins de Noël dans la forêt, proposant même leurs services à quelques amis et voisins.

Ridge et elle-même ne partageaient pas cet enthousiasme, même si l'un comme l'autre se pliaient à la coutume de préparer des cadeaux pour chaque membre de la famille. Plus d'une semaine avant le jour J, Caidy avait déjà préparé tous ses cadeaux qu'elle avait soigneusement emballés dans du papier décoré de rennes et de Pères Noël. Encore une fois, elle éviterait les bousculades de dernière minute qu'elle détestait par-dessus tout.

— A quelle heure tu as prévu cette balade ?

— J'ai demandé aux invitées de Destry d'être là à 19 heures, juste après notre repas du dimanche.

Chaque dimanche, Taft et Trace, qui vivaient plus près de la ville, venaient dîner au ranch avec leur famille. Etant donné le rythme de vie effréné qui était le leur, c'était souvent la seule occasion de la semaine qu'elle avait de les rencontrer.

— Parfait. Je préparerai quelques cookies qu'elles grignoteront avant de partir et je leur ferai un chocolat chaud au retour, bien sûr. Comme autrefois…

— Merci, Caidy. Destry va adorer ! Je compte bien que tu nous accompagnes.

Le visage de Ridge s'était fait sérieux. Il savait qu'avec cette demande, il touchait un point sensible en elle.

— Non, je ne pense pas.

— Caidy, tu ne vas pas me laisser partir tout seul avec une demi-douzaine d'ados ? Comment veux-tu que je survive à une épreuve pareille ?

La vision de son frère escorté par cette bande d'adolescentes rieuses, poussant des petits cris aigus au moindre cahot de la charrette, lui donna envie de rire, mais elle ne changea pas d'avis pour autant.

— Non, Ridge. Emmène un chien avec toi, si tu veux te sentir moins seul !

Ridge haussa les épaules en souriant, puis redevint sérieux.

— Caidy, il y a onze ans maintenant… Taft et Trace ont évolué. Ils ont construit leur vie, ils ont fondé une famille. Toi aussi, tu dois en faire autant. J'aimerais tellement que tu retrouves la joie de Noël !

— Je suis parfaitement heureuse tout au long de l'année, Ridge. J'ai seulement une petite baisse de régime au mois de décembre, c'est tout.

Ridge pinça les lèvres. Elle comprit qu'il était en proie à des vagues de tristesse familière. Après la mort violente de leurs parents, chacun avait réagi à sa façon. Ridge était devenu encore plus sérieux et responsable. Taft s'était mis à draguer toutes les filles qu'il rencontrait tandis que Trace était devenu un policier hyperdévoué et consciencieux pour rendre justice à ses parents de façon détournée.

Et elle, Caidy ? Elle s'était barricadée au ranch pour se mettre en marge de la vie.

— Il faut que tu te remues, Caidy ! Pourquoi est-ce que tu ne reprends pas tes études ?

— C'est une idée…

Mais elle n'en dit pas davantage. Après les émotions de cette journée, les heures passées à la clinique à attendre que Luke soit opéré et soigné, elle n'avait pas envie de discuter avec son frère.

— En tout cas, merci d'être d'accord pour accueillir le vétérinaire.

Ridge ne fut pas dupe. Il avait bien compris qu'elle cherchait à changer de sujet de conversation, et il sembla respecter son souhait pour une fois.

— Dans le fond, c'est une chance pour nous. Pendant quelques semaines, nous aurons un vétérinaire à domicile !

Elle fit la moue. Etant donné les sentiments mêlés qu'elle éprouvait envers Ben Caldwell, elle espérait sincèrement ne pas avoir recours à ses services pendant son séjour au ranch.

Plusieurs centimètres de neige tombèrent pendant la nuit. Elle s'accrochait aux arbres dont elle faisait ployer les branches et transformait la campagne environnante en un paysage de contes de fées sur fond de hautes montagnes dont la ligne se découpait à l'horizon.

Cette nouvelle chute ajoutée à celle de la veille promettait à Destry et à ses amies une merveilleuse promenade la nuit suivante. Tout en conduisant prudemment jusqu'à la clinique, Caidy s'en réjouissait pour elles.

Il n'était pas encore 7 heures du matin. Elle avait mal dormi. Des rêves compliqués, frôlant le cauchemar, étaient venus la hanter dès qu'elle s'assoupissait. Finalement, elle avait préféré se lever de bonne heure et faire son travail avant de partir. Ridge et Destry se débrouilleraient sans elle pour leur petit déjeuner. D'ailleurs, cela ne bousculerait même pas leur emploi du temps puisque le samedi matin était le jour où Ridge leur préparait les pancakes qui étaient sa spécialité.

Malgré sa mauvaise nuit, elle était tout à fait capable d'apprécier la beauté de cette matinée. Quelques arbres de Noël brillaient déjà de toutes leurs guirlandes derrière les fenêtres de certaines maisons et elle imaginait sans peine la joie des petits qui allaient profiter de ces illuminations tant que le jour ne serait pas complètement levé.

Avec son 4x4, elle n'eut pas de mal à circuler, même dans les endroits où la route n'avait pas encore été dégagée, ni à se garer sur le parking de la clinique où la neige s'était entassée.

Etant donné l'heure matinale, elle ne fut pas surprise de trouver la porte d'entrée fermée. D'ailleurs, quand le Dr Harris était à la clinique, elle n'empruntait jamais cette entrée mais celle qui se trouvait sur le côté. Elle s'y dirigea donc sans hésiter. Après avoir donné quelques coups sur la porte et constaté que personne ne répondait, elle tourna la poignée qui céda sans difficulté. Fallait-il entrer ? Elle décida que oui et poussa le battant. Au moment où elle ouvrait la bouche pour appeler et signaler sa présence, les mots restèrent coincés dans sa gorge. Le nouveau vétérinaire sortait du vestiaire, revêtu seulement d'un jean, en train de sécher ses cheveux à l'aide d'une serviette-éponge.

Devant ce spectacle, elle eut le souffle coupé. La poitrine de Ben Caldwell était large, ses muscles bien dessinés, sa peau mate, comme s'il était resté au soleil. Elle fut la première surprise par sa propre réaction, aussi instantanée qu'inattendue, exactement comme les crocus qui chaque printemps percent la neige alors qu'on ne s'y attend pas. Profondément troublée, elle sentit son cœur battre plus vite, sa nuque picoter et le rouge lui monter au visage.

Quand il avisa sa présence, les pupilles si claires du vétérinaire s'élargirent de surprise. Une sorte de courant magnétique, fulgurant, les relia brusquement l'un à l'autre.

Tout à son émoi, elle demeurait incapable d'articuler la moindre parole. Exactement comme si elle était devenue idiote ou muette.

Ce fut lui qui, finalement, rompit ce silence embarrassant.

— Je... je ne vous avais pas entendue entrer.

— Heu... excusez-moi...

Qu'est-ce que c'était que cette voix qui sortait de sa gorge ? On aurait dit le croassement d'un vieux corbeau ! Sans doute le résultat de sa gêne pour avoir été surprise à rester bouche bée, comme une adolescente qui se retrouverait soudain nez à nez avec son idole.

— Comme personne ne répondait après que j'ai frappé, je suis entrée et je... vous... vous étiez là.

Non, franchement ! Elle était ridicule à bégayer comme ça. Elle aurait donné cher pour pouvoir disparaître sous terre, ou dans un trou de souris, ou n'importe où plutôt que de se trouver en face de cet Adonis à moitié nu.

— Je peux repasser plus tard, suggéra-t-elle.

— Pourquoi ?

Sans manifester le moindre trouble, il attrapa une blouse de chirurgien propre et l'enfila par-dessus cette poitrine dont elle n'arrivait pas à détacher les yeux.

Malgré la vigoureuse friction qu'il venait de leur administrer, ses cheveux étaient encore humides et hérissés sur sa tête. Il fit une tentative pour les aplatir mais ne réussit qu'à les emmêler davantage, ce qui le rendit encore plus sexy.

Elle s'en voulait terriblement de réagir comme une vieille fille ridicule et frustrée, mais c'était plus fort qu'elle.

D'ailleurs... une vieille fille ridicule ? C'était exactement ce qu'elle était...

Frustrée ? Non. Certainement pas. Elle menait une vie passionnante où il n'y avait pas de place pour la frustration.

— Je n'aurais pas dû venir si tôt. Je... je m'inquiétais un peu de savoir comment vous aviez passé la nuit.

Il haussa les épaules, mais elle remarqua tout de même une drôle de petite étincelle dans ses yeux clairs.

— Pas mal. Luke a dormi la plupart du temps. Je pense qu'il sera assez en forme pour faire un tour dans le jardin tout à l'heure.

A ces mots, elle se sentit fondre et essaya aussitôt de contrôler sa réaction. Allons donc, elle n'allait pas craquer pour un vétérinaire qui faisait correctement son travail ? Avec une certaine mauvaise foi, elle fit un effort pour se rappeler comme il avait été désagréable avec elle la veille : ce serait totalement ridicule de se laisser troubler par un sémillant vétérinaire qui se permettait de juger ses clients avant même de leur avoir demandé ce qui s'était passé.

Et cela, même s'il venait d'exhiber un ventre plat et musclé qu'elle aurait adoré — honte à elle ! — découvrir de ses mains fébriles.

Comme elle se sentait rougir encore plus, elle détourna les yeux. Voyons… Son chien… Elle était venue pour son chien, pas pour se laisser aller à des divagations parfaitement déplacées à propos d'un homme qui allait bientôt vivre à un jet de pierre de chez elle.

— Si vous estimez que Luke va bien, je peux le ramener chez moi ?

— Je l'ai sorti une fois pendant la nuit et ça s'est bien passé. Avant de vous donner le feu vert, nous allons voir comment il se débrouille maintenant.

Ils se dirigèrent tous les deux vers la grande cage où Luke était couché. En sentant la présence de sa maîtresse, il remua faiblement la queue pour lui souhaiter la bienvenue, ce qui l'émut aux larmes.

— Doucement, mon beau, doucement…, murmura-t-elle en lui caressant la tête.

Luke fit un effort pour se redresser mais renonça avec un gémissement de douleur.

— Il faut encore lui administrer des antalgiques, déclara le vétérinaire. C'est ce que j'allais faire avant de le sortir.

Elle ouvrit la porte de la cage et avança la main pour lui caresser le museau.

— J'espère que tu n'as pas tenu le Dr Caldwell éveillé toute la nuit !

— Un peu, mais pas trop, reconnut ce dernier.

Il ne s'était pas encore rasé. La barbe sombre qui ombrait ses joues lui donnait l'air un peu inquiétant d'un pirate des Caraïbes. Cette comparaison ne lui plairait

254 Une troublante attirance

certainement pas se dit-elle, mais à ses yeux, hélas, il n'en était que davantage séduisant. Et il serait certainement bien contrarié s'il devinait l'attirance involontaire qu'elle éprouvait pour lui.

— Nous avons connu quelques moments difficiles, avoua-t-il. Pour être franc avec vous, je n'étais pas certain qu'il s'en sortirait, mais c'est un chien courageux et résistant.

— Le fait d'être soigné par un bon vétérinaire l'a certainement beaucoup aidé. Je ne pense pas que le Dr Harris aurait fait mieux que vous.

Cet aveu lui coûtait, mais elle était trop honnête pour ne pas le faire.

— Vous qui aimez tant les animaux, vous savez sans doute que la compétence ne suffit pas toujours, ajouta le vétérinaire.

Elle en était parfaitement consciente et c'est bien ce qui lui causait du souci désormais à propos de Sadie, la première chienne qui lui avait appartenu en propre. Sadie avait treize ans maintenant, ce qui, pour un colley, est déjà un grand âge. Malgré tout l'amour qu'elle lui portait et tous les soins qu'elle pourrait lui offrir, elle savait que la vieille chienne ne serait pas éternellement avec elle et elle s'en inquiétait de temps à autre.

— Luke a l'air bien réveillé maintenant, déclara-t-elle. Qu'est-ce que vous en pensez ?

Le vétérinaire se pencha lui aussi pour caresser le chien et leurs doigts se rencontrèrent accidentellement dans la fourrure noire. Chacun retira vivement la main, comme s'ils s'étaient brûlés l'un à l'autre.

Pour se donner une contenance, elle rassembla ses cheveux en arrière.

— Quand pensez-vous que je pourrai le ramener chez moi ?

— Ce soir sans doute, si son état se maintient.

— Je serai vraiment heureuse si c'est possible. Merci de vous être si bien occupé de lui.

— Je n'ai fait que mon métier, rétorqua-t-il en haussant les épaules.

Elle se sentait redevable envers lui. D'une façon générale, ce sentiment lui était assez désagréable mais c'était bien pire lorsque son débiteur était un séduisant vétérinaire. Heureusement, histoire de se sentir quitte, elle avait son joker en poche. Le moment était venu de le sortir.

— Au fait, j'ai parlé à mon frère à propos de la maison du contremaître qui est actuellement vacante. Il est d'accord pour que vous vous y installiez quelque temps avec votre famille.

Le visage du vétérinaire s'éclaira.

— C'est vrai ? Les vacances seraient infiniment plus agréables pour mes enfants, et pour moi-même par la même occasion.

— Vous pouvez venir au ranch y jeter un coup d'œil avant d'accepter. Elle a toujours été entretenue mais ce n'est pas un palace.

— Nous n'avons pas besoin d'un palace ! Vous disiez qu'elle compte trois chambres ?

— Oui. Si vous êtes d'accord, Ridge propose que nous utilisions vos talents de vétérinaire en échange du loyer.

Ben Caldwell sourit à cette suggestion. Et cette fois encore, elle sentit son cœur battre comme un fou. Elle ne se reconnaissait pas ! Ce n'était vraiment pas dans ses habitudes de réagir ainsi devant les hommes. Pourtant, elle ne vivait pas en ermite comme ses frères le laissaient entendre en se moquant d'elle. De temps à autre, elle acceptait de sortir pour dîner ou aller au cinéma, mais elle s'arrangeait toujours pour passer la soirée sur un mode gai et décontracté. Elle donnait dans le style « copain ». Avec elle, pas question de flirter ou de se laisser courtiser. Dès qu'un de ses chevaliers servants se risquait à un peu d'intimité, la panique s'emparait d'elle et elle avait tôt fait de le remettre à sa place.

Aussi loin qu'elle s'en souvienne, elle ne se rappelait pas avoir jamais réagi aussi violemment à la présence d'un homme. Le trouble inattendu qu'elle éprouvait en présence de Ben Caldwell la surprenait et la déstabilisait totalement.

D'ailleurs, est-ce que ça n'était pas franchement ridicule de se mettre dans des états pareils alors qu'elle n'était même pas sûre encore de le trouver sympathique ?

— Vous savez, reprit-il, s'il y a trois chambres et un coin à peu près correct pour que Mme Michaels puisse cuisiner, je ne demande rien de plus.

Elle respira profondément et s'écarta un peu de l'épaule du vétérinaire.

— Vous ne craignez pas de tomber sur un taudis ? Certaines personnes proposent à leurs employés des logements qui ne méritent pas ce nom.

— Si c'était un taudis, je suis bien sûr que vous ne me l'auriez pas proposé.

— Vous me faites bien confiance alors que vous ne me connaissez pas du tout. Qui vous dit que je ne suis pas habituée à escroquer les nouveaux venus en panne de logement ?

Cette idée parut amuser beaucoup son interlocuteur.

— J'ai moins d'imagination que vous, voilà tout. Mais si vous y tenez, je peux très bien passer à votre ranch en fin de matinée quand Joni sera venue prendre le relais.

— Parfait. Cela me laisse juste le temps d'aller retirer les pièges à rats et les nids de cafards.

Cette fois, il éclata franchement de rire, comme elle

l'avait souhaité en disant ces énormités. Et, bien sûr, à son corps défendant, elle adora ce rire.

Quelle erreur monumentale elle avait faite en parlant de ce cottage ! Pourquoi n'avait-elle pas tenu sa langue ? Elle n'avait nul besoin de s'encombrer d'un bel homme aux larges épaules et au rire ensorceleur.

Elle s'efforça de réagir en se raccrochant à l'instant présent.

— Si je vous aidais à sortir Luke avant de regagner le ranch ?

— Non, merci, c'est inutile. Je peux faire ça tout seul.

— Comme vous voudrez. Alors, à tout à l'heure.

Elle se pencha de nouveau sur le chien qu'elle caressa affectueusement.

— Et toi aussi, à tout à l'heure, mon brave Luke.

Luke se mit à gémir comme s'il avait compris qu'elle allait le quitter. Le cœur serré, elle referma la porte de la cage.

L'expression du vétérinaire était devenue grave.

— Il faut tout de même que vous sachiez que votre chien ne pourra pas travailler au ranch comme vous l'aviez prévu, la prévint-il. J'ai remis ses os en place du mieux que j'ai pu, mais je n'ai pas accompli de miracle. Il ne pourra pas courir assez vite pour faire le travail que vous attendiez de lui.

— Aucune importance, docteur Caldwell. Il y aura toujours une place pour lui au ranch. Il ne sera pas le premier chez nous à passer une retraite heureuse et choyée.

— J'en suis très heureux pour lui, répondit le vétérinaire.

Elle décida d'ignorer de son mieux le sourire éclatant que lui adressait le vétérinaire-pirate. Sourire, qui, une fois de plus, venait de lui nouer l'estomac.

— Merci pour tout, docteur. Je vous attends au ranch.

Sur ce, elle se dirigea vers la porte, les jambes flageo-lantes et le cœur au bord des lèvres.

Mon Dieu, se dit-elle en retournant à sa voiture, *faites que Ben Caldwell soit retenu à sa clinique nuit et jour et que je n'aie affaire qu'à cette brave Mme Michaels ou aux deux enfants complètement inoffensifs, eux !*

4

— Mais, papa, j'aime bien vivre à l'hôtel ! s'écria Ava. Laura permet à Alex et Maya de jouer avec nous et on nous prépare le petit déjeuner tous les jours, comme dans les films.

Ben se retint d'éclater de rire, certain que sa fille n'apprécierait pas du tout pareille réaction. Pour Ava, être l'objet de moquerie ou manger sa ration de brocolis constituait deux tortures d'égale gravité.

— C'est vrai que c'est très agréable, reconnut-il, mais tu n'aimerais pas avoir un peu plus de place pour jouer ?

— Dans un coin paumé, au milieu des vaches et des chevaux ? Non merci, pas question.

Il soupira. Ce n'était pas la première fois qu'Ava manifestait ce type d'attitude condescendante qui le contrariait tant. Une fois de plus, il y vit le résultat de l'influence des grands-parents maternels de la petite.

Quand il avait parlé de quitter San José pour s'installer dans l'Idaho, Ava avait manifesté son désaccord avec force cris et larmes. Elle adorait les Marshall avec qui elle passait le plus de temps possible depuis la mort de Brooke. Malheureusement, Robert et Janet Marshall s'étaient employés à bourrer le crâne de la fillette avec des remarques et des critiques destinées à pourrir la relation qu'elle entretenait avec lui. L'objectif visé par les Marshall était clair : ils voulaient obtenir la garde des enfants par tous les moyens possibles.

D'une certaine manière, il estimait avoir des torts dans cette affaire. Tout de suite après la mort de Brooke, écrasé de chagrin, il n'avait pas suffisamment prêté attention aux fissures qui se créaient dans sa relation avec ses enfants. C'est seulement six mois plus tôt qu'il avait remarqué pour la première fois la distance qui s'insinuait entre eux. Un soir, de retour chez lui après un court séjour chez ses grands-parents, Jack avait refusé de l'embrasser.

Au bout de plusieurs jours au cours desquels il l'avait délicatement sondé, Jack, en pleurs, avait fini par avouer la cause de son désespoir. Sa grand-mère lui avait expliqué que le métier de son père consistait à tuer les chats et les chiens dont personne ne voulait. Cette accusation était totalement fausse puisqu'à l'époque, il travaillait dans un refuge pour animaux où l'euthanasie n'était pas pratiquée. Evidemment, elle avait profondément affecté le petit garçon aux yeux duquel son père était devenu un monstre de cruauté.

A partir de ce moment-là, il avait veillé à mettre de la distance entre les Marshall et ses enfants mais il en aurait fallu davantage pour décourager ces derniers de leur tentative de détourner leurs petits-enfants de lui.

En désespoir de cause, il avait fini par considérer que l'unique solution à ce travail de sape qui minait l'amour que ses enfants lui portaient était de s'éloigner de ces grands-parents dont la nocivité ne pourrait que s'accroître avec une fréquentation régulière. Voilà ce qui l'avait poussé à quitter San José pour venir s'installer dans l'Idaho. De cette manière, les liens avec les Marshall n'étaient pas coupés mais très fortement distendus grâce à l'éloignement. Peu à peu, il sentait qu'il regagnait la confiance de Jack et Ava mais s'il remportait une bataille de temps à autre, la guerre n'était pas pour autant définitivement gagnée.

— Ce n'est qu'une question de quelques semaines, Ava. Et au moins, avec cette solution, nous pourrions retrouver la délicieuse cuisine de Mme Michaels. Tu as oublié les bons gâteaux qu'elle sait nous préparer ?

— Moi, non ! lança Jack. Surtout pas ses brownies au chocolat.

Rien que de les évoquer, le petit en avait déjà l'eau à la bouche !

— C'est la première des choses que je lui demanderai de nous préparer, compléta le petit.

Ben lui adressa un grand sourire, tout heureux de trouver un allié.

— Moi, j'aime bien aller au McDo ou manger les surgelés qu'elle nous réchauffe dans le four, assura Ava.

Ben ne put retenir un soupir. La mauvaise foi de sa fille commençait à lui taper sur les nerfs. Malgré l'énervement qui montait lentement mais sûrement, il réussit à conserver son calme.

— Tu as pensé aux fêtes de Noël ? Tu es sûre que tu as envie de passer tes vacances dans une chambre d'hôtel où nous n'aurons même pas notre sapin décoré ?

Ava demeura silencieuse un moment, visiblement à la recherche de la repartie susceptible de démolir l'argument de son père qui mit à profit ce répit pour insister :

— Après tout, ce n'est peut-être pas si épouvantable de se passer de sapin de Noël. Le temps passe vite, nous en ferons un bien grand l'année prochaine pour compenser.

Voilà qui parut impressionner la fillette.

— Est-ce que je serai obligée de prendre le bus pour aller à l'école ? demanda Ava.

Ben n'avait pas envisagé cet aspect de la question et il le regretta. Avec une gamine aussi astucieuse qu'Ava, il aurait dû préparer avec plus de soin l'aspect logistique de sa proposition.

— Tu pourras si tu en as envie. Sinon, j'organiserai mon emploi du temps pour te conduire en classe avant d'aller à la clinique.

— Je ne veux pas prendre le bus. On doit y attraper tous les microbes de la création.

Encore un joli cadeau de sa belle-mère ! Janet Marshall avait inculqué à sa petite fille une véritable phobie des microbes.

— En tant que médecin, je te rappelle que la meilleure façon de renforcer ses défenses immunitaires, c'est de ne pas vivre en vase clos.

Ava fit une moue méprisante, puis, ne trouvant pas de réplique qui la satisfasse, elle plongea dans l'un de ces silences lourds de reproches dont elle avait le secret.

Il la regardait, désolé. Si elle continuait à ce rythme, elle aurait probablement réussi à le rendre fou avant même d'avoir réellement attaqué sa crise d'adolescence...

Quelques instants plus tard, néanmoins, il roulait en direction du ranch. Sa voiture passa sous une arche de bois sur laquelle on pouvait lire : « River Bow Ranch », avant de s'engager sur un chemin de terre. Au loin, sur une petite colline, on apercevait une grande maison de bois qui devait être la maison principale. Comme ils se rapprochaient, ils aperçurent ensuite une maison plus petite, de bois elle aussi, entourée d'une terrasse en planches.

Charmé, il ne put s'empêcher de penser qu'elle aurait très bien pu figurer sur une carte postale de Noël : un chalet en rondins, niché au milieu des sapins chargés de neige, entouré d'une clôture de bois qui le séparait des champs alentour, c'était exactement ce dont tout le monde rêve pendant cette période de l'année.

— On pourra monter à cheval quand on sera ici ? demanda Jack, tout excité par le spectacle de six ou sept chevaux occupés à manger une balle d'avoine.

— Non, je ne pense pas. Nous louons seulement la maison, mon fils, pas le ranch tout entier !

Les yeux brillants, Ava regardait elle aussi par la fenêtre de la voiture. Comme la plupart des fillettes de son âge, elle éprouvait une véritable passion pour les chevaux, mais la beauté de ce qu'elle découvrait ne suffit pas à lui faire oublier sa mauvaise humeur.

— Papa ! Tu avais dit que nous venions seulement visiter le ranch et que si ça ne nous plaisait pas, nous ne serions pas obligés de venir y habiter.

Excédé, Ben s'enjoignit à la patience.

— Oui, c'est bien ce que j'ai dit.

— Moi, ça me plaît ! lança Jack. Ils ont des chiens, des vaches, des chevaux… C'est super !

Deux colleys qui ressemblaient comme deux gouttes d'eau à celui qui se trouvait encore dans sa clinique les regardaient monter la petite route.

Avant qu'il ait eu le temps de garer sa voiture, la porte de la maison s'ouvrit et il vit Caidy Bowman venir à leur rencontre en enfilant sa parka. Elle avait dû guetter leur arrivée par la fenêtre. Avec ses longs cheveux noirs flottant sur ses épaules par-dessous son Stetson, elle avait l'air toute simple. Mais Ben avait déjà eu suffisamment affaire à elle pour ne pas se laisser abuser par cette apparence qu'il savait trompeuse.

Comme il descendait de sa voiture, elle s'avança vers lui.

— La maison que je vous propose est située juste un peu plus haut, dit-elle en faisant un geste de la main en direction du joli cottage niché dans les arbres. Restez dans votre voiture, ça vous évitera de marcher dans la neige. Ridge a déblayé le chemin ce matin avec le tracteur, vous ne devriez pas avoir de problème. Je vous retrouve là-haut tout de suite.

— Montez avec nous ! suggéra-t-il en faisant le tour de son véhicule pour ouvrir la portière du passager. Nous ferons route ensemble.

Pour quelque obscure raison, elle ne parut pas enthousiasmée par la proposition, mais après un instant d'hésitation, elle grimpa à côté de lui. Aussitôt la porte refermée, la cabine fut envahie par un léger parfum de vanille et de fleurs sauvages. C'était comme un petit miracle par cette froide matinée de décembre, sous un ciel plombé et lourd, de respirer cette odeur printanière. Tout à coup, il n'avait plus qu'une envie : rester assis à côté d'elle et remplir ses poumons de cette douceur.

Caldwell ! Un peu de tenue ! se dit-il, bien conscient que pareil désir était totalement déplacé. S'il appréciait tant ce parfum, rien ne l'empêchait d'aller en acheter un flacon et de le respirer tout à son gré et en toute tranquillité une fois de retour chez lui.

Sans doute… En attendant, il était tout content que sa maison soit habitable très prochainement car s'il restait davantage au River Bow Ranch, il risquait fort de s'attacher un peu trop à cette jeune femme qui était à elle seule tout un bouquet de fleurs sauvages.

— Bienvenue à River Bow Ranch, dit-elle quand il arrêta sa voiture devant le chalet.

Il allait la remercier quand il réalisa qu'elle s'était tournée vers le siège arrière et que c'était à ses enfants qu'elle parlait. Elle leur adressait un grand sourire, le premier sourire franc et joyeux qu'il voyait apparaître sur son visage depuis qu'il l'avait rencontrée.

— Est-ce que je pourrai monter un de tes chevaux ? demanda Jack qui avait de la suite dans les idées.

— Jack ! gronda Ben, mais Caidy se mit à rire.

— Si ça t'intéresse, nous pourrons certainement arranger quelque chose. Il y en a plusieurs au ranch qui sont très doux avec les enfants. Mon préféré s'appelle Old Pete, tu verras comme il est gentil !

Jack était tout sourires. Adorable, charmeur, comme dans ses meilleurs jours.

— Je peux monter un très bon cheval, tu sais ? J'ai les bottes et le casque et...

— Imbécile ! coupa sa sœur. C'est pas parce que tu as des bottes que tu es un vrai cow-boy !

Caidy s'interposa, évitant à la situation de s'envenimer.

— Et toi, Ava, est-ce que tu aimes les chevaux ? demanda-t-elle avec un sourire.

Le regard à l'affût dans le rétroviseur, il voyait bien que sa fille paraissait aussi excitée que Jack, mais qu'elle faisait des efforts pour le cacher. Peut-être redoutait-elle que ce qu'elle souhaitait ne se réalise pas, comme cela s'était déjà passé avec la mort de Brooke décédée malgré leurs prières ?

— Mmoui...

Caidy ne se laissa pas décourager par cette réponse plus qu'évasive.

— Dans ce cas, tu es venue au bon endroit. Je suis sûre que ma nièce Destry sera enchantée de t'emmener en balade avec elle.

Les yeux d'Ava s'arrondirent.

— Destry qui va à l'école de Pine Gulch ? C'est ta nièce ?

— Oui. Tu la connais ?

Ava fit « oui » de la tête.

— Elle a deux ans de plus que moi mais quand je suis arrivée à l'école, la principale, Mme Dalton, lui a demandé de me faire faire le tour de locaux. Elle a été supergentille et, maintenant encore, elle me dit toujours bonjour quand elle m'aperçoit.

— Tant mieux. Je suis contente de savoir qu'elle t'a bien accueillie.

Afin de ne pas paraître trop contente, ce qui nuirait à son image de jeune fille qu'on ne satisfait pas aussi facilement que cela, Ava détourna son visage vers la fenêtre.

— Nous voici arrivés, dit Caidy quand la voiture s'arrêta devant la maison. Je suis venue faire un peu de ménage et mettre le chauffage en marche hier. Il devrait faire bon maintenant.

Il se sentait gêné. Pourvu qu'elle ne se soit pas donné trop de mal pour eux… C'était étrange qu'elle fasse tous ces efforts alors qu'il n'était pas persuadé qu'elle avait réellement envie qu'il s'installe au ranch.

— Vous avez enlevé tous les pièges à rats ? demanda-t-il sur un ton faussement sérieux.

— Quoi ? hurla Ava. Il y a des rats dans cette maison ?

— Mais non, assura Caidy. Il y a bien trop de chats au ranch pour que le moindre rat puisse s'y installer. Ton papa était juste en train de plaisanter, n'est-ce pas ?

Il pinça les lèvres, tout surpris par cette remarque.

Est-ce qu'il plaisantait ? Oui.

Depuis combien de temps cela ne lui était pas arrivé ? Des siècles…

Avec stupeur, il réalisa que depuis des mois et des mois, il n'avait plus eu envie de rire de quoi que ce soit. Caidy Bowman avait le talent de faire resurgir sa vraie personnalité, enterrée avec Brooke.

— Bien sûr, Ava, je plaisantais.

A voir l'expression qui se dessina sur le visage de sa fille, il comprit qu'elle aussi était déstabilisée de découvrir son père en train de plaisanter, autant, si ce n'est plus, que la perspective de rencontrer quelques rongeurs de bonne taille sous son lit.

— Venez, proposa Caidy, je vais vous faire visiter l'intérieur.

— Je veux que tu nous montres les rats, exigea Jack, tout émoustillé.

— Il n'y a pas de rats, Jack, répéta Ben tandis que Caidy ouvrait la porte d'entrée.

— Idiot ! renchérit Ava. Papa plaisantait !

— Ah…, fit le petit, visiblement déçu.

A peine eurent-ils pénétré à l'intérieur qu'une délicieuse odeur de pin les environna.

— Oh ! s'écria Jack. Il y a un arbre de Noël !

C'était vrai. Dans un coin de la pièce principale trônait un beau sapin qui montait jusqu'au plafond, déjà couvert de guirlandes lumineuses.

Ben écarquilla les yeux. Il aurait parié que cet arbre n'était pas là quelques heures plus tôt mais qu'elle s'était arrangée pour l'installer et le décorer avant leur arrivée.

Elle avait fait cela pour leur faire plaisir, évidemment. Que dire ? Il avait le sentiment de vivre une sorte de dégel intérieur qui le laissait ému et à court de mots.

— Je… Il ne fallait pas vous donner ce mal…

— Oh ! ce n'est rien du tout ! répondit Caidy.

Mais il eut la nette impression qu'elle avait rosi.

— Mes frères s'en sont donnés à cœur joie cette année à couper des arbres dans le bois. Ils en ont offert à tous les voisins. Je me suis contentée d'installer celui-ci qui restait.

— Mais toutes ces guirlandes ?

— Nous en avions des tas. En fait, elles sont un peu fanées, mais je pense que Mme Michaels vous aidera à en fabriquer de toutes neuves en papier doré.

Elle avait parlé en se tournant vers les enfants. Comme prévu, Jack parut enchanté de l'idée tandis qu'Ava haussait les épaules.

Il avala sa salive péniblement. Autrefois, c'était Brooke qui s'occupait de tout cela… Si Mme Michaels n'avait pas pris le relais, il aurait été tout à fait incapable de décorer un arbre pour ses enfants.

— Suivez-moi, reprit Caidy. Je vais vous faire faire le tour du propriétaire. D'ailleurs, ce n'est pas compliqué, vous allez voir. En bas, vous avez cette grande salle de séjour et la cuisine. Les chambres sont en haut.

Elle avait une manière de présenter la maison qui ne lui rendait pas justice. La salle de séjour était vaste, avec un coin salon confortablement meublé d'un canapé en velours bourgogne et de fauteuils assortis ainsi que d'une table basse sur laquelle reposait une télévision d'un modèle ancien, mais doté d'un écran de belle taille.

Une belle cheminée en pierre occupait tout un pan de mur. Le foyer était vide mais juste à côté une pile de bûches avait été préparée, sans doute par Caidy. Il n'avait aucun mal à imaginer combien cette pièce serait chaleureuse et accueillante une fois que le feu y serait allumé. Il se voyait déjà, bien au chaud près des flammes, en train de regarder un match de basket à la télévision sans avoir besoin de baisser le son puisque Jack dormirait tranquillement à l'étage. Quelle agréable perspective !

Un simple coup d'œil sur la cuisine lui permit de constater qu'elle était d'une taille tout à fait satisfaisante et si son équipement paraissait un peu démodé, il était largement suffisant, avec un grand réfrigérateur et un four où Mme Michaels se ferait un plaisir de rôtir la dinde de Noël.

— Est-ce que vous voulez voir l'étage ? demanda Caidy.

Il lui emboîta le pas dans l'escalier en s'efforçant de ne pas s'attarder sur les formes de la jeune femme, fort agréablement moulées par son jean.

— Il y a une chambre avec un lit *king size*, poursuivit-elle, une autre avec un lit pour deux personnes et, dans la troisième chambre, des lits superposés. Vous pensez que vos enfants seront contrariés de partager la même pièce ?

— Pas du tout, se hâta de répondre Ben.

— Je veux voir les lits superposés, demanda Jack en se précipitant vers la pièce dans laquelle ils se trouvaient.

Ava suivit sans hâte mais elle aussi paraissait intéressée par la découverte de la maison.

— Une salle de bains est attenante à la grande chambre et une autre se trouve sur le palier pour les deux autres. Voyez, comme je vous le disais, c'est très simple. Vous pensez que cela peut vous convenir ?

— Moi, déclara Jack, je suis d'accord pour rester si je dors dans la couchette d'en haut.

Ben ne releva pas la condition émise par son fils et se tourna vers Ava.

— Et toi, Ava, qu'est-ce que tu en penses ?

Cette fois encore, la petite haussa les épaules.

— Bah… je préfère l'hôtel mais ça sera sympa d'habiter près de chez Destry et de prendre le bus avec elle le matin.

Sur ce, elle se tourna vers son frère, agressive.

— Et c'est *moi* qui aurai la couchette d'en haut parce que je suis l'aînée !

— Nous réglerons cette question plus tard, trancha Ben.

Je vois que tout le monde est d'accord pour la maison, et c'est l'essentiel. Nous aurons bien plus de place qu'à l'hôtel et je ne suis pas trop loin de la clinique. Caidy, j'apprécie beaucoup votre offre et j'ai le plaisir de vous annoncer que je l'accepte avec plaisir.

— Parfait. Vous pouvez emménager quand vous le voulez. Aujourd'hui même si vous le souhaitez. Il vous suffit d'amener vos valises.

Il devait reconnaître que la perspective d'avoir enfin un peu d'espace pour vivre à l'aise l'enchantait.

— Dans ce cas, nous pouvons rentrer à l'auberge, plier bagages et revenir ici en fin d'après-midi. Mme Michaels va être ravie, elle aussi.

— On pourra décorer l'arbre ce soir ? demanda Jack.

Ben ébouriffa les cheveux de son fils, heureux de le sentir toujours enthousiaste.

— Bien sûr. Nous achèterons quelques guirlandes tout à l'heure en ville.

Lorsqu'ils sortirent sur la terrasse, ils trouvèrent un vieux chien au museau couvert de poils gris qui les y attendait tranquillement.

— Qu'est-ce que tu fais ici, Sadie ? demanda Caidy. Tu as fait tout ce chemin dans le froid pour venir te faire de nouveaux amis, c'est ça ?

Sans prêter attention à la neige, elle s'accroupit et caressa la chienne.

— Je vous présente Sadie, ma meilleure amie, expliqua-t-elle aux enfants.

Ava s'approcha de la chienne tandis que Jack se réfugiait près de Ben. Il avait peur des chiens dès qu'ils dépassaient la taille d'un pékinois.

— Salut, Sadie, dit Ava.

— Elle est bien vieille, reprit Caidy. Treize ans. Je

l'ai reçue alors que j'étais adolescente. Nous avons fait beaucoup de choses ensemble.

— Sadie et Caidy, ça rime ! fit remarquer Ava à brûle-pourpoint.

— Je sais… Quand mes frères appelaient la chienne, je croyais que c'était moi qu'ils voulaient. Et quand ils m'appelaient, c'était Sadie qui arrivait en galopant ! En fait, ce n'est pas moi qui ai choisi son nom, c'est le rancher qui nous l'a donnée. Nous n'avons pas voulu le changer parce qu'elle y était déjà habituée.

Une lueur de tristesse traversa son regard vert tandis qu'elle serrait la chienne contre elle.

— Sadie a été le cadeau de Noël que j'ai reçu l'année de mes quatorze ans. Tu vois, Ava, j'étais à peine plus âgée que toi.

Ava se redressa toute fière de constater que Caidy pensait qu'elle était toute proche de l'âge vénérable de quatorze printemps plutôt que de ses neufs ans avérés. Ben devina qu'elle l'avait fait exprès.

— Cela faisait des mois que je demandais un chien à moi. Nous avions des chiens que mes frères prenaient avec eux pour travailler au ranch, mais j'en voulais un que je dresserais moi-même. Je me rappelle encore comme j'étais contente quand je l'ai découverte sous le sapin, avec un gros nœud rouge autour du cou.

Ben n'avait aucun mal à imaginer la scène. Caidy adolescente et le petit chien pelucheux qui remuait la queue de plaisir en découvrant sa jeune maîtresse. Dès l'âge de huit ans, lui-même avait prié et supplié parents et grands-parents de lui offrir un chien, mais chaque année lui avait apporté une nouvelle déception. Jamais il n'avait trouvé sous le sapin le chiot de ses rêves avec son nœud rouge autour du cou…

Il ouvrit la portière.

— Ava, serre-toi près de Jack pour faire de la place à Sadie.

— Oh non, lâcha Caidy, ce n'est pas la peine. Elle a marché dans la neige, elle sent le chien mouillé.

— Et alors ? rétorqua Ben. Voilà le genre d'odeur à laquelle notre famille est habituée depuis longtemps. Quand nous aurons amené Tri ici, il va se régaler de se rouler dans la neige !

Les deux enfants se mirent à rire, et, en voyant Ava se détendre enfin, il éprouva le sentiment d'avoir mené à bien une mission difficile.

Rassuré, il se détourna d'eux et découvrit le regard vert de Caidy posé sur lui. L'étrange magnétisme qu'il avait éprouvé lorsqu'il l'avait découverte devant lui au moment où il sortait de la douche se produisit de nouveau. Incapable de s'arracher à cette fascination, il fallut qu'il entende Ava et Jack se disputer pour revenir à la réalité.

Caidy s'éclaircit la voix.

— Merci pour votre proposition, mais je vais rester encore un peu ici pour finir le ménage dans les chambres.

Il se sentit soulagé. Momentanément, tout au moins. Il réalisait que ce ne serait pas simple de gérer ce voisinage… Il ne voulait pas de ce trouble, ni de cette chaleur dans son ventre, ni de ce fourmillement dans son sang.

Pourquoi ne pas dire à Caidy qu'il venait de changer d'avis ? Il aurait l'air d'un imbécile, évidemment. Comment lui avouer sans passer pour un demeuré : « Désolé, Caidy, je ne peux pas rester ici parce que j'ai peur de tomber sous votre charme. »

En plus, maintenant qu'il avait vu la délicieuse petite maison, il avait perdu toute envie de retourner s'enfermer dans une chambre d'hôtel. Après tout, il n'aurait qu'à se tenir loin de la jeune femme. C'était une forme de discipline qu'il devrait facilement acquérir avec un peu d'attention.

— Inutile de vous donner ce mal, Caidy. La maison est impeccable, nous pourrons très bien terminer nous-mêmes s'il y a quelque chose à faire.

— C'est hors de question ! J'en fais une question d'honneur. Je ne veux pas que vous vous installiez dans une maison poussiéreuse.

Il comprit qu'il était inutile de discuter plus longtemps.

— Comme vous voudrez. Je retourne à la clinique. Si Luke me paraît suffisamment bien, je vous le ramènerai quand je reviendrai apporter mes bagages.

Elle lui adressa un sourire plein de reconnaissance et, de nouveau, il ressentit ce délicieux et troublant coup au cœur.

— Oh ! Ce serait merveilleux, pas vrai, Sadie ?

La chienne frotta son museau contre le bras de la jeune femme qui releva la tête vers Ben.

— Parfait. Nous nous verrons donc un peu plus tard. Je suis contente que la maison vous convienne.

A ces mots, il sentit une boule se nouer dans sa gorge. Oui, la maison était parfaite. Quant au voisinage, il en était beaucoup moins sûr...

5

Au cours des heures qui suivirent, Caidy ne parvint pas à chasser l'étrange mélange de crainte et d'impatience qu'elle éprouvait depuis la visite de Ben.

Elle ne cessait de se répéter qu'en proposant cette maison à Ben, elle n'avait fait qu'un geste d'entraide, rien de plus. Grâce à elle, deux jeunes enfants pourraient jouer au grand air pendant les vacances et découvriraient leurs cadeaux de Noël sous leur arbre. Leur gouvernante leur cuisinerait enfin de bonnes choses au lieu de les nourrir de plats congelés réchauffés dans le four à micro-ondes de l'hôtel. C'était bien normal qu'elle soit heureuse d'avoir fait ce geste et c'était l'unique raison qui lui faisait chaud au cœur.

Malgré ce beau raisonnement, elle avait le pressentiment qu'avec leur présence au River Bow Ranch, sa vie allait changer du tout au tout. Pourtant, cette étrange anxiété ne la quitta pas de toute la journée malgré son emploi du temps lourdement chargé.

En fin d'après-midi, elle finissait le nettoyage des box avec l'aide de Destry en se disant que ce voisinage gênant n'était qu'une question de semaines et qu'elle avait bien tort de s'inquiéter autant. Et pour mieux s'en persuader, elle plantait sa fourche avec vigueur dans la paille qu'elle devait répandre pour terminer.

— Mesdemoiselles, un petit coup de main ?

C'était Ridge qui proposait son aide de cette galante manière et il eut le plaisir de voir sa fille rosir de fierté en s'entendant appeler « mademoiselle ». Effectivement, se dit Caidy, Destry avait beaucoup changé ces derniers temps. Elle allait avoir onze ans, grandissait à vue d'œil et commençait à prendre des formes bien féminines.

— Puisque tu es là, tu peux nous apporter une paire de bottes de paille supplémentaires ? demanda Caidy.

— Avec plaisir ! Allez, Destry, viens aider ton vieux père, ça ira plus vite.

Ils partirent en riant tous les deux tandis que Caidy se sentit envahie par une nostalgie inexplicable. Ce n'était pas la première fois que cela lui arrivait. En fait, son frère n'avait plus vraiment besoin d'elle pour s'occuper de Destry. Autant elle lui avait été utile quand sa fille était petite et qu'il s'était retrouvé seul et désemparé après le départ de Melinda, autant désormais, ils se débrouillaient très bien tous les deux. A cette époque, elle-même avait été très heureuse de se rendre utile, mais maintenant ? Destry était pratiquement une jeune fille, Ridge un père excellent. Ils n'avaient plus besoin d'elle.

Elle se mit à réfléchir, les mains croisées sur le manche de la fourche. Qui avait besoin d'elle désormais ? Personne. Per-son-ne…

Un énorme soupir de tristesse lui échappa juste au moment où Ridge revenait.

— Oh ! là, là… Qu'est-ce qui se passe ? Tu m'as l'air complètement déprimée ! Tu regrettes d'avoir cédé le cottage au nouveau vétérinaire ?

Elle se remit à étaler la paille à grands coups de fourche.

— Pas du tout. Il avait besoin d'une maison pendant quelque temps et nous en avions une vide, c'est un bon arrangement que de l'en faire profiter.

— En tout cas, Destry est enchantée à l'idée d'avoir des copains de jeu sur place.

— Au fait, elle n'est pas revenue avec toi ?

— Non. Elle s'est arrêtée pour jouer avec les chatons qui sont nés dans la nouvelle grange.

Destry adorait les animaux. Autant qu'elle-même au même âge. Peut-être réussirait-elle à devenir vétérinaire plus tard ?

— Je crains que nous ne soyons pas une compagnie très agréable pour elle à cette période de l'année. Ça ira mieux en janvier…

Il l'observait attentivement et, sous son regard scrutateur, elle se sentit gênée.

— Caidy, tu te rappelles comme maman aimait Noël ? dit-il finalement. Je suis sûr qu'elle détesterait que sa mort et celle de papa nous gâchent indéfiniment cette belle fête.

— Je sais…

Ce n'était pas la première fois qu'ils avaient cette discussion, hélas.

— Ne fais pas comme si j'étais la seule à être triste, poursuivit-elle. Toi aussi, tu détestes Noël.

— C'est vrai. Je crois qu'il est grand temps que nous changions quelque chose dans nos vies pour sortir de cette impasse. Taft et Trace y ont bien réussi tous les deux.

Tu n'étais pas là ! se retint-elle de crier. *Et eux non plus !* Elle était seule dans la maison avec ses parents ce jour-là. C'est elle qui s'était cachée dans le grand placard de la cuisine et qui avait entendu les derniers soupirs de sa mère tout en sachant qu'elle ne pouvait rien faire pour l'aider.

Tu n'étais pas là et ce n'était pas ta faute !

Impossible d'articuler ces mots. Elle n'avait jamais pu.

Au lieu de parler, elle s'absorba davantage dans sa

tâche, ajoutant encore un peu de paille dans un coin qui n'en avait nul besoin.

— Tu sais, Caidy, je pense que tu devrais reprendre tes études.

Encore une remarque dont elle se serait bien dispensée, surtout aujourd'hui où elle était déjà suffisamment bouleversée.

— Ecoute, Ridge, j'ai vingt-sept ans. Le temps des études est passé pour moi.

Son frère fronça les sourcils.

— Qu'est-ce que tu racontes là ? Plein de gens font des études sur le tard. Il faut parfois du temps pour savoir ce qu'on veut faire de sa vie. Je ne vois pas pourquoi ce ne serait pas ton cas.

— Parce que tu crois que je sais maintenant ce que je veux faire de la mienne ? marmonna-t-elle sans lever le nez.

— Tu crois que tu le découvriras en restant cloîtrée au ranch ? Jamais je n'aurais dû te permettre d'y revenir à la fin de la première année de fac. Je me le reproche tous les jours, crois-moi. C'est vrai qu'après le départ de Melinda, j'ai apprécié que tu sois là pour m'aider à m'occuper de Destry. J'étais tellement perdu entre le travail du ranch et les soins que je devais à ma fille… Je ne sais pas ce que je serais devenu sans toi.

Il retira ses gants de travail et les fourra dans la poche arrière de son jean.

Ces mots avaient dû être difficiles à prononcer pour lui qui était le plus secret des trois frères, le plus pudique. Il cachait bien son jeu derrière son masque d'homme à poigne, responsable du River Bow Ranch, mais elle savait à quel point il avait souffert du départ de Melinda.

— J'ai choisi la facilité plutôt que la bonne solution, reprit-il, et c'est toi qui payes pour moi.

— Arrête de dire des bêtises ! Tu n'as rien choisi du tout, c'est moi qui ai voulu rentrer. J'aurais quitté la fac, que tu aies besoin de moi ici ou pas.

— Sûrement pas si je m'étais arrangé pour que tu ne trouves pas au ranch un repli confortable et accueillant.

Caidy se demandait encore si ses frères la tenaient pour responsable du meurtre de leurs parents. Jamais aucun d'eux n'avait abordé la question, mais comment pourraient-ils ne pas lui en vouloir d'une façon ou d'une autre ? Ni elle ni leurs parents n'auraient dû se trouver à la maison ce soir-là. Voilà pourquoi ce qui n'aurait dû être qu'un simple cambriolage s'était transformé en un double meurtre quand son père avait essayé de faire fuir les voleurs.

Elle serait morte avec eux si sa mère n'avait pas eu l'idée de la cacher dans le grand placard de la cuisine en lui ordonnant de n'en sortir sous aucun prétexte.

Il lui arrivait souvent de penser que depuis cette horrible soirée, elle n'avait fait que continuer à se cacher.

— C'est toi qui devrais être le nouveau vétérinaire de Pine Gulch, pas un inconnu qui vient de Californie, reprit Ridge. Depuis que ce Caldwell est arrivé, je n'arrête pas de me le reprocher. Tu as toujours voulu être vétérinaire, le Dr Harris était persuadé que tu prendrais sa suite. Quand je pense à tout ça, j'en suis malade !

Ridge avait mis le doigt exactement à l'endroit où elle avait mal. Ben Caldwell vivait ce qui avait été son rêve à elle pendant des années. C'était difficile à admettre, même si elle n'avait absolument pas le droit de lui en vouloir.

— J'ai fait mes choix, Ridge, et je ne les regrette pas. Pas une seconde.

— Tu as besoin d'avoir une vie à toi, Caidy. Il te

faut une famille, une maison. Tu te rends compte que tu ne sors jamais ?

Piquée au vif, elle leva le nez, provocante.

— Qu'est-ce que tu deviendrais si jamais je décampais avec le nouveau vétérinaire ?

Pas plus tôt les mots sortis de sa bouche, elle se mordit la langue. Quel démon lui avait soufflé une idée aussi folle ? C'était toujours pareil, elle parlait trop vite. Quand donc apprendrait-elle à se taire ?

Ridge leva un sourcil et la considéra un instant en silence, comme s'il cherchait à comprendre quelque chose. Sous ce regard pénétrant, elle se sentit ses joues devenir rouges comme des pivoines.

— Ce que je deviendrais ? Mais ce n'est pas ton problème ! Je serais heureux pour toi, c'est tout, dans la mesure où il serait un bon compagnon, bien entendu.

A ces mots, elle sentit son cœur chavirer. Heureusement, elle n'eut pas à chercher de réponse car Destry fit irruption à ce moment-là, tout excitée.

— Les voilà ! Ils arrivent ! Je viens de voir deux voitures dans le chemin.

Elle sentit la rougeur qui colorait son visage gagner son cou et ses épaules.

— Parfait ! se contenta-t-elle de répondre d'un ton qu'elle aurait voulu plus gai.

— Tu crois qu'ils ont Luke avec eux ?

— Je ne sais pas, mais nous serons vite fixés.

Tous trois sortirent de la grange pour voir les deux voitures s'arrêter devant la maison principale au lieu de continuer sur le chemin qui menait au petit chalet.

Ben descendit de son véhicule pendant que Ridge et Destry s'approchaient de lui.

Quant à Caidy, elle essayait de maîtriser sa respiration devenue haletante. Au cours des dernières heures, elle avait oublié à quel point Ben Caldwell était un homme séduisant. Même quand il ne sortait pas de la douche, torse nu, avec les cheveux humides...

Les mots qui lui avaient échappé tout à l'heure lui montèrent de nouveau aux lèvres.

Qu'est-ce que tu deviendrais si jamais je décampais avec le nouveau vétérinaire ?

La vraie question était plutôt la suivante : qu'est-ce qu'*elle-même* deviendrait ? En fait, elle se voyait très bien perdre la tête pour cet homme. A elle de faire de son mieux pour que cela ne se produise pas. La solution ? Evidente : il suffisait de l'éviter le plus possible. En théorie, c'était parfait. Dans la pratique, il en allait autrement. Comment y arriver alors que son métier était de dresser des chiens et qu'il était le seul vétérinaire de la ville ? C'était une nouvelle formulation de la quadrature du cercle...

Ben s'avança vers Ridge à qui il serra la main. Puis il en fit autant à Destry qui en rosit de plaisir. Elle lui sourit et lui rendit sa vigoureuse poignée de main qui fit danser ses nattes sous son Stetson.

Caidy eut droit à un sourire beaucoup plus chaleureux que tous ceux qu'il lui avait adressés jusque-là. Bien entendu le feu lui monta aux joues et cela n'échappa pas à Ridge qui les observait tous les deux. Zut et zut ! Si seulement elle avait tenu sa langue tout à l'heure ! Connaissant son frère, il n'allait pas la laisser tranquille avec ça...

— Merci infiniment pour votre accueil, déclara Ben. J'avoue qu'un peu d'espace nous fera du bien à tous, surtout pendant les vacances.

Il se tourna vers Caidy.

— Et j'ai là dans la voiture un client qui a grande hâte de se retrouver au River Bow Ranch.

— Vous pensez qu'il est assez bien pour revenir à la maison ?

— Il me semble. C'est un chien courageux qui a beaucoup d'énergie. Je l'ai vu reprendre des forces à vue d'œil. Bien sûr, il vous faudra le surveiller de près pendant quelque temps encore, mais il n'y a pas de raison pour qu'il reste à la clinique.

Tous s'avancèrent vers l'arrière du véhicule où Luke était allongé dans une cage prévue pour les convalescences. Dès qu'il aperçut Caidy, il se mit à gémir et essaya de se mettre debout.

— Doucement, Luke, dit Ben. C'est trop tôt pour ça, mon vieux.

Luke obéit, comme apaisé par cette voix calme et rassurante.

Destry lui caressa la tête, toute triste de voir le gros pansement qui entourait le corps du chien.

— Mon pauvre Luke !

— Je suis désolée que ton chien soit blessé, mais tu vas voir, il va aller mieux bien vite maintenant, déclara Ava depuis le siège arrière.

— En fait, c'est le chien de ma tante Caidy.

— Tiens, lança Jack, regarde notre chien. Il s'appelle Tri.

Le nouveau venu jappa en entendant son nom. Il était minuscule, sans doute une sorte de chihuahua.

— Est-ce que Luke peut marcher ? demanda Ridge.

— Difficilement pour l'instant. Il vaut mieux lui donner le temps de se remettre avant de le laisser faire trop d'efforts. Je peux vous aider à transporter la cage à l'intérieur ?

— Avec plaisir, répondit Ridge.

Pendant qu'ils effectuaient le transport, Caidy se demandait si elle devait proposer aux enfants d'entrer ou rester avec eux dehors. Mme Michaels résolut son dilemme.

— Si vous entriez vous aussi pour aider à installer votre chien ?

— Oui, j'en ai bien envie, répondit Caidy, mais entrez vous aussi avec les enfants.

— Non, merci. Je suis sûre que le Dr Caldwell ne va pas s'attarder. Il sait qu'Ava et Jack ont hâte de prendre possession de leur chambre.

Ridge et le vétérinaire avaient apporté la cage à l'endroit que Caidy avait préparé la veille dans l'attente de ce moment.

— Caidy aime garder les animaux malades dans la cuisine, expliqua Ridge. Comme sa chambre est au rez-de-chaussée, elle peut avoir un œil sur eux sans difficulté.

— Et c'est facile pour eux de sortir par la porte arrière, ajouta-t-elle.

— J'adore l'enclos que vous lui avez préparé ! dit Ben en découvrant ce que Caidy avait préparé pour accueillir Luke.

En effet, quelques années plus tôt, Caidy avait acheté un parc d'enfant qu'elle utilisait chaque fois que l'activité physique d'un de ses chiens devait être limitée. Ce système ingénieux s'était avéré parfaitement efficace.

— Est-ce qu'il y a des consignes spéciales à respecter ? demada Caidy.

— Le plus gros risque actuellement est l'infection. Il faut donc tenir les blessures aussi propres que possible.

— Caidy va faire ça très bien, assura Ridge. Elle est experte en la matière car elle a souvent aidé le Dr Harris à la clinique.

— C'est ce qu'elle m'a dit un peu plus tôt.

— Elle aurait dû devenir vétérinaire, ajouta Ridge. C'était son rêve depuis toujours.

— C'est vrai ? demanda Ben en se tournant vers elle.

De toute évidence, il brûlait de demander pourquoi elle n'avait pas réalisé ce projet s'il lui tenait tellement à cœur. Cette sollicitude agaça Caidy. Les gens ont bien le droit de changer d'idées !

— Oui, c'est vrai, répondit-elle néanmoins. Mais à huit ans, je voulais devenir ballerine, et à onze, actrice de cinéma…

Et cantatrice aussi. Mais cela, elle le garda pour elle. Encore un rêve auquel elle avait renoncé.

— Vous devez avoir hâte de vous installer, déclara-t-elle. La clé du chalet se trouve sur la table de la cuisine avec notre numéro de téléphone et certains renseignements pratiques.

Elle n'avait jamais imaginé qu'elle ferait un jour maison d'hôtes pour un vétérinaire bien trop sexy, et pourtant…

— Si vous avez quelque souci que ce soit avec les appareils, n'hésitez pas à appeler.

— Tout ira bien, j'en suis sûr. De votre côté, prévenez-moi si vous avez la moindre inquiétude au sujet de Luke. Voici le numéro de mon téléphone portable.

Il sortit une carte de visite de la poche de son manteau et la déposa sur la table.

— S'il a de la fièvre ou manifeste un symptôme qui vous inquiète, appelez-moi tout de suite, que ce soit de jour ou de nuit.

Elle était bien certaine qu'elle n'en ferait rien mais elle le remercia néanmoins.

— Je vous laisse un peu vite, s'excusa-t-il, mais vous comprendrez sans peine que les petits ont grande envie de décorer leur arbre.

Elle lui sourit.

— Bien sûr. Au fait, Destry et moi avons retrouvé un certain nombre de décorations que nous n'utilisons pas. Prenez-les pour compléter les vôtres.

— Merci. Mme Michaels et les enfants en feront bon usage sans aucun doute.

Encore une fois, il lui adressa ce sourire fabuleux qui lui mettait le cœur à l'envers, et encore une fois, elle dut lutter contre cet émoi ridicule qu'elle n'arrivait pas à maîtriser.

Cela fait, Ridge et elle regardèrent les deux voitures monter vers le chalet.

— Il a l'air sympa, ton véto, lâcha Ridge.

— Mon véto ? Arrête ça, Ridge. C'est le vétérinaire de Pine Gulch, point final.

Elle se rappela comment Ben s'était montré revêche et désagréable la première fois qu'elle avait eu affaire à lui. « Sympa » n'était certainement pas le mot qu'elle aurait choisi pour le décrire, mais depuis le temps, elle commençait à changer d'avis.

— Oui, plutôt, convint-elle.

Ridge la regarda de travers.

— Dis donc, Caidy, si tu as le projet de décamper avec lui, comme tu disais tout à l'heure, il faudrait te montrer un peu plus enthousiaste ! Au moins en sa présence. Les hommes ont besoin d'un minimum d'encouragement pour passer à l'acte.

Le monstre ! Il avait le chic pour la faire rougir.

Ce qui ressortait clairement de cette rencontre, c'est qu'elle allait devoir se montrer particulièrement indifférente à Ben pour empêcher Ridge de jouer les marieurs pendant les vacances de Noël.

*
* *

Un corps de femme est plein de secrets, de mystères et de courbes délicieuses.

Ben était au paradis. Dans un paradis parfumé et tiède comme un jardin au printemps. Il laissait ses doigts courir sur le corps de la femme qu'il tenait dans ses bras, il en explorait tous les trésors cachés. Il aurait aimé passer le restant de ses jours, le visage posé sur cette peau satinée qui sentait la vanille et les fleurs sauvages. Son érection était dure comme un roc, entretenue par le contact avec la toison drue et brune de sa compagne. Elle lui souriait, de ce sourire qui le rendait fou, tandis que ses yeux verts pétillaient d'ardeur. Il laissa échapper un grognement et se mit à l'embrasser.

La bouche de la jeune femme était aussi accueillante que le reste de son corps. Lorsqu'elle commença à jouer avec sa langue, tous les désirs frustrés qu'il refrénait depuis si longtemps brisèrent leurs digues. Il se laissa aller au baiser avec furie.

— Oui, embrasse-moi, murmurait-elle. Encore… Oui, comme ça. Je t'en prie, n'arrête pas…

Il n'avait plus qu'une envie, se glisser en elle et il s'apprêtait à le faire lorsqu'un téléphone sonna près de son oreille.

Pétrifié, il sortit lentement de son rêve érotique. Le premier qu'il faisait depuis des mois.

Un instant encore, Caidy Bowman demeura enlacée contre lui, mais il cligna les yeux et elle disparut.

La sonnerie retentit une nouvelle fois. Il regarda le réveille-matin : il était 3 heures. A moins d'une urgence, personne n'appelait à une heure pareille. Il attrapa l'appareil en faisant effort pour oublier son excitation sexuelle.

— Oui ? répondit-il.

— Je… je suis désolée… Je n'aurais pas dû vous appeler.

Le fait d'entendre au téléphone la voix de Caidy Bowman juste après l'avoir entendue dans son rêve le supplier de l'embrasser le déstabilisa complètement. Il lui fallut un moment pour reprendre pied dans la réalité.

— Allô ? Vous êtes là ? demanda-t-elle comme il ne répondait rien, encore accroché à son rêve délicieux.

— Oui, oui… Excusez-moi…

Il fit pivoter ses jambes hors de son lit.

— Luke ne va pas bien ?

— Non. J'ai hésité avant de vous déranger mais je crois que c'est grave. Il a du mal à respirer. Je me suis demandé si c'était une infection mais il ne manifeste aucun signe de fièvre. J'ai changé ses deux pansements qui étaient propres tous les deux.

Il alluma la lampe de chevet, puis se frotta le visage pour chasser définitivement les derniers vestiges de son rêve.

— J'arrive tout de suite.

— Est-ce que je peux faire quelque chose pour vous éviter de venir jusqu'ici ?

— Non. Donnez-moi cinq minutes et je suis chez vous.

Il enfila son jean, un T-shirt et une veste tandis que mille possibilités lui passaient par la tête concernant l'état de santé de Luke. Aucune d'entre elles ne conduisait à une issue heureuse. Vite, il griffonna un mot pour Mme Michaels et alla le glisser sous sa porte. Depuis qu'elle travaillait chez lui, elle était habituée à ce qu'il soit appelé en urgence au milieu de la nuit, mais mieux valait lui éviter tout sujet d'inquiétude.

La neige étincelait sous les phares de sa voiture le long du petit chemin qui menait du chalet à la grande maison. De loin, il aperçut de la lumière dans la cuisine.

Il se gara aussi près que possible de la porte et quitta sa voiture, sa trousse d'urgence à la main.

Avant même qu'il ait eu le temps de frapper, la porte d'entrée s'ouvrit. Caidy se tenait devant lui, les cheveux emmêlés, les yeux agrandis d'inquiétude.

— Merci de venir aussi vite. J'aurais préféré ne pas vous appeler, mais je ne savais pas quoi faire pour le soulager. Je suis complètement démunie.

Voilà qui ne devait pas être facile à avouer pour une femme de cette trempe.

Oui, embrasse-moi, murmurait-elle. *Encore… Oui, comme ça. Je t'en prie, n'arrête pas…*

Pas question de replonger dans ce rêve troublant !

— Allons voir ce qui se passe.

Le chien n'allait pas bien, cela se voyait au premier coup d'œil. Il respirait trop vite et avec difficulté. Ses gencives étaient bleues. Il sortit rapidement le masque à oxygène de sa trousse et l'appliqua sur le nez et la bouche du chien.

— Son état a encore empiré depuis le moment où je vous ai appelé. Je suis très inquiète.

Il passa la main sur la poitrine du chien et comprit aussitôt de quoi il retournait. A chaque laborieuse inspiration de Luke, il entendait le bruit produit par l'air dans sa poitrine. Il retint un juron.

— Qu'est-ce que c'est ?

— Un pneumothorax. Il y a épanchement de l'air dans la cavité pleurale à cause d'une perforation de la plèvre. L'air reste emprisonné dans sa poitrine. Il faut l'évacuer. Vous avez le choix : ou bien j'amène Luke à la clinique pour avoir confirmation de ce diagnostic avec une radio, ou bien je me fie à mon intuition. Je sens la localisation de l'épanchement. Je peux chasser l'air emprisonné à l'aide d'une seringue, ce qui le soulagera immédiatement. A vous de choisir.

Elle réfléchit un court instant.

— Je vous fais confiance. Si vous pouvez faire quelque chose tout de suite, allez-y !

Ben chercha dans sa sacoche les instruments dont il allait avoir besoin, puis il s'agenouilla de nouveau près du chien.

— Qu'est-ce que je peux faire ? demanda Caidy.

— Gardez votre calme et empêchez-le de remuer.

Les moments qui suivirent se déroulèrent comme dans un film au ralenti. Il entendait Caidy parler d'une voix apaisante tandis que, de ses mains habiles, elle maintenait Luke aussi fermement que possible. Grâce à son stéthoscope, il réussit à localiser précisément le pneumothorax. A partir de là, la suite fut aussi rapide qu'efficace. Il désinfecta la peau, fit pénétrer l'aiguille juste à l'endroit qu'il avait repéré. Aussitôt, l'air sortit en gargouillant.

Ce traitement est l'un de ceux qui sont immédiatement efficaces. Pratiquement miraculeux. A un moment donné, le chien étouffait faute d'air, au moment suivant, sa respiration était redevenue calme et régulière. Les poumons s'étaient remis à faire leur travail. Il lui retira le masque à oxygène et rangea la seringue qui serait ensuite jetée à la clinique.

— C'est fini ? demanda Caidy.

— Normalement, oui, même s'il faut encore le surveiller. Si vous voulez, je peux le ramener à la clinique.

— Non. Je… C'est incroyable !

Elle le regardait exactement comme s'il venait de décrocher la lune, et les étoiles aussi. Il ressentit un drôle de petit pincement au cœur. Sans doute un reste complètement déplacé du rêve qu'il avait fait tout à l'heure.

— Merci ! Merci mille fois, reprit-elle. J'étais malade d'inquiétude.

— Je suis ravi d'avoir été si près pour pouvoir aider en un temps record.

— Tout de même... je suis désolée de vous avoir réveillé.

Lui aussi regrettait d'avoir été réveillé, mais il n'allait pas lui expliquer pourquoi !

— Surtout pas. C'était vraiment nécessaire.

— Est-ce que je dois m'inquiéter de quelque chose ?

— Non, je ne pense pas. Ses poumons sont libérés. S'il a d'autres problèmes respiratoires, nous ferons une radio plus tard. Tout de même, si cela ne vous ennuie pas, j'aimerais bien rester un moment près de lui pour voir si son état se maintient.

— Bien sûr. Je peux vous proposer quelque chose de chaud ? Un café n'est peut-être pas une très bonne idée dans ces heures-ci, mais je peux faire du thé et du chocolat.

— Un chocolat chaud serait divin !

Pendant qu'elle s'affairait à préparer les boissons, il s'efforça de ne pas penser au plaisir qu'il éprouvait à être assis dans cette cuisine, bien au chaud, pendant que la neige voletait contre la fenêtre. C'était un moment d'intimité dont il avait perdu la notion.

Quelques instants plus tard, elle revint avec deux grandes tasses de chocolat fumant.

Il porta la sienne à ses lèvres, laissant le mélange de cacao et de framboise envahir sa bouche.

— Quel délice ! Je n'ai jamais bu de meilleur chocolat de ma vie.

— C'est parce que je le prépare à l'ancienne, avec du chocolat importé de France.

Les yeux clos, il se disait que rien que pour le plaisir de savourer pareil délice, cela valait la peine d'être réveillé en pleine nuit.

Elle s'assit en face de lui à la table de la salle à manger. A chacune de ses inspirations, il apercevait sa gorge se soulever doucement dans l'échancrure de sa robe de chambre, ce qui le renvoyait à son rêve et le mettait à la torture.

— Vous êtes bien installés dans le chalet ? Tout va comme vous le souhaitez ? demanda-t-elle.

— Pour l'instant, tout est parfait. Mais je n'y ai pas encore dormi une nuit entière ! ajouta-t-il en riant.

Il n'ajouta pas que le peu de sommeil qu'il y avait connu avait été peuplé d'un rêve aussi délicieux qu'inavouable.

— Oui, je suis vraiment désolée de vous avoir tiré du lit, reprit-elle. D'autant plus que vous aviez déjà veillé la nuit précédente à cause de Luke.

Il haussa les épaules.

— Je ne voulais pas vous faire un reproche voilé, loin de là ! Les urgences, de nuit ou de jour, font partie de la vie que j'ai choisie, c'est tout. Pour en revenir à notre installation, je peux vous assurer que les enfants sont ravis d'avoir de l'espace pour jouer. Quant à Mme Michaels, elle est plus qu'enchantée d'avoir enfin une vraie cuisine à sa disposition et j'ajouterai que je suis presque aussi content qu'elle car c'est un fin cordon-bleu. Vous ne pouvez pas imaginer à quel point j'en avais plus qu'assez des plats surgelés ! Elle nous a faits pour le dîner un plat de macaronis à la viande qui est un pur délice. Il faudra que vous veniez le goûter un de ces jours.

— Vous avez beaucoup de chance qu'elle ait accepté de quitter la Californie pour vous suivre jusqu'ici.

— C'est peu de le dire ! Sans elle, je serais complètement perdu. Depuis la mort de Brooke, ma femme,
c'est elle qui me tient la tête hors de l'eau.

— Je suis curieuse de savoir pourquoi vous avez choisi
Pine Gulch pour vous installer. C'est une toute petite
ville. Comment avez-vous découvert son existence ?

— Figurez-vous que je connais le Dr Harris depuis
mes études de vétérinaire. Nous nous sommes rencontrés
à un congrès, nous avons sympathisé et nous avons
ensuite régulièrement échangé une correspondance par
e-mails. Quand il m'a annoncé qu'il allait prendre sa
retraite et qu'il voulait vendre sa clinique, il m'a semblé
que c'était l'occasion rêvée de quitter la Californie. Je…
j'avais des raisons personnelles pour cela.

Elle ne chercha pas à en savoir davantage, mais il
pouvait lire dans ses yeux que son histoire l'intéressait.
Une brusque envie de la lui raconter s'empara de lui.
Pourquoi ? Difficile à expliquer… Peut-être à cause de
l'ambiance chaleureuse de cette cuisine ? Ou à cause
du regard admiratif qu'elle lui avait adressé après le
pneumothorax ? Peu importait. Peut-être aussi parce
qu'il n'en avait jamais parlé à personne, même pas à
Mme Michaels.

— Il y a deux ans que ma femme est morte. Le
moment était arrivé pour les enfants et moi de prendre
un nouveau départ, de créer de nouvelles relations, loin
des vieux schémas. Vous savez, les liens familiaux sont
parfois un peu oppressants.

— Je vous comprends parfaitement. Moi aussi, j'éprouve
de temps à autre le besoin de repartir de zéro, mais il
faut du courage pour le faire… Beaucoup de courage.

De quoi avait-elle envie de s'éloigner ? se demanda-t-il.
Il eut tout à coup l'impression que sous son visage lisse
et son sourire séduisant, cette jeune femme passionnée

par les animaux et affectueusement liée aux siens cachait quelque secret soigneusement enfoui. Un drame dont elle tentait de se libérer silencieusement mais pas forcément avec succès.

— Ce qui fait que vous avez plié bagage pour venir au fin fond de l'Idaho ? reprit-elle.

— Oui, c'est à peu près ça.

Elle avala une gorgée de chocolat et le silence s'installa entre eux, entrecoupé seulement par la respiration de Luke qui s'était faite légère et régulière, à son grand soulagement.

— Votre femme est morte brutalement ?

— Oui. Dans un accident de voiture. Elle est tombée dans un coma diabétique alors qu'elle était au volant et a perdu le contrôle de son véhicule.

Il garda le reste pour lui. Il ne parla pas de l'enfant à naître qu'il n'avait pas souhaité et qui était mort en même temps qu'elle. Il n'évoqua pas non plus l'immense colère qui l'avait habité pendant les semaines précédant la mort de Brooke. Maintenant encore, il sentait la rage s'emparer de lui quand il y pensait. Alors qu'ils avaient décidé tous les deux de ne plus avoir d'enfant après la naissance de Jack, précisément parce que les médecins les avaient avertis des risques que lui ferait courir une nouvelle grossesse, Brooke avait choisi de tomber enceinte sans lui demander son avis.

Aujourd'hui, il détestait la réaction qu'il avait eue. Il s'était fâché avec elle et à partir du jour où elle lui avait annoncé qu'elle était enceinte, il avait même pris l'habitude de dormir dans la chambre d'amis pour la punir de l'avoir exclu de sa décision.

Caidy le regardait avec une sympathie qu'il estimait ne pas mériter.

— Quelle fin tragique... Elle devait être jeune.

— Elle avait trente ans.

Oui, c'était une fin tragique car elle n'aurait jamais dû se produire. Au lieu de l'épauler dans son deuil, les parents de Brooke le tenaient pour responsable de cette disparition prématurée qu'ils ne lui pardonnaient pas. Depuis, ils s'étaient employés à détacher Ava et Jack de lui.

— Votre femme doit beaucoup vous manquer, reprit-elle. Je comprends que vous ayez eu envie de changer de vie et de vous éloigner de tous ces souvenirs.

Brooke lui manquait en effet. Au moment de leur mariage, il était amoureux fou d'elle, jusqu'à ce que son côté enfant gâtée qui lui avait paru être un de ses charmes au début de leur fréquentation finisse par se manifester de manière excessive.

C'est ce trait de caractère qui l'avait amenée à s'estimer plus forte que son diabète. A ses yeux, cette maladie était une punition qu'elle ne méritait pas et, par une réaction très enfantine, elle avait décidé de faire comme si de rien n'était. Au point de négliger de se soigner et de prendre les médicaments qui lui avaient été prescrits.

Avec Jack et Ava, elle avait été une mère très aimante, il ne pouvait pas le nier, mais jusqu'à quel point est-ce être une mère aimante que de mettre sa santé en danger sous le prétexte qu'elle voulait un troisième enfant ?

Cette question le taraudait depuis la mort de Brooke mais il refusait de lui donner une réponse par crainte de détruire ses meilleurs souvenirs. Mieux valait changer de sujet de conversation.

— Et vous, demanda-t-il, vous avez déjà été mariée ?

Elle sursauta en entendant cette question directe.

— Moi ? Je... Non. Je sors de temps en temps mais les célibataires sont assez peu nombreux à Pine Gulch. Je crois que j'en ai fait le tour.

Mais vous ne me connaissez pas, moi !

Voilà la pensée dangereuse qui lui vint spontanément à l'esprit. Dangereuse et parfaitement déplacée puisqu'il n'avait aucune envie de se lancer dans ce petit jeu. Certes, Caidy était belle et il se sentait attiré par elle mais jamais pourtant il ne ferait quoi que ce soit pour aller plus loin. Veiller sur ses enfants et lancer sa clinique, voilà quelles étaient ses priorités, ce qui suffisait amplement à l'occuper. Inutile d'alourdir sa tâche en introduisant dans sa vie une femme aussi compliquée que Caidy Bowman.

D'ailleurs, pourquoi se cachait-elle dans une petite ville comme Pine Gulch ? Pourquoi n'était-elle pas devenue vétérinaire comme elle en rêvait ? Malgré sa beauté et le sourire fulgurant qui lui venait aux lèvres de temps à autre, il avait le sentiment qu'elle était une femme triste et seule. Rien ne lui permettait de l'affirmer, et pourtant, il en était intimement persuadé.

— Vous n'avez jamais essayé de chercher ailleurs qu'à Pine Gulch ? Ne serait-ce que grâce aux sites internet ?

Ironique, elle le dévisagea.

— Tiens !… Vous êtes non seulement vétérinaire mais aussi coach-marieur ? C'est une étrange combinaison, mais pourquoi pas, après tout !

Il ne put s'empêcher de rire.

— Voyez un peu comme vous avez de la chance d'être tombé sur moi. Je soigne votre chien et vos problèmes de cœur en même temps, tout ça pour le même prix !

Elle le regardait d'un air moqueur, un coin de la bouche un peu plus relevé que l'autre. Juste assez pour que l'envie de l'embrasser devienne irrésistible.

Car depuis un bon moment déjà, il mourait d'envie de l'embrasser. Un échantillon de baiser… pas plus…

Allons, il devait partir. Tout de suite. Avant de faire

quelque chose de complètement fou, qui, au lieu de transformer ses rêves de la nuit en réalité, lui vaudrait sans aucun doute une bonne paire de claques de la part de l'intéressée.

A ce moment, Luke laissa échapper un gros soupir. Ce fut le prétexte qu'il saisit pour se rapprocher du parc dans lequel il reposait. Malheureusement, Caidy le suivit aussitôt, anxieuse sans doute de le voir revenir vers son chien.

— Vous êtes inquiet ? Il va mal ?

— Non, il respire normalement. Je pense que nous avons réglé le problème.

— Merci encore pour votre aide. J'espère que je n'aurai plus besoin de vous appeler la nuit.

— Vous auriez tort d'hésiter. J'habite juste au coin de la rue maintenant !

— C'est vrai, mais je vous promets de ne pas abuser de votre voisinage.

Au contraire ! Usez et abusez, jolie Caidy Bowman… vous m'en verrez fort aise.

Il s'éclaircit la voix, plongea son regard dans les yeux verts où l'anxiété venait de disparaître.

— Franchement, je trouve que les gars d'ici ne sont pas très malins…

Les choses auraient pu en rester là et tout aurait été simple et sans danger. Mais voilà… Elle laissa glisser son regard jusqu'à sa bouche, qui s'y posa, s'y fixa. Et alors, tout en regrettant déjà ce à quoi il n'avait pas la force de renoncer, il s'approcha d'elle et la prit dans ses bras.

6

Au moment où la bouche de Ben, tiède et douce, se posa sur la sienne, Caidy eut du mal à croire à ce qui lui arrivait.

Elle était dans les bras du séduisant vétérinaire que pas plus tard que la veille elle trouvait si mal élevé ? Un long moment, elle demeura immobile de surprise, puis sa réserve commença à fondre et oh… oh, oh !

Depuis combien de temps n'avait-elle pas désiré et joui d'un baiser pareil à celui-ci ? A sa grande surprise, elle était incapable de s'en souvenir. Les lèvres de Ben jouaient sur les siennes, douces, veloutées, merveilleuses pendant qu'elle se laissait pénétrer par la chaleur qui émanait de sa poitrine à travers le T-shirt de coton.

Elle frissonna de plaisir. Voilà exactement ce qu'il convenait de faire à 3 heures du matin par une nuit enneigée de décembre !

Il émit un petit grognement tout en laissant ses mains caresser son dos, et en la serrant de plus en plus fort contre lui. Plus rien ne comptait pour elle que cette étreinte délicieuse.

Pourtant, c'était de la folie… Qu'était-elle en train de faire ? Embrasser un étranger qu'elle venait tout juste de rencontrer et qu'elle n'était même pas sûre de trouver sympathique… Et qui devait s'imaginer qu'elle embrassait le premier homme venu !

Il lui fallut beaucoup de force pour y parvenir mais, le souffle court, elle réussit néanmoins à se dégager de cette étreinte trop douce.

La distance qu'elle venait de mettre entre eux deux parut le ramener à la réalité. Il la regarda, aussi étonné qu'elle de ce qui venait de leur arriver.

Gêné, il détourna son regard si clair.

— Je... je suis désolé. Je ne sais pas à quoi je pensais. Jamais je n'aurais dû...

Elle aurait pu s'offenser d'un pareil désarroi, mais il n'en fut rien, tout simplement parce que les yeux de Ben brillaient étrangement et que lui aussi cherchait à reprendre souffle. Ainsi, ils avaient tous les deux la même réaction faite d'étonnement, de consternation et de désir violent. Comment aurait-elle pu lui reprocher ce qu'elle-même éprouvait avec autant d'intensité ?

— Pas d'affolement, docteur Caldwell !

— Oh ! Je vous en prie, arrêtez de m'appeler docteur Caldwell ! Vous n'aimez pas mon prénom ?

— Soit, Ben. Vous n'avez rien fait de mal, que je sache. Et je n'ai rien fait pour vous repousser, n'est-ce pas ?

Il passa les doigts dans ses cheveux ébouriffés.

— Non, c'est vrai.

— Il est tard, nous sommes fatigués tous les deux, et nous n'avons plus les idées très claires, voilà tout, déclara-t-elle.

Il serra la mâchoire, comme s'il avait envie de discuter, mais il se ravisa.

— Oui, vous avez sûrement raison.

— Pourquoi ne pas oublier ce qui vient de se passer au cours des cinq dernières minutes et reprendre le courant de notre vie normale ?

— Si vous voulez...

Elle eut un pincement de regret en le voyant accepter

sa proposition avec autant de facilité. Quelque part, elle avait espéré qu'il protesterait, qu'il refuserait… Grâce à lui, pendant quelques instants, elle s'était sentie une femme normale. Une femme capable de flirter, de sourire, de réagir au charme d'un homme.

Hélas, il voulait oublier ce qu'elle-même ne réussirait jamais à chasser de sa mémoire.

Il se redressa.

— Il faut que je m'en aille maintenant.

— Oui, bien sûr.

Mais vous pouvez aussi rester pour m'embrasser jusqu'au petit matin…

— Appelez-moi si votre chien vous donne des inquiétudes.

— Oui, merci.

Dieu sait qu'elle espérait que ce ne serait pas la peine ! Plutôt conduire Luke jusqu'à Idaho Falls que de faire revenir Ben Caldwell chez elle au milieu de la nuit.

— Bonsoir, lança-t-il.

Elle hocha la tête, incapable de répondre, juste pressée de le voir partir.

Avant d'enfiler sa veste imperméable, il lui adressa un long regard, puis il franchit la porte sans se retourner, laissant une rafale de vent glacé s'engouffrer dans la pièce. Elle frissonna, mais pas seulement de froid.

Que venait-il de lui arriver ?

Elle serra ses bras autour d'elle. Depuis le début, elle avait senti que cet homme lui causerait des problèmes. Si elle avait eu deux doigts de jugeote, jamais elle ne lui aurait proposé de venir s'installer au ranch ! Par sa faute, elle était dans de beaux draps maintenant…

Jusque-là, elle vivait bien tranquille au ranch, entourée de ses frères et de quelques cow-boys, certains à peine sortis de l'adolescence, d'autres proches de la retraite, les autres déjà mariés ou pas du tout son genre. Bref, c'était la sérénité parfaite.

De cette manière, le ranch représentait pour elle un refuge sûr, comme il l'avait toujours été. Pourquoi avait-il fallu que par son étourderie elle détruise ce havre en invitant un homme trop séduisant à s'installer dans sa zone de sécurité ?

Elle frissonna, passa la main sur ses lèvres. Sexy-Doc savait embrasser, on ne pouvait pas lui enlever ça. La dernière fois qu'elle avait été aussi bien embrassée remontait à… voyons… Jamais. Non, jamais on ne l'avait embrassée comme ça.

Elle ne put retenir un gros soupir. Cela ne se reproduirait plus. Aucun d'eux ne le souhaitait. La consternation qu'elle avait lue dans le regard de Ben quand il était revenu à lui le lui faisait clairement comprendre. Il n'avait fini de faire le deuil de sa femme disparue si tôt. Quant à elle, elle avait décidé une fois pour toutes que sa vie était ici, au ranch, avec Ridge et Destry, ses chiens et ses chevaux. Pas de place pour un homme au milieu de tout ça.

Mais pour la première fois depuis bien longtemps, elle se demanda si, dans le vaste monde qui lui faisait tant peur, il n'y avait pas tout de même autre chose à vivre.

— Je trouve que Luke va bien mieux, pas toi ?

Caidy leva le nez de la pâte qu'elle était en train de pétrir. Sa nièce était assise en tailleur à côté de Luke, la tête de ce dernier sur les genoux. Calme et détendu, il se laissait caresser et regardait la petite avec adoration.

— Moi aussi. Je le trouve même mieux que ce matin. En quelques heures, il a encore fait des progrès. J'espère qu'il se souviendra que les taureaux sont des animaux dangereux... Tu comprends maintenant pourquoi nous te demandons toujours de bien faire attention à eux ?

— Arrête de me traiter comme une gamine, grogna Destry. Vous me l'avez déjà dit mille fois. Je suis grande maintenant !

— Tant mieux. C'est dangereux de vivre dans un ranch. Il faut toujours rester sur ses gardes.

Destry leva un petit nez impertinent vers sa tante.

— En somme, c'est un parfait miracle que j'aie réussi à survivre onze ans ici !

Caidy lui adressa une grimace comique.

— Petite maligne ! Tu te moques de nous alors que nous sommes seulement soucieux de ta sécurité.

Et de ton bonheur..., ajouta-t-elle pour elle-même.

Si elle avait laissé Ridge tout seul après le départ de Melinda, il aurait eu recours à de multiples nounous, ce qui n'aurait certainement pas permis à la fillette de développer la même personnalité optimiste et heureuse de vivre. Ce résultat à lui seul suffisait à remplir de joie le cœur de Caidy chaque fois qu'elle y pensait.

— Qu'est-ce que Luke va devenir maintenant ? reprit la petite. Tu crois que tu pourras le dresser pour en faire un chien de troupeau ?

Même s'il n'avait pas été blessé, Caidy pensait que Luke était trop nerveux pour cela. Il perdait vite ses moyens face au danger et, d'une certaine façon, elle le comprenait. Elle aussi, hélas, était coutumière du fait. Perdre la tête au moment où on a le plus besoin d'avoir les idées claires ne lui était pas étranger... Sauf que ce n'était pas le bétail qui lui faisait peur, mais un certain vétérinaire qui logeait désormais tout près de chez elle...

Franchement, elle aurait pu s'éviter ce stress, surtout

à cette période de l'année où ses douloureux souvenirs exacerbaient sa sensibilité. Au moindre coup de sonnette, même lorsqu'ils attendaient des visites, son cœur se mettait à battre la chamade. Parfois, elle pensait qu'ils faisaient partie d'elle-même autant que les taches de rousseur qu'elle avait sur le nez ou la cicatrice qu'elle portait sur le sourcil gauche. Se déferait-elle jamais des images qui la hantaient ? Plus les années passaient, plus elle en doutait.

— Je ne sais pas encore ce que je pourrai faire avec lui.

Tout en parlant, elle façonnait une petite boule de pâte qu'elle déposa sur une plaque.

— Je crois qu'il aura une carrière d'animal de compagnie.

— Ici ?

— Oui, bien sûr.

— Tant mieux ! Ce serait vraiment triste de se débarrasser de lui, tout ça parce qu'il a eu la malchance de se faire blesser.

Comme Luke venait de s'endormir, Destry se leva et se rapprocha de sa tante.

— Je peux t'aider à former les petits pains ?

— Avec plaisir, mais va d'abord te laver les mains.

Destry obéit et commença à façonner de petits croissants.

Caidy adorait ces moments passés avec sa nièce qui grandissait beaucoup trop vite à son goût. Préparer le repas du dimanche soir avec elle était un de ses grands bonheurs. Tout le monde se réunissait au ranch à cette occasion, devenue encore plus joyeuse depuis qu'Alex, Maya et Gabi étaient venus agrandir la famille.

Bien sûr, ses talents de cuisinière n'égaleraient jamais ceux d'un grand chef, mais peu importait ! Le livre de recettes de sa mère était sa référence, c'était largement suffisant. Comme la vie était douce dans cette cuisine chaleureuse et confortable où flottait le parfum du rôti qui cuisait dans le four ! Dans le fond, elle était une femme heureuse : elle avait une famille et des amis, un métier qu'elle adorait, une maison où elle se sentait bien et un chien qui allait de mieux en mieux. Que demander de plus au ciel ?

La seule ombre à ce bonheur, c'était Ben Caldwell, avec son sourire délicieux et ses baisers qui la faisaient chavirer. Par sa faute, elle avait maintenant l'impression qu'il lui manquait quelque chose et elle lui en voulait.

— Je peux mettre la radio ? demanda Destry.

— Bien sûr ! Et si possible, trouve quelque chose qui nous donne envie de danser.

Voilà qui l'aiderait à écarter le souvenir de Ben.

Hélas, ce furent d'autres souvenirs qui l'envahirent quelques instants plus tard lorsque des chants de Noël remplirent la cuisine, mais qu'y faire ? En cette période de l'année, il n'y avait pas moyen d'y échapper, elle aurait dû le prévoir.

Lorsque Ridge ouvrit la porte de la cuisine, il observa, amusé, sa fille en train de chanter *Jingle Bells* à tue-tête tout en sautant comme un cabri en liberté.

Il tapa ses bottes pour en faire tomber la neige.

— La neige s'est mise à tomber serrée. Tu risques de ne pas avoir bien chaud pour la balade en charrette.

Destry eut un grand sourire.

— Super ! J'adore la neige. En plus, tante Caidy m'a promis qu'elle nous préparerait son fameux chocolat chaud et nous allons faire des cookies aux raisins secs que nous emporterons avec nous.

— Je vois que vous avez tout prévu !

— Oui, ça va être supergénial. Papa, merci mille fois d'être d'accord pour nous promener. Tu es vraiment extra.

Ridge sourit à sa fille puis se tourna vers Caidy. D'un air faussement désinvolte, il ajouta :

— Ça te dérangerait qu'on ajoute quelques assiettes pour le dîner ?

Pareille requête n'était pas inhabituelle, Ridge ayant l'habitude de faire des invitations au pied levé.

— Pas de problème. J'ai prévu un gros rôti et je mettrai un peu plus de pommes de terre à bouillir. Qui as-tu invité ?

— Juste le nouveau vétérinaire et ses enfants.

Elle eut l'impression de recevoir un électrochoc.

Juste le nouveau vétérinaire ? Cet homme qu'elle avait passionnément embrassé quelques heures plus tôt dans cette même cuisine ? Cet homme qu'elle faisait tant d'efforts pour chasser de son esprit ? Elle ouvrit la bouche mais aucun mot n'en sortit si ce n'est un étrange petit cri.

Ridge la regarda, un peu surpris par cette réaction. Prudemment, il ne releva pas.

— Il était en train de débarrasser la neige devant chez lui au moment où je passais avec le tracteur. Nous avons commencé à bavarder et j'en suis venu à lui parler du dîner et de la promenade prévue pour Destry. Finalement, je lui ai proposé de se joindre à nous pour le repas et la soirée.

Tout à coup, elle eut envie de jeter la pâte à pain qu'elle tenait dans sa main à la tête de son frère. Comment osait-il lui jouer un tour pareil ? Elle lui avait bien demandé de ne pas s'improviser marieur et, malgré ça, voilà qu'il était en plein là-dedans !

Dans le fond, elle avait tort de s'étonner. Chacun de ses trois frères estimait devoir lui faire rencontrer un beau cow-boy célibataire. Ben n'était pas exactement le cow-boy prévu, mais il remplissait parfaitement le restant du cahier des charges.

Elle avait des sueurs froides. Vraiment, elle devrait s'asseoir à côté de l'homme dont elle gardait le souvenir troublant de la langue jouant avec la sienne au creux de la nuit ? Dont elle entendait encore le halètement voluptueux contre son visage ?

— Ça t'ennuie ? s'enquit Ridge.

— Mais non ! Qu'est-ce que tu vas imaginer ? Je n'ai aucune raison de refuser.

Pendant ce temps néanmoins, une douzaine de raisons pour rejeter cet invité importun se bousculaient dans sa tête déboussolée. Qui, en fait, se résumaient à une seule et unique : le baiser qu'ils avaient échangé. Car elle ne l'avait pas seulement reçu, elle y avait répondu… et avec quelle audace ! Elle en rougissait maintenant qu'elle avait retrouvé ses esprits.

— Tant mieux, répondit Ben. C'est ce que j'ai pensé en l'invitant. Becca, Laura et toi préparez toujours beaucoup trop. Je me suis dit que ce serait une façon agréable de lui souhaiter la bienvenue au ranch et que ses enfants seraient contents de participer à la promenade en traîneau.

Elle reprenait lentement son souffle. De ses trois frères, Ridge était le plus taciturne. L'échec de son mariage et la responsabilité du ranch qui reposait sur ses épaules alors que les jumeaux avaient pris d'autres chemins dans la vie y étaient pour beaucoup. Mais il était capable de ces élans de générosité qui enchantaient Caidy. D'ordinaire…

— Super ! s'exclama Destry. J'espère qu'ils aiment chanter !

Seigneur... Caidy en eut le frisson. Supporter Ben Caldwell et chanter, les deux choses au monde qu'elle avait le plus envie de fuir. La soirée s'annonçait sous les pires auspices.

7

— Tu crois qu'Alex et Maya seront là eux aussi ? demanda Jack.

— Sûrement, fiston.

Ben et ses enfants, tout excités par la perspective de la soirée fabuleuse qu'on leur avait promise, avançaient d'un bon pas en direction de la grande maison. Les flocons tourbillonnaient autour d'eux, le tapis de neige qui recouvrait le sol étouffait tous les sons. Même le gazouillis du ruisseau qui contournait le ranch était devenu inaudible.

L'air froid sentait bon le pin, le foin et le feu de cheminée. Ben respirait à pleins poumons, soudain conscient de ne pas avoir prêté attention au monde environnant depuis de longs mois.

— J'espère que Gabi sera là, dit Ava dont l'enthousiasme et la gaité surprenaient son père. Elle est tellement drôle ! Avec elle, c'est le fou rire assuré.

— Certainement puisque Ridge a dit que ce repas du dimanche réunissait toute leur famille.

Ben soupira. Eux, par contre, n'en faisaient pas partie, ils n'étaient que des invités. D'ailleurs, après ce qui s'était passé avec Caidy la nuit précédente, ce n'était sans doute pas une très bonne idée d'amener ses propres enfants à cette réunion familiale. Comment allait-il se comporter ? Et elle, comment allait-elle l'accueillir ?

Oui, il aurait dû refuser, mais l'invitation de Ridge l'avait pris au dépourvu. Il avait répondu sans trop réfléchir, persuadé que ses enfants seraient ravis de cette sortie dans la neige avec leurs amis. Quant à lui, la perspective de se retrouver en société ne lui déplaisait pas, loin de là. Il éprouvait beaucoup de plaisir autrefois à rencontrer des gens. Brooke adorait recevoir et les contacts sociaux lui avaient beaucoup manqué depuis qu'elle était morte.

Le hic, c'était qu'il allait se retrouver face à face avec Caidy Bowman, cette femme aux courbes douces, aux longs cheveux soyeux et à la bouche enchanteresse, au parfum de vanille et de paradis.

Ce baiser, arrivé juste à la suite de son rêve érotique l'avait laissé insatisfait et nerveux. Une fois de retour chez lui, malgré sa fatigue, il n'avait pas pu retrouver le sommeil. Après s'être tourné et retourné dans son lit, il avait préféré se lever sur le coup de 6 heures du matin, bien avant ses enfants, pour aller pelleter la neige qui encombrait le chemin. C'est là que Ridge l'avait rencontré, alors qu'il était encore en train de revivre mentalement la scène de la nuit précédente.

Le baiser de Caidy l'avait bouleversé. Il aurait aimé le prolonger, la serrer contre lui de plus en plus fort, jusqu'à ce que, pantelants de désir tous les deux, elle consente à… à donner vie à son rêve, évidemment. Il en avait assez découvert pour être sûr que Caidy répondrait avec douceur et enthousiasme à ses avances s'il avait osé aller un peu plus loin.

Dans ces conditions, comment engager une conversation sur la pluie et le beau temps avec elle ?

Malgré le froid de décembre, il transpirait à grosses gouttes, plus encore à cause de ce que son imagination lui présentait qu'à cause de ses efforts pour avancer dans la neige. Il ouvrit son anorak et se redressa pour respirer calmement.

En voyant deux chiens s'approcher d'eux, Jack se serra contre lui. Il avait beau en voir tous les jours à la clinique, il était toujours méfiant envers ceux qu'il ne connaissait pas. Sans doute à cause de l'énorme dogue qui l'avait coincé contre un mur quand il était petit. Le molosse était uniquement en quête de caresses mais Jack en avait conservé une sorte de phobie qu'il n'arrivait pas à surmonter.

— Ils ne te veulent pas de mal, Jack, expliqua Ben. Tu vois comme ils remuent la queue ? Ça veut dire qu'ils sont contents de te voir. Tu veux leur dire bonjour ?

— Non.

— D'accord, tu n'es pas obligé.

Ben se tourna vers Ava.

— Tiens, Ava, je te confie la salade de Mme Michaels et la boîte de bonbons. Je vais prendre ton frère sur mes épaules.

Jack était ravi de cette solution. Une fois juché là-haut, il lui semblait qu'il était le maître du monde et que rien de mauvais ne pouvait lui arriver. Ben le tenait par les mollets et sentait les petites bottes de son fils frapper sa poitrine à chacun de ses pas. D'ici quelque temps, Jack serait devenu trop grand pour se faire porter, mais en attendant, le père aussi bien que le fils adoraient cette manière de régler le problème.

La lumière du crépuscule baissait rapidement, mais ils apercevaient clairement la grande maison en rondins. Elle était décorée de guirlandes lumineuses en forme de chandelles de glace qui paraissaient dégouliner du toit et des poutres de la terrasse. C'était un spectacle féerique. Combien de gens auraient payé des fortunes pour avoir la chance de vivre ce qui leur était offert ce soir avec tant de générosité : un Noël dans un ranch typique au cœur d'une région réputée pour ses paysages sauvages et sa pêche à la mouche ?

En découvrant plusieurs voitures inconnues garées devant la maison, Ben sentit son malaise renaître. S'il n'avait pas craint de décevoir ses enfants, il aurait immédiatement fait demi-tour. Puis il se raisonna en se disant que ce serait plus facile de rencontrer Caidy au milieu de beaucoup de monde, d'autant plus qu'il connaissait déjà bien Laura et Taft. Sans le savoir, ils lui serviraient de bouclier.

Ava, qui marchait devant eux, avait déjà atteint le porche et sonnait à la porte. Au moment où Ben et Jack arrivaient à leur tour, une jeune femme aux cheveux sombres et au sourire adorable vint leur ouvrir.

— Bonsoir ! Vous êtes sûrement le nouveau vétérinaire dont Ridge vient de nous parler. Je suis Becca Bowman, la femme de Trace. Entrez vite !

Ils obéirent et Ben entreprit d'aider ses enfants à se débarrasser de leurs vêtements d'extérieur : manteaux, gants, bonnets, écharpes, bottes… On n'en finissait plus ! Becca ramassa tout cela et le rangea dans le grand placard qui se trouvait sous l'escalier.

— Est-ce que tu es la mère de Gabi ? demanda Ava qui enfilait ses chaussons, assise sur l'escalier.

— Je suis sa sœur aînée, expliqua la jeune femme. Mais en fait, pour tout ce qui est important, c'est comme si j'étais sa mère.

Singulière histoire…, se dit Ben. Il aurait aimé en savoir plus mais ce n'était pas le moment de poser des questions.

— Où est Gabi ? demanda encore Ava.

— Avec Destry. Elles sont très contentes que tu passes la soirée avec elles et elles t'attendent avec impatience.

Ava afficha un sourire enthousiaste que Ben ne lui avait pas vu depuis des siècles. Tout à coup, il fut saisi par un élan d'optimisme. Qui sait si quelques semaines passées au ranch avec ses copines ne l'aideraient pas à accepter leur installation dans l'Idaho et la distance qu'il y avait maintenant entre elle et ses grands-parents ?

— Va voir si tu les trouves dans le petit salon au fond du couloir, à gauche. Elles y étaient tout à l'heure en train de découvrir un nouveau jeu vidéo.

Ava fila comme une flèche, Jack sur les talons.

— Le repas sera bientôt prêt, dit Becca. En attendant, suivez-moi dans le salon. Je suis sûre qu'un des garçons aura tôt fait de vous offrir un verre pour vous faire patienter.

Ils pénétrèrent ensemble dans une grande pièce bordée de portes-fenêtres sur tout un côté. Dans un coin, un magnifique sapin de Noël brillait de toutes ses lumières. Mais où donc était Caidy ? Cette question qui lui était venue spontanément à l'esprit ne fit qu'accroître son malaise.

Heureusement, Ridge s'avança vers lui.

— Ravi que vous soyez parmi nous, doc !

Bon, se dit Ben, un d'eux au moins était content !

— Venez, je vais vous présenter mes frères. Mais vous les connaissez déjà peut-être ?

— Je connais celui qui est pompier en chef.

Becca pilota son invité vers Taft et Trace. Tout à coup, en les voyant côte à côte, Ben se dit que ce ne devait pas être simple pour la population de Pine Gulch que le chef des pompiers et le chef de la police soient non seulement frères, mais jumeaux identiques ! Comment s'y retrouvaient-ils ?

Taft s'avança vers lui.

— Alors, docteur, j'ai appris que vous aviez déserté notre auberge ?

Ben serra les lèvres, embarrassé. Son second motif de malaise après Caidy était qu'ils avaient quitté la Cold Creek Inn plus tôt que prévu.

— Oui, j'en suis désolé, mais nous manquions un peu d'espace.

— Pas de souci ! trancha Taft. Vos chambres sont déjà louées pour toute la durée des vacances. Laura avait dû refuser plusieurs demandes et quand elle a contacté des clients inscrits sur liste d'attente, ils étaient fous de joie de cette annulation de dernière minute.

— Tant mieux ! Je me sens soulagé.

— Elle était la première à penser que vos enfants commençaient à souffrir sérieusement du manque d'espace. Quand elle a été au courant de la proposition de Caidy, elle s'en est voulu de ne pas avoir pensé elle-même à la maison vide du contremaître.

Au cours des trois semaines qu'ils avaient passées à la Cold Creek Inn, Ben avait été impressionné par la grande gentillesse de la jeune femme. En fait, toute la famille Bowman s'était montrée extrêmement accueillante envers lui et ses enfants.

— Vous voyez l'homme qui parle au téléphone à côté de la cheminée ? reprit Becca. C'est mon mari, Trace Bowman, le chef de la police. Par chance, il n'est pas de garde ce soir, mais j'ai l'impression que ses collègues ne s'en souviennent guère !

L'homme lui adressa un signe de la main tout en continuant à téléphoner.

Tout à coup, Ben se souvint qu'il avait amené une boîte de caramels.

— Tenez, j'ai apporté des caramels pour le dessert.

— Mais il ne fallait pas ! répliqua son hôtesse.

— Vous savez, je n'y suis pour rien. C'est Mme Michaels qui les a préparés. Elle vous remercie pour votre invitation mais elle n'a pas pu venir. Elle attend un coup de fil de sa fille sur le point d'accoucher d'un premier enfant. Leur séparation n'a pas été très facile et elle est contente de pouvoir bavarder longuement avec elle.

Ben se sentait un peu mal à l'aise à ce sujet. Anne Michaels l'avait suivi de son plein gré, mais sa fille lui manquait, surtout maintenant que la grossesse arrivait à son terme.

— Elle a aussi préparé une salade grecque, ajouta Ben en tendant le plat qu'il portait.

— C'est vraiment gentil. Donnez, je vais la porter dans la cuisine.

— Non, laissez-moi faire. J'en profiterai pour jeter un coup d'œil sur mon patient.

— Parfait, je vous laisse faire, vous connaissez le chemin.

Oui, il le connaissait parfaitement bien… Il avait même la certitude qu'aucun détail de la cuisine des Bowman n'était près de s'effacer de sa mémoire.

Aussitôt la porte franchie, son regard tomba sur Caidy. Ses longs cheveux noirs attachés en queue-de-cheval, elle s'affairait devant la cuisinière, drapée dans un grand tablier qui protégeait son jean et son chemisier blanc.

En la voyant ainsi, penchée sur ses casseroles et toute rose, il sentit une bouffée de douceur lui gonfler la poitrine. Caidy avait dû deviner sa présence car alors qu'elle était occupée à tourner une sauce, elle se retourna brusquement et devint toute rouge. Il se rassura en se disant que c'était la température qui régnait aux fourneaux qui la faisait ainsi rougir. Pourquoi imaginer que le souvenir du baiser échangé la veille dans cette pièce la troublait encore ?

— Tiens, vous voilà ! Bonsoir.

— Oui. Mme Michaels a préparé une salade. Elle a aussi fait des caramels que j'ai laissés dans le salon.

Mon Dieu… Il se faisait l'impression d'être un parfait imbécile !

— C'est très gentil. Vous pouvez poser la salade sur le buffet de la salle à manger. Quant aux caramels, je suis sûre qu'ils feront long feu si mes frères les ont aperçus.

— A dire vrai, je crains qu'ils ne soient déjà passés à l'attaque !

— Vous allez voir ce qui va se passer ! Ils ne vont même pas m'en laisser un alors qu'ils savent que j'adore ça.

— Je demanderai à Mme Michaels d'en faire une fournée rien que pour vous.

— Ah, ça, c'est vraiment une bonne idée. Et je me garderai bien de leur en parler.

Il souffrait de se sentir aussi maladroit. Certes, cette belle jeune femme, désirable, avait gémi de plaisir dans ses bras quelques heures plus tôt, mais cela ne devrait pas l'empêcher d'avoir une conversation normalement intelligente avec elle ! Serait-il devenu complètement idiot ?

Il partit poser la salade et revint dans la cuisine, bien décidé à faire meilleur effet.

Elle parut un peu surprise de le voir revenir. Elle s'attendait sans doute à ce qu'il aille se réfugier au milieu des hommes dans le salon.

— Je voulais jeter un coup d'œil sur Luke, expliqua Ben.

— Il a l'air d'aller mieux. Je l'ai amené dans ma chambre pour lui éviter le stress de tout ce monde autour de lui au cours de la soirée.

— Vous permettez que j'aille le voir ?

— Vraiment ? Vous êtes notre invité ce soir, pas le vétérinaire de service.

— Je comprends bien, mais tout de même…, insista-t-il.

— Va montrer à Ben où se trouve ta chambre, je prendrai le relais pour tourner la sauce, suggéra Laura que Ben n'avait pas encore remarquée.

— Merci.

Elle repoussa une mèche de cheveux derrière son oreille et mordilla sa lèvre inférieure, ce qui ne manqua pas de rappeler à Ben quel goût délicieux il lui avait découvert la nuit précédente.

Elle le guida dans le hall jusqu'à une porte derrière laquelle Luke, qui avait dû les entendre venir, laissa échapper un petit aboiement.

Il fut frappé par l'extrême féminité de la pièce, aussitôt la porte ouverte. Un dessus-de-lit lavande et beige clair recouvrait un grand lit sur lequel étaient amoncelée une multitude de coussins assortis. Les doubles rideaux tirés étaient dans les mêmes tons. En face du lit, un grand tableau représentait des chevaux en train de paître dans un grand pré qui pouvait très bien être un de ceux qui s'étendait autour de la maison. C'était la première chose que Caidy devait voir le matin quand elle ouvrait les yeux.

Il pinça les lèvres. Pourquoi s'intéresser ainsi à la pièce dans laquelle elle dormait ? Ou à ses rêves ? Ce n'était pas son affaire. Il n'était pas venu pour pénétrer dans l'intimité de son hôtesse mais uniquement pour voir Luke qui était allongé dans son parc placé près de la fenêtre.

En apercevant Caidy, Luke se mit à remuer la queue et essaya de se relever. Elle se baissa aussitôt pour lui éviter cette fatigue. Elle lui caressa la tête, ce qui eut pour effet de l'apaiser car il s'allongea de nouveau, tranquillisé.

Ben enjamba le parc afin de pouvoir passer la main sur tout le dos du chien.

— Il paraît respirer tout à fait normalement. Avez-vous eu une alerte depuis cette nuit ?

— Non, aucune. Je continue à lui administrer ses antalgiques et Ridge m'aide à le porter dehors pour ses besoins.

Ben se concentrait sur son patient, mais en même temps, il ne pouvait s'empêcher de sentir sur lui le regard intense de Caidy. Est-ce qu'elle était sensible à l'attirance qu'il éprouvait pour elle ou bien le magnétisme ne fonctionnait-il que dans un seul sens ?

C'était difficile à croire. Elle lui avait bel et bien rendu son baiser. Le souvenir de la douceur de sa bouche et de son haleine parfumée, encore présent à son esprit, suffisait à enflammer ses sens. Hélas, les rêves voluptueux que cette jeune femme farouche suscitait en lui seraient sans doute tout ce qu'il pourrait obtenir d'elle.

— Je le trouve aussi bien que possible. Continuez à lui donner ses médicaments et ramenez-le-moi à la clinique en milieu de semaine pour que je lui enlève les points.

— Vous n'étiez pas certain qu'il allait survivre, n'est-ce pas ?

— Franchement, non. Mais je suis très heureux de m'être trompé.

Il s'arrêta de parler, caressa la tête du chien d'un air pensif, puis leva un regard gêné vers elle.

— Je... je tiens à vous présenter mes excuses...

Elle leva le nez.

— Je ne vois vraiment pas pourquoi, répondit-elle vivement. Vous vous êtes très bien occupé de lui, jusques et y compris pendant la nuit.

Ce mot prononcé, elle serra les lèvres comme pour le retenir. Trop tard ! Il avait suffi à la plonger dans le trouble et elle devina alors quel genre d'excuses il s'apprêtait à lui présenter.

— Je veux dire… à propos précisément de cette nuit, reprit-il. Je ne me suis pas comporté de manière très professionnelle. Ce qui s'est passé entre nous n'aurait jamais dû se produire.

Elle le fixait de son regard vert, particulièrement incisif.

— Je ne voudrais pas que vous croyez que j'ai l'habitude de me comporter de cette manière.

— De quelle manière ?

Il se rendit tout de suite compte qu'il ne faisait que reculer pour mieux sauter. A quoi bon faire semblant de ne pas comprendre ?

— Je veux dire que je n'aurais pas dû vous embrasser. J'étais venu chez vous pour soigner votre chien, point final.

Elle laissa échapper un petit rire.

— Vous devriez envisager d'ajouter cela à votre liste de prestations, docteur Caldwell. Croyez-moi, si on savait comme vous embrassez bien, toutes les femmes de Pine Gulch adopteraient immédiatement un chien ou un chat juste pour avoir une chance d'apprécier votre talent.

Ce fut à son tour de rougir. Elle se moquait de lui, mais après tout, elle en avait bien le droit.

— J'essayais juste de vous dire que vous n'avez pas à vous inquiéter parce que cela ne se reproduira pas. Il était tard, j'étais fatigué… Sans cela, je n'aurais jamais pensé à vous embrasser.

— Votre explication est tout à fait claire, conclut-elle d'un air pincé.

Il sentait bien qu'il l'avait blessée, ce qui, évidemment,

n'était pas du tout ce qu'il recherchait. Décidément, il serait toujours aussi maladroit !

— Maintenant que je connais votre point faible, reprit Caidy en se relevant, je vous promets de ne plus avoir recours à vos services lorsque ce concours de circonstances se répétera. Ni vous ni moi n'avons la moindre envie de revivre une expérience aussi désagréable, n'est-ce pas ?

Il se redressa à son tour, puis la regarda calmement.

— Je crois que nous sommes d'accord sur le fait que ce n'était pas du tout une expérience désagréable.

— Alors disons, un peu… déplacée, c'est ça ?

— Caidy, faisons une trêve, je vous en prie. Qu'est-ce que vous voulez que je vous dise ?

— Rien. Faisons comme si rien ne s'était passé.

— C'est plus vite dit que fait.

— Il en va de même pour beaucoup de choses.

— C'est vrai.

— Il n'y a pas de quoi en faire un roman, Ben. Nous nous sommes embrassés. Et alors ? J'ai trouvé cela agréable et vous aussi. Nous sommes d'accord pour que cela ne se reproduise pas. Alors tournons la page et passons à autre chose, d'accord ?

A l'écouter, c'était simple comme bonjour. Sauf que… il n'en avait pas du tout envie. Pourtant, à quoi bon engager une discussion là-dessus ?

— Bon, reprit Caidy, il faut que je retourne dans la cuisine maintenant. Merci d'être venu voir Luke.

— Avec plaisir.

Il lui emboîta le pas et ensemble ils quittèrent la pièce.

Leur mise au point, claire, logique et consensuelle laissait Ben dans l'insatisfaction la plus totale.

Pourquoi n'était-il pas le genre d'homme susceptible de plaire à une femme comme Caidy Bowman ?

8

Cet homme était insupportable !

Agacée et déstabilisée par leur conversation, Caidy regagna la cuisine pour mettre une dernière main aux préparatifs du repas.

Comment pouvait-il réduire ce qui avait été un des moments les plus exaltants de son existence à une erreur liée à la fatigue ?

D'accord, ce baiser n'aurait jamais dû avoir lieu, mais ils l'avaient accepté tous les deux. Alors, pourquoi le considérer comme un crime dont ils devraient se repentir jusqu'à la fin de leurs jours ?

C'était tard, j'étais fatigué... Sans cela, je n'aurais jamais pensé à vous embrasser.

Voilà qui présentait au moins l'avantage de tirer les choses au clair. S'il l'avait embrassée, c'est parce qu'il était fatigué et qu'elle se trouvait là... comme un meuble confortable ou un sirop calmant. Après un aveu pareil, inutile de se laisser aller à imaginer qu'il était attiré par elle ! Elle se sentait horriblement mortifiée. D'autant plus qu'elle lui avait répondu avec enthousiasme et que, toute la journée, son imagination n'avait cessé de lui présenter des scénarios plus romantiques les uns que les autres. Ben aurait voulu cruellement l'humilier qu'il ne s'y serait pas pris autrement !

— Dis donc, Caidy, tu es dans la lune ? demanda Becca.

Caidy sursauta. A sa grande honte, elle réalisa qu'elle avait sorti le rôti du four et qu'elle restait à le regarder sans bouger. Décidément, cet homme lui plombait la soirée après lui avoir accaparé l'esprit toute la journée. Jusqu'à quand allait-elle se faire complice de cette mainmise sur sa personne ?

— Non, j'allais apporter le rôti sur la table. Tu peux faire asseoir tout le monde.

Tout en bavardant, Becca et Laura emportèrent dans la salle à manger les différents plats de légumes que Caidy avait préparés. Les deux jeunes femmes s'entendaient à merveille et Caidy les aimait beaucoup toutes les deux. Chacune d'elles avait des qualités humaines remarquables, mais ce que Caidy appréciait le plus, c'était que l'une comme l'autre avait réussi à rendre ses frères heureux.

Avec son humour toujours en éveil, Becca était parfaite pour Trace. Depuis qu'avec Gabi elle était entrée dans la vie de ce dernier au cours des vacances du Noël précédent, Trace avait enfin retrouvé l'affabilité et la joie de vivre qu'il avait perdues depuis le meurtre de leurs parents.

Quant à Laura Pendleton, elle était exactement la femme que Caidy avait toujours souhaitée pour Taft. Elle seule savait aplanir la brusquerie et la rudesse d'homme blessé de ce dernier. Caidy éprouvait un grand bonheur à les voir ensemble car leur histoire, longue et compliquée, avait mis longtemps avant de connaître un heureux dénouement. Très amoureux l'un de l'autre dans leur jeunesse, ils avaient rompu leurs fiançailles pour des raisons mystérieuses quelques jours seulement avant leur mariage. Caidy était spécialement heureuse de voir son don Juan de frère enfin stabilisé auprès d'une femme aimante, d'autant plus qu'il assumait avec compétence son rôle de beau-père auprès des deux enfants de Laura, le petit Alex, débordant d'énergie, et l'adorable Maya.

Le bonheur de ses frères ne la rendait pas jalouse, bien au contraire, mais lorsqu'elle les voyait partager ces moments de complicité qui unissent les couples amoureux même au milieu de la foule, elle ne pouvait s'empêcher d'éprouver un pincement au cœur. Dans ces cas-là, elle se hâtait de détourner les yeux et, le reste du temps, évitait de penser qu'elle n'avait personne avec qui partager des instants pareils.

Elle avait découvert un autre avantage au mariage de ses frères jumeaux, certes plus trivial : la préparation des repas du dimanche soir s'était considérablement allégée, car Laura et Becca apportaient toujours une salade composée ou un dessert. Même la jeune Gabi y contribuait aussi souvent.

Avec un rien d'inquiétude, elle se demandait si cette tradition des repas dominicaux durerait encore long-temps. Après tout, Taft et Trace auraient peut-être un jour envie de passer ces moments chez eux avec leur femme et leurs enfants ? Pour l'instant tout au moins, ils paraissaient tout à fait satisfaits de l'organisation présente, on verrait bien par la suite…

— Je viens de découvrir que notre nouveau vétéri-naire est supersexy ! dit Becca en enfournant des petits pains qu'elle voulait servir tièdes. Pourquoi est-ce que personne ne me l'avait dit ?

— Parce qu'on s'imaginait naïvement qu'étant l'épouse de Trace Bowman qui dispute le titre de plus beau garçon de la région à son frère jumeau, Taft Bowman, tu n'avais pas besoin de ce genre d'information ! riposta Laura en riant.

Caidy sentit un coup de poing au creux de l'estomac, mais ne souffla mot.

— Tout de même… j'aime bien être au courant des nouveautés agréables !

Caidy entreprit de découper le rôti. Normalement, c'était Ridge qui se chargeait de cette tâche, mais étant donné qu'il était plongé dans une grande discussion avec le fameux vétérinaire en question, elle ne voulait pour rien au monde l'empêcher de retenir ce dernier dans le salon. Non, franchement, elle n'avait pas envie qu'il vienne tourner autour d'elle !

— Et toi, Caidy ? reprit Becca. Tu es la seule célibataire ici, qu'est-ce que tu penses du successeur du Dr Harris ? Beau gosse, non ? Je crois que je n'ai jamais vu des yeux aussi bleus.

Aïe… Nouveau coup au creux de l'estomac. Caidy non plus n'avait jamais vu des yeux aussi bleus… Elle les revoyait tout près de son visage, juste avant qu'ils ne se ferment pour l'embrasser. Quel ouragan ils avaient déclenché en elle ! Leur seule évocation lui coupait les jambes. Comme sa main tremblait, elle faillit se couper le doigt d'un coup de couteau maladroit.

— Oui, il est plutôt bien de sa personne, mais quel caractère de cochon !

Les deux belles-sœurs se regardèrent, médusées. Elle ne disait jamais du mal de personne. Quelle mouche l'avait piquée ?

Elle fit comme si elle ne remarquait rien. Zut. Et rezut. Elle était majeure, elle avait le droit de dire ce qu'elle voulait, n'en déplaise à Laura et Becca. Bien sûr, si elle n'avait pas encore présente au cœur l'humiliation qu'il venait de lui infliger, jamais elle n'aurait dit une chose pareille, mais il fallait bien donner libre cours à sa rage !

— Enfin, Caidy, c'est bizarre ce que tu dis là, reprit

Laura. Moi, je l'ai trouvé très aimable pendant tout le temps qu'il a passé à l'auberge et je peux t'affirmer que tout mon personnel était séduit par sa gentillesse et sa courtoisie.

Elle pinça les lèvres. Après ce que Ben venait de lui dire, l'eau coulerait sous les ponts avant qu'elle partage cet avis. Le fait qu'il s'excuse de l'avoir embrassée était vraiment trop désobligeant. Et d'autant plus que jamais elle n'avait été aussi violemment attirée par un homme.

— Rien d'étonnant à cela ! rétorqua-t-elle en espérant que ses belles-sœurs mettraient la rougeur de ses joues sur le compte de la chaleur qui régnait dans la cuisine et au soin qu'elle apportait sa tâche. Vous voulez mon avis sur Sexy-Doc ? Eh bien, sachez que je le trouve arrogant et présomptueux.

Face à Laura et Becca, qui restaient bouche bée, elle ajouta :

— Mais il en faudrait bien plus pour empêcher un tas de femmes de craquer pour ce genre de mec qui estime que tout lui est dû.

— Ajoutez au tableau qu'il a également le chic pour se trouver à la mauvaise place au mauvais moment, dit une voix de velours dans son dos.

Bingo...

Caidy rentra la tête dans les épaules sans oser se retourner. Surtout pas ! Non, mieux valait essayer de s'évanouir en fumée, disparaître dans un trou de souris ou, tant pis, être transformée en citrouille pour le restant de ses jours afin de ne pas avoir à affronter le fameux regard bleu glacier.

De sa voix la plus douce, Ben poursuivit :

— Mon fils vient de renverser son verre d'eau. Je venais juste chercher une éponge ou un torchon pour réparer les dégâts, mais peut-être allez-vous trouver cette requête arrogante et présomptueuse ?

Becca fouilla dans le tiroir où Caidy rangeait les torchons et en tendit un à Ben.

— Merci, dit ce dernier.

Il sortit sans ajouter un mot.

Caidy ne savait plus où se mettre.

— Eh bien, ma cocotte…, reprit Becca. On ne peut pas dire que c'est le grand amour entre vous !

Une nouvelle fois, Caidy songea au baiser passionné.

— On peut dire les choses comme ça, en effet, répondit-elle sèchement.

Si sa mère était encore là, elle l'aurait déjà envoyée dans sa chambre pour la punir de s'être montrée impolie envers un invité et le problème aurait été réglé ! Bien à l'abri, sans témoin, elle aurait pu tranquillement dire tout le mal qu'elle pensait de lui ou se remémorer leur baiser grisant, au choix. Mais maintenant ? Comment allait-elle oser s'asseoir à la même table que lui après ce qu'il venait de lui entendre dire ? Le pire, c'est que rien de tout cela n'était vrai ! C'est elle qui cherchait mesquinement à se venger d'un homme qui regrettait de l'avoir embrassée alors qu'il lui plaisait à la folie.

Et si… si elle trouvait un moyen de rester dans la cuisine toute la soirée ?

Allons, c'était impossible. Il fallait qu'elle se débrouille pour lui présenter des excuses, mais comment faire sans lui donner d'explication ? Impossible de lui avouer la vérité ! Ce serait ajouter une couche supplémentaire à son humiliation.

Becca disposa les petits pains tiédis dans une corbeille qu'elle partit porter dans la salle à manger.

Laura en profita pour se rapprocher d'elle.

— Qu'est-ce qui t'arrive ? Il s'est passé quelque chose entre vous ?

Laura était son amie depuis de nombreuses années. Bien avant la mort de ses parents, elles étaient déjà très proches et les années n'avaient fait que les rendre plus intimes, mais elle ne voulait pas lui raconter son histoire. Ni à Laura, ni à personne. Elle voulait juste... juste se cacher dans sa chambre avec Luke.

Pourtant, elle laissa échapper un profond soupir.

— Je l'ai appelé la nuit dernière. Luke allait très mal, il étouffait. Bref... il est venu, il a soigné Luke, et avant de partir... il m'a embrassée. Voilà. C'était génial. Vraiment génial. Mais aujourd'hui, il m'a dit qu'il regrettait de l'avoir fait. Il veut que nous fassions comme si rien ne s'était passé, tu te rends compte ? J'ai été blessée et j'ai voulu me venger. D'accord, c'est tout à fait mesquin de ma part mais c'est comme ça.

Elle se tourna vers Laura, l'air malheureux.

— Je ne crois pas un mot de ce que j'ai dit. En fait, jusqu'à ce qu'il me demande tout à l'heure dans ma chambre de tout oublier, je le trouvais plutôt sympa.

— Ecoute, au cours de son séjour à l'auberge, j'ai souvent eu l'occasion de parler avec Mme Michaels, expliqua Laura de sa voix calme et apaisante. Elle m'a raconté un certain nombre de choses à propos de la situation de Ben. Peut-être plus qu'elle n'aurait dû, mais bon... Il vient de passer deux années très pénibles. Apparemment, la mort de sa femme a été particulièrement abominable. Ménage-le, il est encore fragile.

— Il m'a dit qu'elle était morte à la suite d'un coma diabétique.

— Il t'a dit aussi qu'elle était enceinte ?

— Non. Quelle horreur !

Laura hocha la tête.

— Oui. Elle est entrée en coma diabétique alors qu'elle était au volant et a heurté un arbre. Le bébé est mort en même temps qu'elle. Par chance, Jack et Ava étaient chez leurs grands-parents.

Caidy était à deux doigts de se sentir mal. Pauvre Ben. Et pauvres enfants. Et dire qu'elle…

— D'après Mme Michaels, les parents de son épouse lui reprochent la mort de leur fille et font leur possible pour détourner Ava et Jack de lui. C'est pour cette raison qu'il a quitté San José. Il voulait mettre un peu de distance entre eux afin de sauver la relation avec ses enfants qu'il adore.

Laura posa la main sur le bras de Caidy.

— Je crois qu'il a davantage besoin d'amis que de critiques.

Caidy ne s'était jamais considérée comme une personne rancunière mais elle venait de se découvrir sous un nouveau jour. Pourtant, Ben avait parfaitement le droit de regretter de l'avoir embrassée. D'accord, elle trouvait cela humiliant, mais n'était-elle pas capable de passer là-dessus pour devenir l'amie dont il avait besoin ?

— Merci de me mettre au courant, Laura. Je trouverai un moyen de lui présenter des excuses. Mais pas maintenant, j'ai une douzaine de personnes à nourrir !

Laura lui adressa son beau sourire lumineux.

— Je sais. Je veux dire, je sais que tu feras amende honorable, mais en attendant…

— Oui ?

Laura avait pris un air malicieux.

— Est-ce qu'il embrasse bien, ce nouveau vétérinaire ?

Caidy rougit jusqu'à la racine des cheveux, attrapa le premier plat venu et juste avant de passer dans la salle à manger, souffla :

— Pas mal… pas mal du tout.

*
**

Le repas ne fut pas l'épreuve que Caidy avait redoutée.

Lorsqu'elle arriva à table, la seule place libre se trouvait à l'opposé de Ben, entre Ridge qui présidait et Destry. Parfait. Cela lui accordait un peu de temps pour trouver un moyen de regarder en face l'homme avec qui elle s'était comportée comme une idiote à deux reprises en moins de vingt-quatre heures.

Il était en pleine conversation avec ses frères et Becca lorsqu'elle prit place et il ne regarda pas dans sa direction, à son plus grand soulagement. Pendant une grande partie du repas, elle se contenta de veiller au bon déroulement du dîner et de faire circuler les plats sans se mêler aux conversations. Au bout d'un moment toutefois, Destry, Gabi et Ava s'adressèrent directement à elle pour lui demander à partir de quel âge elle avait commencé à se maquiller.

Elle fit un effort pour se souvenir, puis se rappela sa première grande soirée donnée en l'honneur des quinze ans de son amie Lizzie.

— Jusqu'à treize ou quatorze ans, je n'ai eu droit qu'au brillant à lèvres. Ma mère m'a permis de porter du rouge à lèvres pour les quinze ans de mon amie Lizzie, mais je n'en ai pas mis régulièrement ensuite. Vous voyez, il vous faut être encore un peu patientes !

Ava haussa les épaules.

— Quand j'habitais en Californie, ma grand-mère me gardait souvent chez elle et elle me permettait d'en porter quand je voulais, et même de me maquiller les yeux. Mais il fallait que j'enlève tout avant de rentrer chez mon père, sans ça il aurait piqué une crise. C'est idiot, mais c'est comme ça.

Destry regardait Ava avec des yeux ronds.

— Je me vois mal en train de cacher quelque chose à mon père, même pas du maquillage !

— Ma grand-mère disait que c'était très bien comme ça, affirma Ava.

Caidy estima le moment venu de mettre son grain de sel.

— Ici, jeunes filles, il y a une grande règle qui va vous simplifier la vie : quand vous n'osez pas faire ou dire quelque chose devant votre père, c'est que vous ne devez pas le faire ou le dire du tout.

— Exactement, conclut Ridge qui avait suivi la conversation.

Les trois filles firent la grimace, puis se mirent à rire et changèrent de sujet de conversation.

Caidy les laissa tranquilles et se tourna vers ses frères qui parlaient avec Ben.

— Comment trouvez-vous Pine Gulch, docteur Caldwell ? demanda Trace.

— Je préférerais que vous m'appeliez Ben…

— Volontiers, répondit Trace. Alors, Ben, que pensez-vous de notre petite ville et de ses habitants ?

— Eh bien, jusqu'à présent, j'avoue que la plupart des gens se sont montrés très sympathiques et accueillants avec nous, en particulier, la famille Bowman.

Il ne s'était pas tourné vers elle, mais elle était bien certaine qu'il pensait à elle en disant « la plupart des gens ».

— Il y a quelques drôles d'oiseaux, comme partout ailleurs, enchaîna Trace qui ne pouvait deviner le malaise de sa sœur. Le genre de personne qui s'imagine que la loi n'est pas faite pour eux, mais si vous les évitez, vous n'aurez aucun problème pour vous intégrer dans notre communauté.

— Vous pouvez me passer la purée ? demanda Becca.

— Volontiers, répondit Ben en attrapant le plat en faïence fleurie dans lequel, depuis toujours, la mère de Caidy avait servi la purée du dimanche.

Pour la première fois de la soirée, Ben se tourna en direction de Caidy, mais son regard ne fit que passer sur elle avant de s'arrêter sur son fils.

— Ce repas est délicieux, n'est-ce pas, Jack ?

— Suuuperbon ! s'exclama le petit qui n'hésitait pas à saucer son pain dans le jus du rôti.

Ben prit sa serviette et essuya doucement le menton de Jack qui portait quelques traces de sa gourmandise.

En voyant les grandes mains de Ben, ces mains qui l'avaient tenue serrée contre lui, s'occuper de Jack avec tant de tendresse, elle se sentit troublée et agacée en même temps.

A ce moment-là, Ben leva les yeux et son regard croisa le sien. Un long, très long moment, ils ne purent se détacher l'un de l'autre, laissant les conversations se dérouler dans un arrière-fond sonore auquel ils étaient devenus totalement étrangers.

Puis Ridge posa une nouvelle question et le charme fut rompu.

Elle observait sans mot dire. Ben Caldwell et ses enfants paraissaient parfaitement à leur aise au milieu de la famille. Alex, le fils de Laura, et Jack étaient lancés dans une grande conversation dont Maya ne perdait pas le moindre mot tandis que Gabi et Destry avaient déjà admis Ava dans leur complicité d'adolescentes.

Tout cela n'est pas fait pour durer, se répétait-elle. A la fin des vacances de Noël, Superdoc partirait avec ses beaux enfants et sa gentille gouvernante dans la grande maison qu'il faisait construire. A partir de ce moment-là, il ne serait plus qu'une figure périphérique dans la vie du ranch. Elle l'apercevrait seulement si un de ses chiens était malade.

Logiquement, cette perspective qui la mettrait à l'abri de tout débordement émotionnel aurait dû la réjouir. En fait, elle la déprimait profondément et elle ne réussissait pas à la chasser de son esprit.

Tout à coup, Ben prononça une phrase qui l'arracha à sa mélancolie.

— Le tableau qui se trouve au-dessus de la cheminée me plaît beaucoup, dit-il. Il me semble qu'il est signé « Bowman ». Le peintre a un lien de parenté avec votre famille ?

Un silence lourd accueillit cette question innocente. Ben fit du regard le tour de la table, sensible au changement d'humeur que sa remarque venait de provoquer mais incapable d'en comprendre la raison.

— Oui, répondit Ridge au bout d'un moment de silence. C'est notre mère qui l'a peint.

— Je ne m'y connais guère en matière d'art, reprit Ben, espérant ainsi dissiper le malaise qu'il avait provoqué, mais je trouve que ce tableau révèle un talent extraordinaire. Ne me demandez pas si c'est à cause des chevaux qu'on aperçoit au second plan ou des rideaux légers qui volètent à la fenêtre de la cabane en rondins, je serais incapable de le dire ! Ce dont je suis sûr, c'est que chaque fois que je m'en détourne, mes yeux y reviennent comme si quelque magie les y ramenait malgré eux.

Caidy sentit sa gorge se nouer d'émotion en entendant ces compliments sur le talent de sa mère.

— Elle était très douée, murmura-t-elle.

Elle lut alors de la compassion dans le regard de Ben, ce qui ne fit qu'augmenter son sentiment de culpabilité. Franchement, elle ne méritait pas sa sympathie après toutes les horreurs qu'elle avait débitées sur son compte tout à l'heure !

— Plusieurs des tableaux peints par notre mère ont été volés il y a onze ans, expliqua Trace. Depuis, nous avons essayé de les récupérer avec l'aide d'enquêteurs spécialisés dans le domaine du marché artistique. Celui-ci a été découvert il y a trois ans dans une galerie de Californie.

— C'est depuis toujours le préféré de Caidy, ajouta Ridge. Sa restitution nous a fait l'effet d'un véritable miracle.

Cette fois, Caidy était devenue le centre d'attraction de toute la table, ce qui la mettait au supplice. Laura et Becca paraissaient s'en être rendu compte, mais les autres ? Apparemment non. Tout à leur conversation, ses frères ne prêtaient guère attention à elle. Quant aux enfants, ils mangeaient et riaient, exactement comme il convenait à des convives de leur âge. Heureusement, Laura, la merveilleuse Laura, se débrouilla pour détourner l'attention et détendre l'atmosphère devenue bien lourde.

— Il paraît que vos enfants et vous-même nous accompagnez tout à l'heure pour la sortie en charrette, docteur Caldwell ?

— Waouh ! hurla Jack. On va se promener en pleine nuit ? En charrette ?

Ben regarda son fils, assez indécis.

— Je ne pense pas. Il me semble que nous avons déjà abusé de l'hospitalité de votre famille.

— Oh non ! protesta Destry. Il faut absolument que vous veniez !

— Bien sûr, renchérit Gabi. Ça va être génial ! On va chanter des chants de Noël dans la nuit partout dans le voisinage et boire du chocolat chaud. Il faut qu'Ava et Jack connaissent ça.

Si sa relation avec Ben n'avait pas été aussi délicate, Caidy serait intervenue elle aussi pour expliquer à Ben que sa cause était déjà perdue. On ne résiste pas à une invitation du clan Bowman !

— Nous n'irons pas loin, ajouta Ridge. Jusqu'au canyon sans doute, mais la balade ne devrait pas durer plus d'une heure.

— Vous ne pouvez pas terminer l'année au River Bow Ranch sans participer à cette sortie ! insista Taft. C'est tout simplement im-pos-si-ble !

Ben se mit à rire.

— Dans ce cas, je me résigne.

Les enfants se mirent à pousser des cris d'excitation. Caidy évidemment ne partageait pas cet enthousiasme. Puis elle se dit que la présence de Ben lui évitait de participer à la sortie puisque Ridge ne pourrait plus dire qu'il n'y avait pas suffisamment d'adultes pour l'accompagner.

Elle mettrait ce moment de répit à profit pour inventer un moyen de présenter ses excuses à Ben.

- 9 -

Le repas terminé et la table débarrassée, les invitées de Destry commencèrent à arriver. Caidy mit dans un sac les cookies qu'elle avait préparés avec sa nièce, et tout le monde commença à s'emmitoufler dans des vêtements chauds. Caidy alla chercher la pile de couvertures qu'elle avait préparée pour la sortie.

En descendant l'escalier, elle vit par la fenêtre du palier que la chute de neige s'était calmée. Seuls quelques flocons légers tourbillonnaient encore dans la nuit claire. La lune avait fait son apparition derrière les nuages et irradiait le paysage d'une lueur nacrée, irréelle, magique.

De là où elle se tenait, le spectacle était saisissant de beauté. La promenade dans la nuit allait être merveilleuse, avec le vent froid fouettant les visages et les rires des enfants fusant à tout moment. Elle regrettait presque de ne pas les accompagner.

Presque…

En arrivant en bas de l'escalier, elle trouva Ben qui aidait Jack à enfiler ses bottes fourrées. De son mieux, elle évita de croiser son regard.

— *Jingle bells ! Jingle bells !* chantait joyeusement la petite Maya en se tortillant pour enfiler sa combinaison de ski rose vif.

— Vous allez faire une promenade fabuleuse ! dit-elle en déposant un baiser sur le nez de la petite.

Elle aimait tous les enfants de la famille, mais avec une attention plus particulière pour la fragile Maya.

— Tu viens toi aussi ?

— Non, ma chérie. Mais je vous attends ici et vous me retrouverez à votre retour.

— Qu'est-ce que c'est que cette histoire ? demanda Ridge qui avait entendu. Tu nous accompagnes, bien sûr ! Où est ton manteau ?

— Dans le placard de l'entrée. Et il ne va pas en sortir. Il faut bien que quelqu'un reste à la maison pour préparer le goûter du retour.

— Ne t'inquiète pas pour ça, lança Becca, je m'en occuperai.

Ridge et Caidy remarquèrent alors qu'elle non plus n'avait pas mis ses vêtements chauds.

— Et toi ? Pourquoi est-ce que tu ne viens pas ? demanda Ridge, qui ne comprenait pas cette nouvelle défection.

— J'ai décidé de me passer de cette récréation au grand air !

— Mais… pourquoi ? insista Ridge. Vous vous êtes passé le mot toutes les deux, ma parole !

— Pas du tout, répondit Becca.

Elle adressa un clin d'œil mystérieux à Trace qui lui répondit en faisant « oui » de la tête.

— Eh bien… disons que… Je ne crois pas que ce soit une très bonne idée d'aller me faire secouer dans une carriole en ce moment. A cause de… du bébé.

Silence. Tout le monde se mit à la dévisager.

— Quoi ? Tu attends un bébé ? demanda Laura qui fut la première à réagir.

Becca fit « oui » d'un signe de tête tandis que Trace la serrait encore plus fort contre lui, apparemment très fier à l'idée d'être bientôt père.

— C'est pour quand ? demanda Caidy, tout heureuse pour eux deux.

— Pour juin, déclara Gabi fièrement. Je mourais d'envie de l'annoncer à tout le monde, mais j'ai tenu ma langue, tu vois, Trace ? Tu avais dit que je n'y arriverais pas, tu as perdu !

Trace se mit à rire et attira l'adolescente dans ses bras. Oui, la petite sœur de Becca avait été à la hauteur alors que garder le silence était pour elle une prouesse de haut niveau !

— Nous avions l'intention de l'annoncer au cours du repas mais l'occasion ne s'est pas présentée.

— Comme si c'était la peine d'attendre une occasion pour annoncer une nouvelle pareille ! s'exclama Ridge en tapotant l'épaule de Trace.

Les moments qui suivirent furent une suite d'embrassades et de félicitations. Ben se trouva emporté par cet élan de bonheur et embrassa tout le monde, même ceux dont il venait tout juste de faire la connaissance.

A son tour, Caidy serra Becca dans ses bras.

— En attendant la naissance, je vais veiller sur toi. Et pour commencer, pas question de te laisser seule ce soir ! Je reste ici pour te tenir compagnie.

Becca considéra un instant sa belle-sœur avant de lui murmurer à l'oreille.

— Caidy, tu as un cœur d'or, personne ne dira le contraire, mais est-ce que, par hasard, tu ne chercherais pas à fuir la compagnie d'un certain vétérinaire que tu trouves « arrogant et présomptueux » ?

Caidy se raidit.

— Bon… admettons qu'il y a un peu de ça aussi.

— Ecoute, reprit Becca, je crois sincèrement que Ridge aura besoin de toi pour canaliser l'ardeur de tous ces jeunes. Et en plus, ce n'est pas une bonne idée de chercher à éviter Ben Caldwell comme tu le fais.

— Ça se voit tant que ça ?

— Assez. Même si, pour l'instant, Laura et moi sommes les seules à l'avoir remarqué. En plus du fameux Ben en question, bien entendu.

— Si tu savais comme je déteste mon manque de courage !

— Allez, insista Becca, tu peux bien supporter une balade d'une petite heure ! Tu as fait bien pire dans ta vie, non ?

— Et maintenant, tout le monde en route ! cria Ridge. Le traîneau attend ses passagers.

Les grandes filles se mirent à pousser des cris aigus. La petite Maya, un peu inquiète, posa les mains sur les oreilles.

— N'aie pas peur, expliqua Caidy. C'est juste pour s'amuser qu'elles crient comme ça.

— Je veux que tu viennes avec moi ! insista la petite.

— C'est d'accord, Maya, dit Caidy, résignée. Je vais chercher mon manteau.

Quelques instants plus tard, elle revenait avec son vêtement, des gants fourrés et un drôle de chapeau en feutre entièrement fait à la main par son amie Emery Kendall Cavazos.

— Grouillons… grouillons…, disait Taft, impatient maintenant. Plus tôt nous partons, plus tôt nous serons de retour pour regarder le match de basket-ball. Allez, Maya, file rejoindre les autres !

— Non, je reste avec Tatie.

Caidy sentit son cœur fondre une fois de plus, comme cela lui arrivait chaque fois qu'elle voyait à quel point la petite lui faisait confiance.

— Nous arrivons toutes les deux, dit-elle. Je finis juste de m'habiller.

Une fois ses bottes aux pieds, elle attrapa Maya par la main et elles sortirent toutes les deux dans l'air froid de la nuit. C'était une nuit parfaite pour une virée en traîneau, même si le traîneau n'en était pas réellement un puisqu'il s'agissait d'une carriole sur roues et non sur patins mais personne n'allait s'en plaindre. Les chevaux piaffaient, comme impatients eux aussi de vivre ce moment inhabituel.

Ridge avait disposé des ballots de paille pour asseoir les passagers. Quand Caidy arriva avec Maya, tout le monde était déjà plus ou moins installé. Le seul espace qui restait pour elles deux se trouvait à l'arrière, juste à côté de Ben. Dans leur désir permanent de jouer les marieurs, ses frères l'auraient-ils fait exprès ? Ils ne pouvaient pas deviner que, pour le moment, Ben devait plutôt avoir envie de la jeter par-dessus bord…

— Et moi, Tatie ? demanda Maya en regardant l'échelle prévue pour monter.

Caidy hésita. Comment allait-elle se débrouiller ? Elle ne se sentait pas capable de grimper tout en portant Maya, et la petite était encore trop jeune pour monter seule.

— Si vous pouvez juste la soulever, je l'attraperai d'ici, proposa Ben qui avait compris le problème.

Elle se baissa donc pour prendre Maya dans ses bras et la tendre à Ben. Leurs bras se frôlèrent au moment où il attira la fillette vers lui. Avait-il senti les étincelles qui jaillirent à cet instant, ou bien était-ce seulement le fruit de son imagination à elle ? Maya installée, elle monta à son tour en regrettant encore plus vivement qu'il n'y ait pas de place à l'avant où Alex et Jack s'étaient déjà installés.

— Assieds-toi, Caidy, ordonna Taft, sinon tu vas

passer par-dessus bord quand Ridge mettra le traîneau en marche.

Bon… elle n'avait pas le choix. Elle s'installa donc sur le même ballot de paille que Ben qui portait une pelisse beige, parfaitement adaptée au froid et aux activités du ranch. Heureusement, Maya se casa entre eux deux, faisant ainsi office de tampon entre elle et Ben, plus Sexy-Doc que jamais, hélas.

Avant de lancer les chevaux, Ridge se retourna pour s'assurer que tous ses passagers étaient bien assis, puis il secoua les rênes et l'équipage s'ébranla dans le tintement des clochettes qui décoraient les harnais.

— *Jingle bells ! Jingle bells !* chanta de nouveau Maya.

Caidy la regarda en souriant. Quand elle leva les yeux, elle s'aperçut que Ben lui aussi souriait à la petite. Elle l'avait qualifié d'arrogant, de prétentieux, et voilà qu'il traitait Maya et son syndrome de Down avec une touchante gentillesse. Après ça, comment oser le regarder en face ?

Il fallait pourtant qu'elle lui parle… Sans attendre davantage. Les doigts crispés dans ses gants, elle se tourna vers lui.

— Je… je suis désolée pour tout à l'heure, à cause de ce que j'ai dit. Je n'en pense pas le premier mot. C'est que… j'ai été idiote, c'est tout.

— Pardon ? demanda Ben en se penchant vers elle.

Avec le bruit du vent qui soufflait et les rires de huit adolescentes déchaînées, la voix de Caidy n'avait pas porté.

— Je disais que je suis désolée, répéta-t-elle.

Elle avait parlé plus fort, mais les filles commencèrent à chanter juste à ce moment-là.

— Excusez-moi…, reprit-il en se penchant vers elle par-dessus la tête de Maya.

Que faire ? Elle se pencha à son tour pour lui parler à l'oreille, ce qui lui paraissait pourtant tout à fait ridicule. Elle voulait juste lui demander d'oublier tout ça, pas plus ! Mais puisqu'elle en était arrivée à ce point, il fallait aller jusqu'au bout.

Mon Dieu… maintenant qu'elle se tenait tout près de lui, elle respirait son parfum épicé qu'elle avait déjà humé quand ils s'étaient embrassés. Avec effort, elle s'efforça de se concentrer sur les excuses qu'elle voulait présenter.

— Je disais que je suis désolée de ce que j'ai dit à votre sujet dans la cuisine tout à l'heure. Mes belles-sœurs étaient en train de me taquiner à votre sujet et j'ai dit n'importe quoi pour me défendre. Je regrette que vous ayez entendu, je ne pensais pas ce que je disais.

— Vraiment pas du tout ?

Elle s'écarta un peu de lui, surprise par sa réaction.

— Oh ! Tout compte fait, si ! Je vous trouve assez arrogant.

Il éclata de rire, de ce rire grave qu'elle avait déjà entendu et qui la faisait frissonner de sensualité.

— Cela m'arrive, en effet, ajouta-t-il.

— Chantez encore ! ordonna Maya aux filles qui venaient de s'arrêter.

Trop heureuse de la diversion, Caidy prit la petite sur ses genoux. Sans cela, elle aurait été bien en peine de savoir comment se comporter envers un homme qui lui adressait des signaux aussi contradictoires. Aimable ? Pas aimable ? Franchement, elle n'en savait plus rien !

Son étonnement fut encore plus grand lorsque Ben se mit à chanter avec Maya et les grandes filles. Il avait une voix de ténor très agréable et connaissait toutes les paroles de la chanson. Elle regarda autour d'elle. Devant, les chevaux avançaient d'un pas égal, tirant la carriole qui avançait dans la neige molle, sous la lumière irréelle de la lune. De temps en temps, des maisons surgissaient, enrubannées dans leurs guirlandes de Noël, telles des apparitions pleines de gaieté.

Malgré le froid, elle prit une profonde inspiration. Finalement, elle était en train de passer une soirée très agréable. Elle se déplaçait dans un paysage féerique, par une nuit sereine, entourée de sa famille qu'elle chérissait. Que pouvait-elle souhaiter de plus ? Finalement, et ce fut un choc pour elle d'en prendre conscience, elle était très heureuse d'être venue.

A son tour, elle se mit à fredonner à voix basse tandis que Maya déformait les mots mais s'appliquait à suivre de son mieux. Ils en étaient arrivés au milieu de la chanson lorsque Ben se pencha vers Caidy.

— Pourquoi est-ce que vous ne chantez pas vous aussi ?

Elle haussa les épaules, incapable de lui répondre. Pour commencer, avait-elle envie de lui donner les raisons de son silence ? Et si jamais elle en éprouvait l'envie, ce n'était certainement pas au milieu de cette cacophonie de grincement de roues, de tintement de clochettes et de hurlements d'enfants qu'elle allait les lui confier.

Leur chant de Noël terminé, les adolescentes se turent un moment que Ben mit à profit pour revenir à la charge.

— Vous n'aimez pas les chants de Noël en particulier ou les chants en général ?

Elle secoua la tête.

— Non. Je ne chante pas, c'est tout.

Taft avait dû entendre ce qu'elle venait de dire car il se mêla à leur conversation.

— Ne l'écoutez pas, Ben. Caidy a une très belle voix. Autrefois, elle chantait en solo à la chorale de l'école et à celle de l'église.

Que tout cela paraissait loin… Elle s'en souvenait à peine, mais maintenant que Taft venait d'évoquer ces moments, elle se rappelait à quel point elle avait eu le trac la première fois et même les suivantes, malgré les heures de répétitions qu'elle avait suivies. Il avait fallu qu'elle aperçoive ses parents au premier rang de l'assistance pour oser se lancer afin de ne pas décevoir leur attente.

Quelques mois plus tard, ils étaient morts tous les deux. Par sa faute. Et tous les chants qu'elle connaissait étaient morts avec eux.

— Je ne chante plus, précisa-t-elle, espérant ainsi mettre un point final à cette conversation.

Ses raisons ne regardaient qu'elle, certainement pas Ben Caldwell.

Il la regarda un long moment en silence tandis que la charrette continuait sa route. A un moment donné, un cahot les projeta épaule contre épaule. Elle aurait pu s'écarter à temps pour qu'elles ne se rencontrent pas, mais elle n'en fit rien. Elle posa sa joue sur les cheveux de Maya tout en fredonnant *Silent Night*.

Au-dessus de leurs têtes, les étoiles scintillaient doucement.

Ben sentait bien qu'un secret planait sur la famille Bowman, un secret lié à Noël.

Alors que Laura et les enfants chantaient à gorge déployée, il avait remarqué que Caidy et ses frères hésitaient à joindre leur voix aux leurs. Même si l'un ou l'autre fredonnait un couplet de temps à autre, aucun ne participait avec enthousiasme.

Déjà au cours du repas, il avait noté qu'à certains moments, un fond de tristesse prenait le dessus, malgré les rires des enfants et la bonne humeur des deux belles-filles.

Et ce tableau, qu'il avait longuement admiré, quel était son secret ? Avec ses couleurs vibrantes, il dégageait une vie et une passion intenses, et pourtant, tous les Bowman étaient demeurés silencieux quand il avait évoqué son auteur, comme s'ils avaient éprouvé le besoin de tirer un écran protecteur entre eux et l'artiste.

L'artiste qui était leur mère. Que lui était-il arrivé ? Et à leur père ? Car lui aussi était absent. Il aurait aimé qu'on lui dévoile ce mystère mais n'osait rien demander.

La lune inondait le paysage de sa lueur féerique. Il regarda Caidy. Elle était d'une beauté à couper le souffle, avec ses traits délicats et sa bouche si finement dessinée, faite pour le baiser.

Un baiser auquel il avait pensé toute la journée, sans doute parce qu'il n'avait pas encore bien compris ce qui s'était passé. Il n'était vraiment pas le genre d'homme à profiter d'une situation un peu délicate pour voler un baiser à une belle femme. En fait, il n'avait pas été capable de lui résister.

Quand il l'avait tenue dans ses bras, il avait eu envie d'elle, bien sûr, mais il avait aussi éprouvé autre chose, mêlé à ce désir purement charnel, une sorte de tendresse tout à fait surprenante et déroutante. Il avait compris que, de peur d'être blessée, elle préférait anticiper les dangers potentiels et les maintenir à distance en s'entourant d'une carapace hérissée d'épines. Qui s'y frotte s'y pique…

Lorsqu'il avait surpris la conversation dans la cuisine et qu'il avait entendu les horreurs qu'elle débitait sur son compte, il aurait mieux fait de s'éclipser sans que personne ne se doute de sa présence. Oui, voilà ce qu'il aurait dû faire. Cela aurait été le réflexe poli et salvateur. Mais un démon lui avait soufflé à l'oreille non seulement de rester mais de provoquer Caidy dans ses derniers retranchements, juste pour lui montrer qu'on ne se débarrassait pas de lui aussi facilement.

Au cours du repas, il avait trouvé qu'elle se conduisait de façon déroutante : aimable avec tout le monde, mais plus que distante avec lui. En fait, elle l'avait bel et bien ignoré. Voilà qui ne l'aidait pas à voir clair en lui-même. Comment gérer les réactions contradictoires qu'il éprouvait envers elle ?

Par moments, il n'avait qu'une envie : se réfugier dans sa vie de veuf et de père. A d'autres, Caidy lui rappelait que, sous cette vie-là, une autre était possible, une vie d'homme à part entière, où le désir et la volupté avaient leur place.

Brooke était morte depuis deux ans maintenant. Il la regretterait toute sa vie, à cause des bons moments qu'ils avaient partagés et des beaux enfants qu'elle lui avait donnés, elle qui les aimait tant et dont elle s'occupait si bien. Mais depuis qu'il s'était installé dans l'Idaho, il avait l'impression que les bases mêmes de son existence avaient été ébranlées. En quittant San José, il avait eu l'intention d'offrir une vie nouvelle à ses enfants, loin de l'influence nuisible de ses beaux-parents. Jamais il n'aurait imaginé être attiré par une femme si belle, pleine de secrets et de tristesse au fond des yeux.

Pendant le reste de la promenade, il s'efforça de profiter de la beauté du paysage enneigé et de l'ambiance tout à fait spéciale de cette promenade nocturne dans une charrette tirée par deux beaux chevaux de trait dont la lune faisait briller la crinière claire. Mais en même temps, il s'appliqua à observer Caidy. Elle était extra-ordinaire. Elle réussissait à la fois à entretenir l'intérêt de la petite Maya qu'elle gardait toujours sur ses genoux et à veiller à ce qu'aucune des adolescentes passablement excitées maintenant ne tombe de la charrette. C'était assez impressionnant.

De toute évidence, elle adorait les enfants et savait très bien s'y prendre avec eux. Alors, pourquoi n'avait-elle pas une famille à elle ?

Il détourna la tête sous prétexte d'admirer une des maisons du voisinage dont la terrasse était décorée d'une multitude de guirlandes multicolores. Allons… la vie de Caidy Bowman ne le regardait pas, point final. Il était vétérinaire, n'est-ce pas ? Son travail se bornait donc à soigner le chien de sa cliente et pas davantage. Certes… mais cela ne l'empêchait pas d'éprouver un sursaut de sensualité chaque fois que son épaule heurtait celle de Caidy. Et Dieu sait si les ornières qui secouaient la charrette malgré la conduite habile de Ridge étaient nombreuses…

— J'ai froid maintenant, se plaignit Maya en se serrant davantage contre Caidy.

— Moi aussi, ma chérie. Mais tu vois, nous sommes sur le chemin du retour. Nous allons bientôt boire un bon chocolat chaud et manger les cookies que j'ai préparés tout à l'heure.

Maya lui adressa en retour un regard brillant de gourmandise.

— Mmm, ça va être bon !

Ben nota que Ridge avait parfaitement bien évalué la durée de la balade puisqu'elle prenait fin juste au moment où les enfants commençaient à se lasser et à se plaindre du froid.

Ils passèrent sous le panneau de bois qui annonçait l'entrée du River Bow Ranch mais, au lieu de s'arrêter devant la grande maison, l'attelage s'engagea dans le chemin qui conduisait au cottage loué au vétérinaire.

— C'est fini ? demanda Maya qui avait oublié le froid.

— C'est fini pour aujourd'hui, dit Taft en lui tendant les bras, mais nous reviendrons au ranch faire d'autres promenades.

— Maya adore nos chevaux, lâcha Caidy. Et plus ils sont gros, plus ils lui plaisent !

L'attelage s'arrêta.

— Service à domicile ! lança Caidy à l'adresse de Ben.

Enfin elle osait le regarder et lui adresser un sourire hésitant. Et lui, tout à coup aussi timide qu'un adolescent, ne rêvait plus que d'une chose : rester là, dans la nuit froide, à se perdre dans le regard vert de cette femme qui l'intriguait et l'attirait en même temps.

Il se contenta de lui sourire en retour, rapidement, et d'appeler ses enfants.

— Jack, Ava ! Hop, pied à terre !

— Non, je veux rester encore dans la charrette, répliqua Jack. Pourquoi on est les seuls à descendre ?

— Parce que nous ne dormons pas ici ! expliqua Ridge. Les chevaux vont nous ramener à notre maison où ils retrouveront leur écurie, et nous, notre lit !

— Et nous allons faire pareil, fiston, ajouta Ben. Tout le monde est fatigué.

Résigné, Jack sauta dans les bras de son père. Ben lisait sur le visage d'Ava qu'elle aurait bien aimé rester davantage avec ses copines, mais elle ne fit pas d'histoire pour rentrer.

— Ciao, les filles ! lança-t-elle, à demain.

— Merci de nous avoir permis de vous accompagner. Ava et Jack se sont régalés.

Ben s'était adressé à tous les passagers en même temps, mais au fond de lui, c'était à Caidy qu'il voulait parler.

— Et vous ? Vous avez passé un bon moment ? demanda Caidy.

— Oui, moi aussi, assura-t-il.

C'était vrai, reconnut-il avec une certaine surprise. Depuis la mort de sa femme, bien peu de choses lui avaient fait plaisir, mais ce soir, il avait connu un moment de bonheur inhabituel.

— Merci encore et à bientôt !

Il leur adressa un signe de la main et poussa ses enfants devant lui, les yeux fixés sur Caidy.

Comme elle était déroutante… Il y avait en elle du doux et du piquant, du tendre et du rugueux, du fragile mais aussi une force surprenante. Assez pour rester fasciné.

Et, malheureusement, il l'était, bien plus qu'il ne l'aurait souhaité.

10

Au cours des jours qui suivirent, Caidy mit un point d'honneur à se tenir loin du cottage où vivait Ben. Elle n'avait aucune raison de s'y rendre. Absolument aucune. La famille Caldwell était installée et personne ne réclamait son aide.

Et si le soir elle n'était pas capable de faire autre chose que de rester debout derrière sa fenêtre à regarder le paysage enneigé, elle n'avait à s'en prendre qu'à elle-même. Elle avait beau se dire qu'elle profitait de la paix et de la sérénité de ces nuits de décembre, la nervosité ne la quittait pas.

Rien à voir, évidemment, avec le séduisant vétérinaire qui vivait dans la maison d'à côté. Absolument rien.

Pourtant, tout en admettant qu'il lui serait impossible de le fuir éternellement, elle continuait sa politique d'évitement.

Une semaine avant Noël, elle s'éveilla avec le sentiment étrange d'avoir fait un rêve compliqué et troublant dont elle n'arriva pas à se souvenir. Ce malaise la poursuivit pendant qu'elle se dirigeait vers la grange pour nourrir et abreuver les chevaux, accompagnée de Destry, encore à moitié endormie.

Malgré tous ses efforts, elle ne réussit pas à éclaircir le contenu de ce rêve troublant. Jusqu'au moment où, leur travail auprès des chevaux terminé, elle se retrouva bien au chaud dans la cuisine pour prendre le petit déjeuner avec Destry en attendant le passage du bus de ramassage scolaire. En effet, lorsqu'elles pénétrèrent dans la pièce, elles furent accueillies par un aboiement joyeux en provenance de la cage. Elle se tourna vers Luke et, tout à coup, elle se souvint.

C'était aujourd'hui qu'elle devait ramener Luke chez le vétérinaire pour une visite de contrôle et le retrait de ses points de suture. Elle se figea net, le cœur battant, le rouge aux joues. Et voilà... Elle savait bien qu'elle ne pourrait pas éviter Ben Caldwell jusqu'à la fin des temps et, pourtant, elle aurait bien aimé avoir encore un peu de répit avant de se retrouver face à face avec lui.

— Qu'est-ce qui t'arrive ? lui demanda Destry. Tu es toute bizarre tout à coup.

Caidy prit le temps d'avaler sa salive avant de répondre.

— Rien, Destry. Je viens juste de me rappeler quelque chose de désagréable.

— Tu sais, reprit l'adolescente, le meilleur moyen de se débarrasser d'une idée contrariante, c'est de la remplacer par une plus sympa. C'est ce que j'essaie de faire chaque fois que je pense à ma mère.

Cette remarque chassa momentanément le souvenir de Ben dans son esprit. Destry ne parlait jamais de sa mère. On aurait dit que le nom de Melinda avait à jamais été effacé de sa mémoire ou, tout au moins, de sa conversation. Destry était une enfant si calme, si gentille, et Ridge un père si attentionné que Caidy avait fini par penser que la fillette s'était accoutumée au départ de sa mère. Et tout à coup, voilà qu'elle avait la preuve du contraire. Finalement, qu'on ait trois ans ou seize ans, on ne se remet pas si facilement de cette perte...

— Ça t'arrive souvent de penser à elle ? demanda-t-elle

d'une voix douce afin de ne pas casser le dialogue délicat qui venait de se nouer autour de cette confidence.

Destry haussa les épaules en se versant un grand bol de céréales.

— Pas vraiment. C'est à peine si je me souviens d'elle, tu sais ? Mais je me pose des questions à son sujet, surtout au moment de Noël. Tu te rends compte que je ne sais même pas si elle est vivante ou morte ? Gabi au moins sait que sa mère est en vie, même si elle est complètement cinglée.

« Cinglée » était en fait un mot fort aimable pour désigner la mère de Becca et de Gabi. En fait, c'était une femme méprisable, orgueilleuse et irresponsable, qui n'avait apporté à ses deux filles que soucis et insécurité.

— Tu parles de ta mère à ton père de temps en temps ?

— Non.

Destry avala une grande cuillerée de céréales, puis, la cuillère en l'air, reprit :

— Franchement, je l'ai presque complètement oubliée. J'étais trop petite quand elle est partie pour avoir des souvenirs. Elle n'était pas très gentille, je crois ?

« Gentille »… le mot convenait si peu à Melinda que Caidy avait presque envie d'en sourire. Au début, elle les avait tous trompés, Ridge en particulier. Elle paraissait follement amoureuse de lui, mais le temps avait révélé des aspects beaucoup moins agréables de sa personnalité, ce qui fait que lorsqu'elle avait quitté le River Bow Ranch, son départ avait soulagé tout le monde.

— Elle avait des problèmes…, expliqua Caidy en choisissant ses mots avec soin. Je crois qu'elle n'avait pas eu une jeunesse très heureuse.

Elle marqua une pause. Destry l'écoutait avec la plus grande attention.

— Tu sais, reprit Caidy, il arrive que certaines personnes ne peuvent pas voir ce qu'il y a de bien dans leur présent parce qu'elles ont été trop malheureuses dans le passé. Je crois que c'était ça, le problème de ta maman.

Destry demeura silencieuse un moment, puis, plongeant sa cuillère dans son bol :

— De toute façon, c'est nul ce qu'elle a fait, tu es bien de cet avis ? Moi, quoi qu'il arrive, je serai incapable d'abandonner mes enfants.

— Moi aussi. C'est vrai, c'est nul, comme tu dis. Elle n'a pas fait les bons choix et malheureusement, c'est toi qui as dû en supporter les conséquences. Mais que cela ne t'empêche pas de profiter de tout ce que tu as de bien. Ton père est resté avec toi et il t'aime plus que tout au monde. Je suis là, et il y a aussi Trace et Taft ainsi que leur famille. Tu vois, il y a plein de gens qui t'aiment. Si ta mère n'a pas vu quelle enfant merveilleuse tu es, c'est son problème, pas le tien ! N'oublie jamais ça, d'accord ?

— Je sais. Je m'en souviens. Enfin… la plupart du temps, assura Destry.

Caidy se pencha par-dessus son bol et lui adressa un clin d'œil avec le sentiment agréable que cette conversation les avait encore rapprochées.

Leur petit déjeuner achevé, elles rangèrent la table en vitesse et Caidy se hâta de conduire Destry à l'arrêt d'autobus.

— Je ne vois pas Ava ni Jack, s'inquiéta la petite. Tu crois qu'ils ont oublié à quelle heure passe le bus ? Il faudrait peut-être que nous allions les chercher.

— Mme Michaels sait très certainement à quelle heure passe le bus et ils ont toujours été à l'heure depuis qu'ils habitent le River Bow Ranch. C'est peut-être leur père qui les a conduits aujourd'hui.

— Mmoui…

Destry n'était qu'à demi convaincue.

Une fois Destry dans le bus, elle retourna à la maison chercher Luke qui se déplaçait avec davantage de facilité chaque jour.

— Tu sais, mon vieux, que tu me compliques sérieusement la vie ? Sans toi, je pourrais faire comme si Superdoc n'existait pas.

Le chien la regarda en inclinant la tête sur le côté, presque comme s'il voulait lui présenter des excuses. Caidy se mit à rire, puis attrapa la cage prévue pour le transport, l'amena dans sa voiture et revint chercher Luke.

Tout en s'activant de la sorte, elle envisagea de demander à Ridge de se charger de cette visite à sa place, mais elle se ressaisit très vite. Elle irait, quoi qu'il lui en coûte. Quel meilleur moyen de se prouver à elle-même qu'elle n'était pas une dégonflée de première ?

Au moment où elle s'installait au volant, un souvenir fugitif et inattendu s'imposa à elle. Une fois de plus, elle se revit, terrée dans le placard de la cuisine, à regarder le rai de lumière qui filtrait sous la porte et à écouter avec terreur la respiration oppressée de sa mère.

Elle haussa les épaules pour chasser ce souvenir douloureux.

Oh ! Comme elle détestait Noël !

En arrivant à la clinique, elle était d'humeur maussade. A son souci de savoir Destry malheureuse d'avoir été abandonnée par sa mère se mêlait sa propre souffrance de ne plus avoir sa mère. Sans compter sa contrariété d'avoir à rencontrer Ben Caldwell, à cause du malaise qui s'était installé entre eux.

C'était ridicule de se laisser impressionner comme ça ! Elle n'était pourtant pas la première poule mouillée venue, loin de là. Chaque année, elle participait à la transhumance de leurs troupeaux et elle assistait Ridge quand il marquait les poulains et même quand il castrait les bouvillons.

Alors ?

Alors elle allait se débrouiller pour supporter une entrevue d'un quart d'heure avec ce vétérinaire de malheur, aussi sexy soit-il. Point final.

Cette résolution bien en tête, elle entreprit de faire sortir Luke de son pick-up. Mais visiblement l'endroit lui avait laissé à lui aussi de mauvais souvenirs ! Il secouait la tête pour empêcher Caidy d'attacher la laisse, recroquevillé au fond de sa cage pour qu'elle ne puisse pas l'atteindre. Bref, il résistait de son mieux pour ne pas pénétrer dans la clinique.

— Allez, Luke, sois gentil ! Viens…

— Vous avez un problème ?

Le son familier de cette voix fit bondir son cœur. Elle se tourna d'un bloc. *Il* était là, ses cheveux noirs soigneusement lissés en arrière et les yeux plus bleus que jamais. Sexy-Doc, beau à se damner, tout simplement.

— Hé bien… vous avez là un patient qui n'a guère envie de vous voir.

Et sa maîtresse pas davantage…, ajouta-t-elle *in petto*.

— Ça arrive souvent. Je vous ai vue de ma fenêtre et j'ai pensé qu'il se passait quelque chose dans ce genre.

— Je n'ose pas le tirer de peur de lui faire mal.

— Vous permettez ? demanda-t-il en s'approchant de la cage.

— Bien sûr.

Elle ferma les yeux pour ne pas voir les reflets bleutés que le soleil faisait briller sur ses mèches brunes. Ni les larges épaules qui se pliaient souplement pour atteindre le patient qui renâclait au fond de sa cage.

Zut ! Elle n'avait vraiment pas de chance. Le seul

homme qui lui faisait battre le cœur n'avait pas la moindre envie de nouer une relation. Tout au moins avec elle.

— Allez, Luke ! Viens… tout doux, tout doux…

Si jamais Ben Caldwell s'adressait à *elle* sur ce ton, c'était sûr et certain, elle se liquéfierait d'émotion sous ses yeux.

— N'aie pas peur, Luke… Cette fois, tu n'auras pas mal.

Charmé lui aussi par cette voix de velours, Luke se laissa attraper et accepta docilement la laisse. Ben l'aida à descendre sur le sol couvert de neige.

— Bien !

Puis, s'adressant à elle :

— Il remue facilement, c'est un très bon signe.

Aussitôt, Luke leva la patte contre le pneu du pick-up, histoire de montrer qui était le patron si jamais quelque chien errant osait s'approcher du véhicule. Ben le laissa faire tranquillement. Cela aussi sans doute faisait partie de sa pratique.

Une fois rassuré d'avoir marqué son territoire, Luke accompagna Ben vers la porte arrière de la clinique, celle qu'elle avait si souvent empruntée quand elle travaillait avec le Dr Harris.

— Allons directement à la salle de soins, je vais tout de suite m'occuper de lui. Nous ferons la paperasserie ensuite.

Il referma la porte derrière lui, et Caidy eut l'impression de ne plus arriver à respirer. On aurait dit que tout l'oxygène de la pièce avait disparu. Elle se retrouva face à Ben Caldwell dans cet espace exigu, le souffle court, profondément troublée.

Quand il commença à examiner Luke, elle se laissa aller sur une chaise, préoccupée seulement d'ignorer cette voix envoûtante et l'aisance avec laquelle il s'occupait de son patient. A la place, elle s'efforça de se concentrer sur la liste de tout ce qui lui restait à faire à moins d'une semaine de Noël.

— Tout paraît aller bien. Luke a progressé beaucoup plus vite que je ne pensais.

— Je suis très contente. Merci.

— Je préférerais tout de même lui laisser les points encore quelques jours. Si vous n'y voyez pas d'inconvénient, je passerai chez vous les lui enlever pendant les vacances.

— Inutile de vous déranger, je peux le faire moi-même, ce ne sera pas la première fois.

Il fronça les sourcils, étonné.

— Vous savez faire ça ?

Elle haussa les épaules.

— La plupart des gens qui vivent dans un ranch ont une certaine expérience en matière vétérinaire, c'est indispensable. Et grâce au Dr Harris, j'ai eu l'occasion et la chance de pouvoir pousser ma pratique un peu plus loin.

— Si jamais vous cherchez un emploi, sachez que je suis à la recherche d'un assistant doté d'expérience, ajouta-t-il.

Seigneur, pensa-t-elle... Il ne manquerait plus que ça. Le désastre total, la catastrophe majuscule ! En présence de cet homme, elle était incapable de lier deux idées entre elles. Mieux valait ne pas imaginer ce que cela donnerait si elle se mêlait d'intervenir avec lui dans les soins.

— J'y penserai, répondit-elle poliment.

— A propos... J'ai un service à vous demander. Ou plus exactement, un conseil.

— Je vous écoute.

— Vous connaissez à peu près tout le monde à Pine Gulch ?

— Oui, en effet.

— Est-ce que par hasard vous pourriez m'indiquer une baby-sitter ?

— Vous n'êtes pas satisfait de Mme Michaels ?

Elle se souvint alors que les enfants n'étaient pas à l'arrêt d'autobus le matin.

Il laissa échapper un profond soupir.

— Elle est parfaite. Ce n'est pas elle qui me donne du souci, mais sa fille qui vit en Californie vient d'avoir un bébé.

— Oui, elle m'en avait parlé quand je l'ai rencontrée.

— Le bébé vient de naître avec un mois d'avance. Il est actuellement en couveuse. Anne Michaels voudrait être auprès de sa fille, ce que je comprends très bien. Elle cherche un vol qui lui permette de la rejoindre le plus tôt possible et elle souhaite rester auprès d'elle pendant la durée des vacances.

— C'est bien normal.

— Oui, tout à fait. Le problème, c'est que cela me complique considérablement la vie, au moins pour un temps. Bien sûr, Ava et Jack peuvent toujours venir à la clinique après l'école, mais Ava trouve que c'est assommant et Jack a le chic pour créer des problèmes partout où il passe, ce qui est plutôt ennuyeux dans une clinique remplie d'animaux malades.

— Oui, je vois où ça coince.

— Il me faut absolument trouver quelqu'un pour ce samedi. J'ai des rendez-vous toute la journée et je n'imagine pas du tout mes deux enfants coincés ici pendant dix heures d'affilée.

Malgré elle, elle eut un élan de sympathie pour l'homme qui lui faisait face. Cela n'avait pas dû être facile pour lui de s'installer dans une ville où il ne connaissait personne. Brusquement, il s'était retrouvé loin de tout entourage familial ou amical. Et pour un homme seul, absorbé par un métier très prenant, ce devait être encore plus compliqué.

— Ne vous inquiétez pas, Ben, le problème est réglé. Ava et Jack peuvent très bien venir au ranch après la classe. Ils retrouveront Destry et je serai là pour jeter un coup d'œil sur eux.

La proposition eut l'air de le contrarier.

— Je ne cherchais pas à insinuer quoi que ce soit, Caidy, je vous assure. Je n'ai jamais pensé à vous demander ce service ! C'est seulement parce que vous connaissez tant de monde ici que je vous ai parlé de mon problème.

— Si vous y tenez, je vous donnerai les coordonnées de quelques personnes qui s'occupent d'enfants, mais je vous assure que cela ne me posera aucun problème d'avoir Jack et Ava au ranch. Destry sera enchantée d'être avec ses copains et ils pourront même nous aider au ranch s'ils en ont envie. Il leur suffira de prendre le bus avec Destry après l'école, exactement comme ils le font d'habitude. Et pour samedi, pas de problème non plus. Destry et moi faisons des cookies, nous serons très contentes d'avoir de l'aide.

Il se rembrunit encore plus.

— Non, je ne veux pas vous déranger. Vous devez avoir beaucoup à faire avant Noël.

— Si je pensais que ce soit un dérangement, je ne vous aurais pas fait ma proposition.

— Je ne sais pas…

— Soyons simples, Ben. Je vous propose une solution qui nous offre à Destry et à moi une compagnie agréable, mais si vous préférez vous organiser autrement, je n'en

serai pas du tout blessée. Sentez-vous bien libre de choisir
ce qui vous convient. Réfléchissez-y tranquillement et
donnez-moi votre réponse plus tard.

— Inutile d'attendre. Vous avez parfaitement raison,
Caidy, c'est la meilleure solution.

Tout en parlant, il caressait Luke tout doucement.
Elle ne put s'empêcher de penser que son chien avait
bien de la chance !

Au bout d'un moment, Ben releva la tête.

— Ce n'est pas facile pour moi d'accepter de l'aide.
Surtout de votre part, étant donné que… que nos relations sont un peu compliquées.

— Compliquées ? Vous trouvez que c'est le mot qui
convient ?

Apparemment, elle n'était pas la seule à être troublée
par ce qui se passait entre eux.

— Quel est celui qui vous paraît convenir mieux ?
Pétillantes… Exaltantes… Explosives…

Non, elle n'en prononcerait aucun malgré leur perti-
nence.

— « Compliquées » fera l'affaire, mais en ce qui
concerne vos enfants, ça ne l'est pas tant que ça. Je les
aime bien tous les deux. Jack a déjà un sens de l'humour
incroyable et je suis sûre qu'il va nous faire beaucoup
rire. Ava est moins facile, mais je ne refuse pas le défi.

— La vie est assez compliquée pour elle en ce moment.

— A cause de votre déménagement ?

— Oui, il la perturbe beaucoup. Elle est en colère
contre tout et tout le monde. Mes beaux-parents ne
sont pas étrangers à cette attitude. Ils me tiennent pour
responsable de la mort de leur fille, et depuis, c'est-à-
dire depuis deux ans, ils n'ont eu de cesse de l'éloigner
de moi. Jack aussi d'ailleurs, mais il m'a paru moins

vulnérable qu'elle. Peut-être parce qu'il est plus jeune, je ne sais pas.

— Ils ont des raisons de vous en vouloir ?

— C'est ce qu'ils pensent. Brooke avait du diabète et a failli mourir en mettant Jack au monde. Les médecins nous avaient recommandé de ne pas avoir un autre enfant, mais elle voulait absolument en avoir un troisième en dépit du danger que cela représentait pour elle.

Elle hocha la tête, perplexe, mais touchée qu'il lui fasse de telles confidences.

— Oui, elle était comme ça, reprit-il. C'était son côté enfant gâtée. Quand elle voulait quelque chose, elle ne comprenait pas pourquoi elle ne l'obtiendrait pas. Nous prenions toutes les précautions nécessaires, du moins, je le croyais, mais elle n'en faisait qu'à sa tête et m'a annoncé qu'elle était enceinte alors que je pensais que c'était impossible.

— Quelle histoire…

— Oui.

Il passa une main dans ses cheveux.

— Je ne sais pas pourquoi je vous raconte tout ça !

Comme elle l'avait fait avec Destry un peu plus tôt, elle veilla à choisir ses mots avec le plus grand soin afin de ne pas rompre le lien fragile qui venait de se tisser entre eux.

— Peut-être parce que nous pourrions être amis si les choses n'étaient pas si… compliquées entre nous ? suggéra-t-elle.

Il eut un rire amer.

— Amis ? Pourquoi pas ? Après tout, je n'en ai pas tant que ça ici.

Elle comprit que cette réponse ne signifiait pas qu'il se sentait à son aise avec elle.

— Ne vous inquiétez pas, vous vous en ferez, des

amis. Vous venez juste d'arriver ! Il faut du temps pour gagner la confiance des gens.

— Vous savez, je ne parlais pas de tout cela en Californie, même à mes meilleurs amis. Parce que... c'est un peu comme si je me montrais déloyal envers ma femme. Je l'aimais mais une partie de moi-même est en colère contre elle. Elle a fait exprès de tomber enceinte sans me demander mon avis. Elle a arrêté de prendre sa contraception sans m'avertir, persuadée qu'elle en savait davantage que les médecins.

Elle demeurait perplexe. Quel genre de mère mettrait sa vie en danger alors qu'elle avait déjà deux beaux enfants et un mari amoureux, tout simplement pour avoir quelque chose qu'elle ne possédait pas ? Voilà qui dépassait son imagination.

— Je l'aimais, reprit Ben, mais je lui en veux encore d'avoir voulu mettre en route cette grossesse alors que tous les médecins lui assuraient qu'elle allait y laisser sa vie.

Maintenant qu'il avait commencé à parler, il semblait que rien ne pouvait plus arrêter Ben dans ses confidences.

— Pendant plusieurs mois, tout s'est bien passé. Tout au moins, c'est ce que nous croyions. Puis, à six mois de grossesse, son taux de glucose a grimpé en flèche. Il a dû atteindre un taux record le jour où elle a eu son accident.

Elle remarqua ses doigts crispés sur la fourrure de Luke.

— Elle était au volant. Elle et le bébé sont morts instantanément.

— Ben... je suis désolée.

Elle aurait aimé le toucher, le réconforter, mais elle n'osait pas bouger. Comment réagirait-il si elle posait sa main sur la sienne ? Est-ce que ce geste est permis entre amis « compliqués » ?

— Les parents de Brooke ne m'ont jamais pardonné la mort de leur fille. Ils sont encore persuadés que c'est ma faute si elle s'est retrouvée enceinte. D'après eux, je n'aurais pas dû la toucher, respecter sa maladie, etc., etc.

— C'est ridicule !

— Non, je ne peux pas leur donner complètement tort.

Elle eut un haut-le-corps.

— Moi, si. Ils sont inconscients ou quoi ? Vous étiez un couple marié, pas deux adolescents un peu ivres à la fin d'une surprise-partie.

— Vous avez peut-être raison... Oui, ils sont sans doute un peu inconscients.

Ses épaules parurent se détendre.

— Un peu inconscients ou plutôt... complètement dingues. Oui, c'est ça. C'est pour cette raison que j'ai quitté San José. Ava était en train de devenir exactement comme ma belle-mère. Un parfait petit clone, jusque dans sa façon de pincer les lèvres ou de me faire des remarques désagréables à propos de tout et de rien. J'ai voulu la soustraire à cette influence. Partir était le seul moyen de les empêcher de lui bourrer le crâne de mensonges à mon sujet. Elle aurait fini par me détester.

— Est-ce que les choses s'arrangent comme vous l'espériez depuis votre déménagement ?

— C'est trop tôt pour le dire. Ava est encore très en colère contre moi pour avoir provoqué cette séparation. En plus, ses grands-parents lui achetaient beaucoup de choses que je ne peux pas lui offrir. C'est dur à encaisser pour un père.

Cette fois, elle ne résista pas à son envie. Elle posa sa main sur l'avant-bras nu de Ben. Sa peau était tiède, ses muscles fermes sous ses doigts.

— Quoi qu'ils fassent, ils ne pouvaient pas lui donner la chose la plus importante du monde : votre amour. C'est de cela qu'ils se souviendront plus tard, quand eux-mêmes seront devenus adultes, pas des mensonges que des grands-parents ont essayé de leur fourrer dans la tête.

— Merci pour ces paroles. Elles me réconfortent.

Cette fois, il lui adressa un vrai sourire. Elle se sentit fondre de bonheur.

Avec effort, elle retira sa main.

— Je suis sincère à propos de vos enfants, Ben. Et si vous avez besoin d'un dépannage entre Noël et le jour de l'an, n'hésitez pas à me le demander.

Elle avait dû parler d'un ton convaincant car il parut tout à fait rasséréné.

— Merci infiniment. Vous venez de m'enlever un poids énorme !

— Avec plaisir.

A son tour, elle lui adressa un sourire pour conclure l'affaire. Il laissa glisser son regard sur sa bouche et s'y attarda, comme incapable de s'en détacher. Il pensait à leur baiser, elle en était sûre. Un désir sourd monta en elle et lorsqu'il leva les yeux sur elle, elle sut qu'elle n'inventait pas le désir qu'elle y lisait.

Elle avait envie qu'il l'embrasse encore. Qu'il passe les bras autour d'elle…

Ce n'était ni le lieu ni le moment.

— Hé bien… A plus tard.

— Oui, c'est ça. A plus tard.

Encore une fois, la voix grave et chaude de Ben la bouleversa. Elle fit de son mieux pour l'ignorer, attrapa la laisse de Luke et se hâta de tourner les talons.

11

Deux jours après cette entrevue, les épaules douloureuses de tension, les yeux rouges de fatigue, Ben
franchissait l'entrée du River Bow Ranch avec une
seule idée en tête : s'écrouler dans son lit et dormir
trois jours d'affilée.

Juste comme il venait enfin de trouver le sommeil,
bien après minuit, il avait été appelé en urgence pour
s'occuper d'un chien qui venait d'être renversé par
une voiture. Que faire ? Il n'avait pas le choix. Il avait
réveillé ses enfants, les avait déposés enroulés dans des
couvertures sur le siège arrière de son S.U.V. et les avait
couchés dans son bureau où rien n'était prévu pour ça
pendant qu'il s'occupait du chien en question.

Depuis le départ de Mme Michaels, la vie lui était
devenue impossible. Il lui fallait absolument trouver
quelqu'un pour la remplacer ou il allait y laisser sa
peau. Heureusement, Ava et Jack s'étaient facilement
rendormis et il avait béni le ciel de ne pas avoir à affronter
la mauvaise humeur de sa fille ni une crise de larmes
de la part de Jack. Ouf ! De même au retour, quand il
les avait de nouveau déposés dans leur lit, ils s'étaient
rendormis sans problème. Le grand air de la campagne
avait indéniablement des effets positifs.

En les voyant bien bordés et paisibles, il les avait enviés.
Lui qui était sur les nerfs après une opération qui s'était

bien déroulée mais s'était avérée fort délicate, n'était pas arrivé à trouver le sommeil. Son réveil avait sonné avant qu'il ait pu prendre un moment de vrai repos. Il s'était levé en titubant de fatigue, avait trébuché au passage sur un paquet de linge sale dans la salle de bains pour trouver le réfrigérateur vide parce qu'il n'avait pas eu le temps de faire des courses. Tout cela avant d'affronter une journée surchargée de rendez-vous.

Jusqu'à présent, à sa grande satisfaction, il n'avait noté aucune baisse de fréquentation de la part de la clientèle, ce qui était extrêmement gratifiant. Au moins, professionnellement, il avait la preuve que son déménagement n'était pas une erreur. Pour le reste, il n'en savait trop rien encore...

Il arrêta sa voiture devant la grande maison. Derrière les vitres de la salle de séjour, la décoration de Noël étincelait, pleine de gaité. Au loin, les montagnes se découpaient sur le ciel sombre. Une bonne odeur de résine lui monta aux narines. Il avait trouvé au River Bow Ranch un refuge accueillant où il avait plaisir à rentrer. Par sa situation en pleine nature, cette maison lui rappelait celle de ses grands-parents, à Lake Forest, mais la ressemblance s'arrêtait là car la maison des Caldwell était au moins trois fois plus grande que celle-ci et que, au lieu de lui offrir chaleur et réconfort, il n'y avait trouvé que dureté et remontrances. Les souvenirs qu'il gardait de la maison où il avait passé son enfance étaient un mélange de froideur, d'angles durs, de bois sombre et de meubles écrasants.

Ses grands-parents ne voulaient pas de lui, il l'avait su dès le départ, lorsque sa mère les avait abandonnés, lui et sa sœur Suzie, pour suivre son dernier petit ami en date. Evidemment, elle n'était pas revenue. Du haut de ses huit ans, au fond de lui, il avait tout de suite su qu'il ne la reverrait jamais. Quelques mois après effectivement, il avait appris qu'elle était morte d'overdose, ce qui ne l'avait pas empêché, tout au long de son enfance, d'espérer contre tout espoir que c'était faux et qu'un jour, elle réapparaîtrait dans leur vie.

Ses grands-parents avaient fait leur devoir, impossible de leur reprocher quoi que ce soit. Ils lui avaient offert un toit ainsi qu'à Suzie, des repas équilibrés et une bonne éducation, mais ils ne leur avaient jamais laissé oublier que leur mère était une femme irresponsable, égoïste, qui avait préféré la drogue à ses propres enfants.

Aujourd'hui, heureusement, il avait sa propre famille. Deux beaux enfants qu'il aimait plus que tout au monde et qu'il s'était juré de ne jamais traiter comme des fardeaux encombrants, quelque difficulté qu'il rencontre.

Il avait hâte de les retrouver. Il arrêta sa voiture devant la ferme et en descendit. Dans la nuit claire et froide, une multitude d'étoiles scintillaient. De l'intérieur lui provenaient des rires et le bruit de la télévision. Avant qu'il ait eu le temps de sonner, quelques aboiements signalèrent sa présence.

Aussitôt la porte ouverte, des odeurs de plats mijotés lui montèrent aux narines et firent grogner son estomac affamé, mal nourri de sandwichs depuis plusieurs jours.

— Salut, papa ! s'écria Jack en se jetant dans ses bras.

Ou plus exactement dans ses jambes. Car Jack adorait se cramponner à ses mollets et les escalader à la façon d'une araignée ou d'un petit singe jusqu'à ce qu'il le soulève et le juche sur ses épaules.

Une fois de plus, ce qu'il considérait comme un petit miracle se répéta. Sa fatigue, écrasante quelques instants plus tôt, disparut comme par enchantement. Le même phénomène se reproduisait chaque fois qu'il se retrouvait avec ses petits, et cela, même lorsque Ava avait décidé de faire la tête.

— Tu as passé une bonne journée, mon lapin ? demanda-t-il à Jack.

— Super ! J'ai aidé à nourrir les chevaux et j'ai joué avec les chatons qui sont dans la grange. Et tu sais quoi ?

— Non, dis-moi !

— Y a plus d'école jusqu'à l'année prochaine !

— C'est vrai. C'était le dernier jour aujourd'hui avant les vacances de Noël.

— Et Santa Claus passe dans trois jours !

Il ressentit un léger tournis à l'idée de tout ce qu'il avait à faire d'ici là… Mieux valait faire l'autruche et ne pas y penser.

— Je crois que je suis aussi impatient que toi.

C'était un mensonge, mais pas tout à fait, car il avait hâte de partager la joie de ses enfants ce jour-là quand ils découvriraient leurs cadeaux sous le sapin.

Comme il répondait à son fils, un changement dans l'atmosphère alerta son G.P.S. intérieur. C'était comme dans l'aviation, où quelques courants à peine perceptibles déplacent des masses d'air impressionnantes… Caidy s'était approchée, il le savait à coup sûr même si elle était encore hors de son champ de vision.

Elle s'approcha de lui, un nuage de farine sur le visage.

— Bonsoir, Ben. Il m'avait bien semblé entendre la cloche. Vous avez passé une bonne journée ?

Elle portait un tablier blanc. Elle était jolie comme un cœur. Il fit un effort pour se retenir de lui essuyer la joue.

— Oui, grâce à votre aide. Excusez-moi d'arriver plus tard que ce que j'avais dit au téléphone, j'ai pris du retard.

— Pas de problème. Nous nous sommes bien amusés, pas vrai, Jack ?

— Oui. On a fait des pizzas et c'est moi qui ai mis la sauce et le fromage dessus !

Ben sentit son estomac se manifester une fois de plus par un grognement dont il espéra qu'il demeurerait inaperçu.

— Ça sent drôlement bon, en effet.

— On peut rester dîner ? Papa, s'il te plaît !

Ben jeta un regard embarrassé sur Caidy. Jack était à l'âge où le sens des convenances n'existe pas, mais lui se sentait gêné par la proposition si spontanément faite par son fils.

— Non, Jack. Nous avons suffisamment mis la famille Bowman à contribution. Nous rentrons manger à la maison.

Manger quoi ? Il n'en avait pas la moindre idée. Probablement quelque plat surgelé que Mme Michaels avait eu la gentillesse de stocker dans le congélateur avant son départ. En tout cas, il ne se sentait pas le courage de reprendre sa voiture pour ramener ses enfants à la pizzéria de Pine Gulch. Non, ça, c'était hors de question.

— Mais bien sûr, vous restez ! répliqua Caidy. J'y compte bien. Nous avons préparé suffisamment de pizzas pour tout le monde.

Il était de plus en plus confus.

— Non, vous êtes déjà bien assez gentille d'accueillir mes enfants. Vous n'allez pas nous nourrir en plus !

Elle le fixa d'un air qui n'admettait pas de réplique.

— Je viens de passer une heure à faire assez de pizzas pour nourrir un régiment, vous trouverez cinq minutes pour en manger une portion, je ne vous laisse pas le choix.

Il soupira. S'il était raisonnable, il devrait trouver une excuse et filer, mais cette maison était trop chaleureuse et Caidy bien trop jolie. En plus, il mourait de faim et ses placards étaient vides. Sans compter que ses enfants seraient furieux qu'il les prive de *leurs* pizzas pour manger un n'importe quoi insipide. Et ici, il faisait si bon ! Le parfum de l'origan et du thym mêlés lui apparaissait parfaitement grisant. Bon, ils allaient rester dîner. Mais ils ne s'attarderaient pas.

— Si vous m'assurez que cela ne vous ennuie pas, j'accepte avec plaisir. Ça sent divinement bon chez vous !

— Parfait. Et pour vous montrer que je ne me dérange pas, je vais vous laisser accrocher votre manteau tout seul parce que j'ai les mains pleines de farine. Vous me retrouverez ensuite dans la cuisine.

Et là-dessus, sans attendre de réponse, elle tourna les talons, suivie de Jack qui avait sans doute hâte de reprendre sa mission de distributeur de fromage râpé.

Il se débarrassa de son lourd manteau qu'il suspendit à côté de ceux de Jack et d'Ava, et se dirigea vers la cuisine où il s'attendait à trouver une armada d'enfants. Caidy était seule. Elle cala une mèche de ses cheveux bruns derrière son oreille, ce qui laissa un peu de farine sur sa tempe, et lui adressa un sourire si lumineux qu'il sentit fondre une autre couche de la fatigue qu'il avait accumulée.

— Les petits viennent d'aller dans la pièce à côté regarder une émission de Noël à la télé, expliqua-t-elle, lisant sans doute la surprise dans le regard de son invité. Vous pouvez les y rejoindre pendant que je finis de ranger.

C'était le prétexte à saisir pour ne pas rester en tête à tête avec elle. Elle lui indiquait l'issue de secours, il aurait dû s'y précipiter, mais il n'en fit rien.

— Je peux faire quelque chose pour vous aider ?

Elle le dévisagea.

— Pourquoi pas ? Vous pouvez prendre le relais de

Jack qui m'a lâchement laissée tomber dès que l'émission sur Santa Claus a commencé.

Pendant qu'il se lavait les mains, il reconnut la bande-son de l'émission qu'il regardait lorsqu'il était enfant dans la grande salle de jeux de la maison de ses grands-parents. S'il n'était pas heureux à cette époque-là, il éprouvait tout de même un grand bonheur à se dire que ses enfants allaient passer un moment agréable en regardant le film qui lui avait apporté un peu de la paix de Noël autrefois.

— Vous aimeriez peut-être boire quelque chose ?

— Ce que vous avez sera bien.

— Personnellement, j'aime bien boire un peu de bière en mangeant de la pizza. C'est un peu la tradition dans la famille. Et chez vous, vous avez aussi de ces habitudes gastronomiques un peu bizarres mais dont on n'arrive pas à se défaire ?

— A franchement parler, non. J'apprécie tout ce que nous propose Mme Michaels.

— Je veux parler de quand vous étiez petit.

Des traditions ? Non, il n'en avait aucune. Pour lui, les repas de famille se bornaient à des rencontres ennuyeuses et dépourvues d'affection.

— Non, nous n'avons pas de traditions. En fait, je viens d'une famille qui n'était pas très unie.

— Vous avez des frères et des sœurs ?

— Une sœur. Elle est beaucoup plus jeune que moi. Nous avons un peu perdu le contact au fil des ans.

Il n'osa pas dire évidemment que Susan avait suivi les traces de leur mère et avait plongé dans l'alcool et la drogue pour oublier ses malheurs. Aux dernières nouvelles, elle devait subir une cure de désintoxication si elle voulait échapper à une peine de prison.

— Voyez, reprit-elle, je ne m'imagine pas perdre le

contact avec mes frères. Ce sont mes meilleurs amis.
Et je suis aussi proche de Laura et Becca que si elles
étaient des sœurs.

Tandis qu'elle faisait cet aveu, ses yeux étaient devenus
d'un vert intense, profondément troublant. Une fois
encore, il laissa son regard s'y noyer avant de répondre.

— J'ai remarqué que la famille Bowman fait front
commun pour affronter le monde.

— Oui, c'est vrai. Ça n'a pas toujours été comme
ça, mais c'est ce qui existe maintenant qui compte,
n'est-ce pas ?

— Bien sûr. Vous avez beaucoup de chance.

Elle ouvrit la bouche pour répondre, puis se ravisa.
Au lieu de parler, elle déposa une pâte à pizza sur une
planche devant Ben.

— Allez, disposez la garniture et tâchez de faire
aussi bien que votre fils !

Comme il hésitait, elle se mit à rire.

— Vous n'avez jamais fait ça de votre vie, je parie !

— Non.

— Bon, je vous montre comment il faut faire, mais
la prochaine fois, il faudra vous débrouiller tout seul.

La prochaine fois ? Qui aurait imaginé que pareille
proposition le trouble autant ? Allons, il ne s'agissait
sans doute que d'une promesse en l'air, inutile de laisser
son imagination s'égarer.

Par contre, il s'appliqua à apprécier le moment
présent. Comme elle venait de le faire remarquer, c'est
ce qui comptait. D'ici peu, il aurait déménagé, et Caidy
Bowman, aussi charmante soit-elle, se trouverait à une
distance confortable de lui.

En attendant, elle se tenait tout près, avec son parfum
de fleurs sauvages et ses cheveux que la chaleur de la
pièce faisait frisoter sur sa nuque.

— Il faut commencer par étaler la sauce tomate avec la petite louche.

Il fit de son mieux pour suivre les consignes.

— Oui, comme ça. C'est bien. Maintenant, mettez autant de gruyère râpé que vous aimez.

Il étala une couche généreuse de fromage.

— Parfait. Il suffit de compléter avec la garniture de votre choix. Je pensais ajouter des poivrons et des olives, mais vous pouvez mettre ce que vous voulez. Pensez à ce que vos enfants préfèrent.

— Les poivrons et les olives me paraissent une très bonne idée. Nous aimons tous ça.

Si on lui avait dit qu'il finirait sa journée en apprenti cuistot, il aurait bien ri. Et pourtant, c'était ce qu'il était en train de faire, et avec quel plaisir !

— Bravo, lança-t-elle en le regardant étaler poivrons et olives d'un geste habile. Si jamais votre clinique fait faillite, vous pourrez toujours ouvrir une pizzéria sur la place de Pine Gulch !

Il se mit à rire.

— Vous avez raison, il faut toujours avoir une solution de repli. Et dans ce cas de figure, mes enfants ne mourront pas de faim, c'est déjà ça !

Il leva les yeux sur elle, sur ses yeux verts et sa bouche tentante. L'envie de l'embrasser lui revint, pressante, mais comme si elle avait deviné, elle s'écarta de lui.

— Bon, et maintenant, je sors la première pizza du four et il ne nous reste plus qu'à appeler la bande d'affamés qui squatte la pièce voisine pour la voir disparaître en moins de deux.

Elle fit l'échange. Le fromage grésillait, doré et follement appétissant.

— Destry ! Amène tout le monde dans la cuisine, votre pizza est prête.

Ce fut inutile d'appeler deux fois. Le troupeau d'enfants déferla. Ava, toujours en grande conversation avec Destry et Gabi, Jack, Alex et la petite Maya qui suivait la bande avec la ferme intention d'exiger sa part comme les autres.

— Maya et Alex sont ici pour la soirée. Taft et Laura avaient des courses à faire ce soir et la mère de Laura qui les dépanne d'habitude n'était pas libre. Et quand Gabi a su qu'Ava serait ici, elle a absolument voulu venir, bien sûr.

Il comprenait à présent pourquoi Caidy avait fait tant de cuisine. Six gosses sur les bras… Mais comment faisait-elle pour garder son calme ? Il était débordé avec les deux siens alors que Caidy ne paraissait même pas se rendre compte qu'ils piaillaient autour d'elle sans ménager ses oreilles.

Elle fit asseoir tout le monde autour de la table de la cuisine, puis distribua des serviettes en papier et versa un verre de bière à Ben ainsi qu'à elle-même.

— Servez-vous vite avant que ces monstres aient tout englouti, conseilla-t-elle.

Une fois tout le monde servi, elle demanda à chacun ce qu'il avait demandé pour Noël.

Il avait l'impression de flotter sur une sorte de nuage bienheureux. Il aurait dû partir. Il était encore temps de le faire avant que le charme ne l'imprègne trop profondément. Cette femme, cette ambiance étaient délicieuses, beaucoup trop délicieuses. C'est-à-dire, trop dangereuses.

Leur repas englouti, Ava et Jack revinrent à la charge.

— Papa, on peut rester regarder la suite de l'émission ?

— Un tout petit moment. Si elle se prolonge trop longtemps, nous partirons avant la fin.

Les enfants n'entendirent que la première partie de sa

réponse et filèrent sans demander leur reste. Ce qui fait que Ben se retrouva en tête à tête avec Caidy. Dans son désir de faire plaisir à ses enfants, il n'avait pas pensé à cette conséquence de sa décision…

Consciente de ce malaise, elle se leva et empila les assiettes que les enfants avaient laissées sur la table.

Qu'allait-il lui dire, maintenant qu'il n'y avait plus de différend entre eux ? Tout ce qu'il trouva fut une question.

— Qu'est-il arrivé à vos parents ?

Les mots étaient sortis plus brusquement qu'il ne l'avait prévu et elle paraissait stupéfaite de son indiscrétion.

— Je ne m'attendais pas à cette question.

Quel idiot il était ! Pourquoi avoir demandé quelque chose d'aussi personnel à une femme qu'il connaissait aussi peu ? Elle avait bien raison de le prendre pour un rustre.

— Excusez-moi, cela ne me regarde pas, vous n'avez pas besoin de me répondre. Je ne sais pas pourquoi je vous ai demandé ça.

— Vous avez entendu des gens parler à leur sujet ?

— Pas du tout. Je sais seulement ce que vous-même m'en avez dit. Ils sont morts brutalement. Dans un accident de voiture eux aussi ?

Elle demeura un long moment sans répondre, faisant mine de s'occuper à empiler soigneusement les assiettes.

— Non. Ils ne sont pas morts dans un accident de voiture. Je préférerais, ce serait plus facile à accepter.

Il hocha la tête, de plus en plus perplexe.

— Ils ne sont pas morts accidentellement, reprit la jeune femme. Ils ont été assassinés.

Il serra les lèvres. Il ne s'était pas du tout attendu à une telle tragédie dans une communauté qui lui paraissait aussi tranquille que Pine Gulch.

— Assassinés ? Vraiment ?

— Oui. Je sais que ça paraît incroyable. Moi-même par moments, j'ai du mal à l'admettre. Il y a onze ans maintenant et je ne suis pas sûre de jamais réussir à m'y habituer.

— Vous deviez être toute jeune à l'époque.

— J'avais seize ans.

— Le coupable a été arrêté ?

— Non. Nous savons seulement qu'il s'agissait de deux hommes, l'un brun, l'autre blond. Ils n'ont jamais été retrouvés. Cette idée que rien n'est résolu, c'est ce que je trouve le plus dur à supporter.

Il s'en voulait terriblement d'avoir amené la conversation sur ce sujet mais il ne pouvait plus faire marche arrière.

— On sait qu'ils étaient étrangers à Pine Gulch, mais ils n'ont laissé ni empreintes digitales ni aucun autre indice. A peine un témoignage visuel.

— Quel était le motif ?

— Le vol. Mes parents possédaient une intéressante collection d'art contemporain. Vous avez remarqué l'autre jour le tableau qui se trouve dans la salle à manger. Ma mère était une artiste très douée qui avait quantité d'amis aussi doués qu'elle. Beaucoup d'entre eux lui avaient offert certaines de leurs œuvres ou les lui avaient vendues à un prix amical.

Un vol d'œuvres d'art à Pine Gulch ! Voilà le genre de choses qu'il n'aurait jamais imaginé.

— Cela s'est passé il y a onze ans comme je vous le disais tout à l'heure, quelques jours avant Noël. A l'époque, aucun de mes frères ne vivait au ranch. Il n'y avait que moi avec mes parents. Ridge travaillait dans le Montana, Trace était à l'armée et Taft habitait en ville. La maison devait être vide ce soir-là. Je devais chanter à un concert de Noël mais j'étais malade. Ou tout au moins, j'ai dit que j'étais malade…

— C'était un mensonge ?

— Un mensonge idiot. Egoïste, comme seules les gamines de seize ans sont capables d'en faire. Mon petit ami de l'époque, Cody Spencer, avait rompu avec moi le matin même pour sortir avec ma meilleure amie. Pour moi, c'était la fin du monde, ni plus ni moins.

Comment un épisode somme toute assez anodin pouvait-il avoir changé aussi terriblement le cours de sa vie ? Il ne comprenait pas.

— Le pire, reprit-elle, c'est que Cody et moi devions chanter un duo ensemble. « Joyeux Noël, mon amour ! » Bref, cette idée m'était insupportable. Alors j'ai raconté à mes parents que je me sentais mal, que je devais avoir une intoxication alimentaire. Je ne pense pas qu'ils m'aient crue mais que pouvaient-ils faire puisque je les menaçais de vomir si je devais monter sur scène ce soir-là ? Ils ont donc décidé de rester à la maison avec moi. Ni eux ni moi ne nous doutions évidemment que cette erreur allait leur coûter la vie.

— C'était impossible à imaginer !

— Oui, je le sais, mais cela ne m'empêche pas de me sentir coupable.

— Je vous trouve bien sévère avec une jeune fille de seize ans dont on venait de briser le cœur.

Visiblement, elle ne s'était pas attendue à susciter de la bienveillante de sa part. Il en fut presque offensé. Est-ce que par hasard elle s'attendait à ce qu'il soit aussi bête que ce Cody Spencer ?

— Ce n'était pas directement ma faute, c'est vrai, mais tout de même… En plus, ça s'est passé ici, dans cette pièce, dans cette cuisine où je vis tous les jours. Je m'y trouvais avec ma mère quand nous les avons entendus faire du bruit dehors. Ils avaient désactivé le système d'alarme. J'ai jeté un coup d'œil par la fenêtre et j'ai aperçu leurs visages. Tout de suite après, ma mère m'a cachée dans le grand placard qui se trouve derrière vous et m'a ordonnée d'y rester. J'étais persuadée qu'elle allait m'y rejoindre, et je me suis serrée sous l'étagère du dessous, mais elle n'est pas venue, elle est partie appeler mon père.

Elle s'assit, les yeux secs mais portant un masque terrible de tristesse sur le visage. Confus, il ne savait que dire. Il posa sa main sur la sienne, et, une fois encore, elle lui adressa en retour un regard surpris. Puis, sans mot dire, elle entrelaça ses doigts aux siens.

— Les deux hommes lui ont ordonné de se coucher par terre. L'un voulait la laisser en vie, mais l'autre a dit que c'était impossible parce qu'elle avait vu leur visage. C'est à ce moment-là que mon père est entré. Je ne pouvais pas le voir mais j'ai reconnu sa voix quand il a crié le nom de ma mère.

— C'est atroce, Caidy !

— Le plus atroce, c'est quand j'ai entendu deux coups de feu. Un pour ma mère, un pour mon père. Ensuite, les meurtriers ont eu la voie libre pour voler tous les tableaux qu'ils souhaitaient. Ils ont fait cinq voyages jusqu'à leur voiture, je m'en souviens très bien. Pendant tout ce temps, je suis restée tapie sous mon étagère, à mourir de peur.

Comme il sentait ses mains trembler, il les serra plus fort dans les siennes.

— Aujourd'hui encore, je me dis que j'aurais dû sortir pour l'aider.

— Vous auriez été tuée vous aussi.

— Oui, sans doute.

— Vous voulez dire, sans aucun doute ! Vous imaginez qu'ils auraient eu pitié de vous ?

— Je… je ne sais pas. Finalement, quand j'ai entendu

leur voiture partir, j'ai attendu encore un grand moment avant de sortir de ma cachette pour appeler des secours. J'avais peur qu'ils reviennent. Quand je l'ai fait, c'était trop tard pour mes deux parents.

Avec ce récit, tout s'éclairait pour lui. Le lien si fort qui existait entre la sœur et les trois frères, cette tristesse liée aux fêtes de Noël…

Est-ce que ce drame expliquait qu'elle soit toujours présente au River Bow Ranch après tant d'années ? Qu'elle ait abandonné ses études de vétérinaire ? Il se demanda si elle ne restait pas ici par culpabilité, un peu comme si, onze ans après, elle continuait à se cacher dans le placard de la cuisine.

Puis il se rappela la promenade en carriole et son refus de chanter avec les adolescentes. Oui, c'était à cause de cette nuit horrible, sans aucun doute.

Il serra encore plus fort sa main, conscient que le réconfort qu'il pouvait lui apporter était bien dérisoire.

— Ce qui vous est arrivé est horrible, Caidy. Je vous assure en tout cas que rien n'est votre faute.

Elle leva le visage vers lui.

— Vous comprenez maintenant pourquoi je n'aime pas Noël ? Je fais des efforts pour Destry, qui n'était pas née à cette époque. Ce serait trop injuste qu'elle ne connaisse pas les joies de ces fêtes alors qu'elle n'a même pas connu les gens que je pleure.

— Oui, je comprends.

Quand elle retira sa main de la sienne, il éprouva un sentiment de déception. Afin de le dissimuler, il se leva et porta son assiette dans l'évier.

— Laissez donc ! Vous êtes mon invité.

— Un invité qui vous doit beaucoup !

Sur ce, il attrapa l'éponge pour essuyer la table, puis

avec un torchon, il entreprit de sécher la vaisselle qui se trouvait sur l'égouttoir.

Après avoir eu un geste pour l'en empêcher, elle le laissa faire.

— Ma mère adorait ces vacances. Mon père aussi, d'ailleurs. Je crois que c'est pour ça que c'est encore plus dur pour moi. Ma mère décorait la maison des semaines à l'avance et elle passait un mois entier à faire de la pâtisserie. Mon père était encore plus excité que nous, ses enfants. Pendant tout le mois de décembre, une fois que nous avions fini nos devoirs et le travail dont nous étions chargés au ranch, il nous réunissait autour du piano et il nous faisait chanter avec lui. Il était très musicien.

— J'aimerais bien vous entendre chanter.

Elle lui adressa un regard triste.

— Je vous l'ai dit l'autre jour : je ne chante plus.

— Vous croyez que vos parents approuveraient cette décision ?

Elle laissa échapper un profond soupir.

— Non, je le sais… Mon père serait très déçu. Il me regarderait par-dessous ses sourcils broussailleux et me dirait que la musique est le remède de l'âme. C'était une de ses phrases préférées. Ou encore, il citerait Nietzsche : « Sans la musique, la vie est une erreur. » Je sais… Hélas, le cœur a ses raisons, n'est-ce pas ?

— C'est-à-dire ? Expliquez-moi.

Elle lui adressa un étrange regard.

— Eh bien, en ce moment, ma tête me dit que l'idée de vous embrasser de nouveau est complètement ridicule.

Il sentit sa respiration se bloquer dans sa poitrine.

— Et… votre cœur ? Que dit votre cœur ?

— Mon cœur me dit exactement le contraire.

Ils étaient face à face, muets, tendus l'un vers l'autre.

— Les enfants…, commença-t-il.

— … sont devant la télévision et ont complètement oublié que nous existons, acheva-t-elle.

Il avança d'un pas, presque contre son gré.

— Ce qui se passe entre nous n'est pas raisonnable.

— Non, c'est même complètement fou, reconnut-elle.

— Je ne comprends pas ce qui m'arrive.

— Moi non plus, mais qu'est-ce que ça peut faire ?

A son tour, elle avança vers lui.

A cette distance, il pouvait sentir son parfum léger, frais comme un printemps japonais, grisant comme un champagne rosé.

Il fallait qu'il l'embrasse. C'était inévitable. Il se pencha vers elle et posa sa bouche sur ses lèvres. Une fois. Deux fois. Il aurait peut-être trouvé la force de s'arrêter là si elle n'avait pas murmuré son nom, si elle ne s'était pas agrippée des deux mains au revers de sa veste pour qu'il continue. Il était perdu.

Sa bouche était une merveille de douceur, parfumée à la vanille et à la menthe. Jamais il n'en serait rassasié. Quand il la tenait dans ses bras, il oubliait tout, sa fatigue, son travail, les enfants qui riaient dans la pièce voisine.

Quelque chose lui paraissait profondément juste quand il était avec elle. Il n'aurait pas su expliquer pourquoi, mais les zones obscures de son âme se dissolvaient pour laisser place à une lumière apaisante.

Lorsque Ben l'avait embrassée la première fois, Caidy avait trouvé son baiser fantastique, mais celui-ci était infiniment plus grisant. Elle aurait tout donné pour qu'il ne s'arrête jamais.

La première fois, c'est à peine si elle connaissait Ben. Dans le fond, elle était seulement en train d'embrasser le séduisant vétérinaire qui avait sauvé la vie de Luke. Aujourd'hui, elle embrassait l'homme qui avait traité Maya avec gentillesse et qui l'avait écoutée raconter son histoire sans la juger ni la mépriser, mais au contraire avec compassion pour la jeune fille effrayée qu'elle était autrefois.

Aujourd'hui, elle était dans les bras de l'homme dont elle était en train de tomber amoureuse.

Les bras passés autour de lui, elle souhaitait se griser de chaque instant de ce baiser.

Ils auraient pu continuer longtemps, mais tout à coup, des éclats de rire plus violents que les autres parvinrent de la pièce voisine. Il se redressa brusquement, exactement comme si quelqu'un venait de lui jeter une pelletée de neige dans le dos.

— Il faut arrêter ça, murmura-t-il.

— Mais… pourquoi ? demanda Caidy.

— Parce que… je ne suis pas honnête avec vous.

Il avait parlé d'un ton sérieux qui transperça l'euphorie cotonneuse dans laquelle elle baignait.

— En quel sens ?

Elle avait essayé de parler d'une voix calme, posée, contrôlée, alors que son cœur n'était que chaos.

Il s'écarta d'elle, lui passa sa main dans les cheveux, ce qui les emmêla encore davantage.

— Je… Vous me plaisez énormément, Caidy, je ne peux pas le nier. Mais en ce moment, il m'est impossible de nouer une relation. Je ne suis pas prêt. Mes enfants non plus. Tout est nouveau pour eux, la ville, l'école, la maison… Je ne peux pas ajouter une femme à tout ça.

Elle eut l'impression de recevoir un seau d'eau glacée en plein visage. Elle frissonna, puis s'efforça de retrouver son sang-froid.

Que pouvait-elle répondre à cela ? Il avait raison.

Ses enfants avaient surmonté des moments difficiles ces derniers temps. Elle ne voulait pas qu'ils soient malheureux à cause d'elle. Aujourd'hui même, elle avait commencé à nouer une bonne relation avec Ava en l'emmenant monter le cheval très doux qu'elle réservait aux débutants.

Ben était le père d'Ava et Jack. S'il estimait que sa relation avec elle pouvait leur porter préjudice, de quel droit interférerait-elle avec sa décision ? Il avait des devoirs qui allaient au-delà de ses propres besoins ou de ses envies. Elle ne pouvait que l'accepter, même si cela lui était extrêmement douloureux.

A sa grande horreur, elle sentit des larmes lui monter aux yeux. Quelle honte pour elle qui ne pleurait jamais ! La seule fois de sa vie où elle avait pleuré pour un homme, c'était à cause de cet imbécile de Cody Spencer, mais elle avait seize ans à l'époque !

Elle fit appel à toute sa force de caractère pour les repousser et attendit d'être sûre que sa voix ne tremblerait pas avant de prendre la parole.

— Quelle chance que nous soyons sur la même longueur d'ondes ! déclara-t-elle en s'efforçant d'adopter un ton léger. Moi non plus, je ne cherche pas à nouer de relation en ce moment. Cette attirance entre nous est un peu gênante, c'est vrai, mais nous sommes adultes tous les deux, nous sommes sûrement capables d'en faire abstraction tant que vous vivrez au River Bow Ranch. Quand vous aurez emménagé dans votre nouvelle maison, nous n'aurons pratiquement plus l'occasion de nous voir, le problème sera définitivement réglé.

Mais l'insouciance qu'elle voulait afficher n'eut pas l'air de le rassurer Ben car il parut encore plus troublé. Sourcils froncés, il la scrutait aussi intensément que s'il avait voulu lire au plus profond de son cœur.

— Caidy…

C'est à ce moment précis que Destry fit son apparition et il n'eut pas le temps de terminer sa phrase.

— Jack dit qu'il a soif, je viens lui chercher un verre de Coca.

— Apporte-lui plutôt un verre d'eau, et si jamais il rouspète, dis-lui que c'est son vieux méchant père qui l'a ordonné.

— Comme si on allait croire que vous êtes méchant ! s'amusa la petite. Ou vieux !

— Tu serais bien étonnée…, marmonna-t-il.

— Allez regarder la fin de l'émission avec les enfants, suggéra Caidy. Je vais finir de ranger ici.

— Vous croyez ?

— Oui.

Il obtempéra et sortit en même temps que Destry. Une fois seule, elle se laissa tomber sur une chaise. Toute l'énergie qui emplissait la pièce quelques instants auparavant venait de la quitter avec le départ de Ben hors de la pièce et elle se sentait complètement vidée de toute joie de vivre.

Il lui faisait perdre la tête. Il n'avait qu'à lui adresser un de ses sourires charmeurs ou lui parler de sa voix grave et calme pour qu'elle ait envie de lui sauter au cou… et pis encore ! Le plus grave, c'est qu'elle commençait à éprouver un véritable sentiment pour lui, mais comment aurait-elle pu éviter pareil dérapage avec un homme aussi beau et au cœur si tendre ?

Elle devait absolument mettre fin à cette dérive sous peine de plonger dans des embrouilles douloureuses. Ben avait été clair : il ne souhaitait pas avoir de relation amoureuse. Puisqu'il ne voulait rien de ce qu'elle avait à lui offrir, ce serait folie pure que de l'oublier, ne serait-ce qu'un instant.

Donc sa décision était prise : elle allait garder ses distances le plus possible de manière à ce que ni Ben ni ses enfants ne prennent trop de place dans sa vie. C'était plus vite fait que dit, certes, mais elle allait s'y tenir. Sinon, il lui faudrait payer le prix fort et, question cœur en miettes, elle avait déjà donné.

Elle se leva de sa chaise et retira son tablier.

Merci bien, docteur Caldwell, allez promener vos beaux yeux bleus ailleurs, je refuse de tomber dans leur piège !

12

Plus que trois jours…

Elle réussirait à sourire, à parler aux uns et aux autres, et même à faire semblant de se réjouir de voir Noël approcher pendant ces trois jours.

Même pas, en fait, puisqu'on était dimanche soir. Il ne restait donc que deux jours et demi, c'est-à-dire ce soir, la veillée de Noël et le jour de Noël lui-même. Ensuite, elle pourrait tourner la page et l'ajouter aux autres, à celles qu'elle écrivait si douloureusement depuis la mort de ses parents.

Bien sûr, il lui faudrait aussi affronter la semaine avant le jour de l'an mais elle avait bien le temps d'y penser. A chaque jour suffit sa peine. D'habitude, une fois Noël passé, elle arrivait à profiter des derniers jours de vacances et de tout le temps libre qu'elle avait avec sa famille.

En attendant, c'était pour la soirée d'aujourd'hui qu'elle devait rassembler ses forces. Elle avait revêtu pour la circonstance son pantalon noir habillé et un joli chemisier de soie verte qu'elle n'avait porté qu'une fois — pour le mariage de Trace et Becca. Dans l'échancrure, on apercevait le collier en pâte de verre du même vert émeraude qu'elle avait acheté l'été précédent sur un marché artisanal.

Impossible de faire mieux. D'ailleurs, c'était peut-être

trop ? Ou pas assez ? Elle avait horreur d'imaginer le
genre de tenue qu'il convenait de porter quand elle
sortait, et encore plus ce soir. Elle aurait mille fois
préféré rester chez elle devant la télé avec un saladier
de pop-corn à grignoter.

Chaque année jusqu'à aujourd'hui, elle avait réussi à
inventer une bonne excuse pour éviter la fête que Carson
et Jenna McRaven organisaient dans leur grande maison
de Cold Creek Canyon. Mais cette fois, Destry avait
supplié qu'ils y aillent. Elle avait trouvé une douzaine de
bonnes raisons pour cela, pas toutes fausses d'ailleurs :
toutes ses amies y seraient, pourquoi pas elle ? Cette
fête allait être géniale… S'ils n'y participaient pas cette
année encore, les McRaven allaient penser que les
Bowman ne les aimaient pas, puisque chaque année
ils déclinaient leur invitation…

En désespoir de cause, elle avait abattu sa dernière
carte : « De toute façon, vous ne voulez pas que je
m'amuse ! » A contre-cœur, Ridge avait accepté d'y
aller et, devant sa mine morose, Caidy avait proposé
de l'accompagner pour qu'il ne passe pas la soirée à se
morfondre tout seul dans son coin.

Le seul aspect positif qu'elle entrevoyait dans cet
océan de contrariétés était le buffet raffiné que Jenna ne
manquait jamais de préparer avec beaucoup de talent.
Elle se surpassait à l'occasion de Noël, et en faisait même
un peu trop d'après les échos qui lui étaient parvenus
aux oreilles. Côté décoration, son mari aussi en faisait
un peu trop, elle avait pu le constater par elle-même
en passant devant leur maison dont l'extérieur était
décoré du sol au plafond de guirlandes multicolores,
de personnages emmitouflés et de petits rennes au nez
rouge. Mais, après tout, cela ne faisait de mal à personne
et ils étaient si heureux de partager ce moment avec le

voisinage qu'elle aurait mauvais goût de leur en tenir rigueur.

Allons, elle survivrait ! D'un pas décidé, elle se dirigea vers la cuisine où elle retrouva Ridge et Destry.

— Oh ! Que tu es jolie, tatie, s'exclama l'adolescente.

— C'est vrai, admit Ridge. Tu es bien trop belle pour sortir avec un cow-boy aussi mal attifé que moi !

Ridge exagérait. Il était parfait dans sa chemise western dont il avait fermé le col avec le lacet traditionnel des éleveurs, décoré d'un cheval. Quant à Destry, elle était adorable dans son jean et le joli pull beige en mohair qu'elles avaient acheté ensemble la dernière fois qu'elles étaient allées à Jackson.

Elle se demanda si elle ne rêvait pas quand elle vit dépasser de l'échancrure les bretelles à fleurs du maillot de bain de la petite.

— Tu comptes te baigner ?

— Bien sûr !

Les McRaven avaient la seule piscine chauffée de la région et, bien entendu, les enfants rêvaient de s'y tremper quand il faisait si froid dehors.

— Regarde, reprit Destry en brandissant le sac qu'elle portait en bandoulière sur son épaule, j'ai tout ce qu'il me faut là-dedans. Tallie et Claire m'ont dit que la piscine est vraiment géniale ! Cet imbécile de Kip Wheeler a intérêt à se tenir tranquille et à nous ficher la paix, sinon, il aura affaire à nous !

— Tout le monde est prêt ? demanda Ridge.

— Ouais ! hurla Destry en bondissant.

— Moi aussi, dit Caidy avec moins d'enthousiasme.

Elle prit la tarte aux pommes qu'elle avait préparée et ils sortirent tous les trois.

Quand ils arrivèrent près de la maison des McRaven, une longue file de voitures était déjà garée dans l'allée.

A croire qu'ils avaient invité la moitié de la ville…
Elle reconnut le S.U.V. de Trace et le pick-up de Taft.
Décidément, chez les Bowman, c'était jamais les uns
sans les autres !

— Je vais te déposer devant la porte et j'irai ensuite
chercher une place pour me garer.

Elle accepta avec plaisir. Avec ses bottes à talon haut,
elle n'avait pas envie de marcher dans la neige.

La porte d'entrée s'ouvrit pour laisser place à Jenna
McRaven, toute blonde et toute frêle, mais dans son cas,
les apparences étaient trompeuses pour qui la connaissait.

— Caidy ! s'exclama-t-elle. Je croyais que tu ne
viendrais jamais à mes fêtes ! Quel plaisir de t'accueillir
ce soir !

Carson s'avança à son tour, et leur adressa un grand
sourire plein de charme. Il était bien différent de
l'homme froid et distant qui était arrivé à Pine Gulch,
cinq ans plus tôt.

Il l'embrassa chaleureusement et la prit par le bras
d'un côté tandis qu'il enlaçait sa femme de l'autre. Ils
formaient un couple heureux. Même les sottises de
Kip Wheeler, le fils du premier mariage de Jenna, ne
réussissaient pas à gâcher leur belle entente.

— Tu as apporté du dessert ? demanda Jenna. Il ne
fallait pas te déranger !

— Caidy a très bien fait, affirma Carson, j'adore la
tarte aux pommes. Nous allons la mettre sur le buffet
des desserts et je m'en réserve une jolie portion.

Ils s'avancèrent vers la salle à manger où évoluait déjà
un grand nombre d'invités. Parmi eux, Emery Cavazos,
élégante et originale comme toujours, la salua avec
beaucoup de gentillesse. Caidy commençait à se sentir
un peu rassurée. Pour l'instant, pas de danger en vue…
Elle connaissait toutes les jeunes femmes présentes car

elle les rencontrait régulièrement au cours de diverses activités. Il lui suffisait de faire comme si elles étaient à une réunion de leur club de bridge ou au loto de la paroisse. Avec ça, elle n'aurait pas de quoi être intimidée.

— Caidy serait parfaite pour ce dont nous parlions à l'instant, suggéra Maggie Dalton.

— Et de quoi parliez-vous ? demanda Caidy, un peu sur ses gardes malgré le ton amical de cette dernière.

— Du nouveau vétérinaire, répondit Jenna. Il est veuf, avec deux enfants adorables et le moins qu'on puisse dire, c'est qu'il est extrêmement séduisant. Nous cherchions quelqu'un à lui présenter.

— Nous nous connaissons déjà, répliqua Caidy d'un ton sec.

Et nous nous sommes même embrassés. Plus d'une fois.

Inutile de divulguer cette information, mais il était bon de couper court à toute tentative de rapprochement, Ben lui ayant clairement signifié qu'ils n'avaient rien à faire l'un avec l'autre.

Caroline Dalton, marié à Wade, le frère aîné des Dalton, pencha la tête sur le côté et revint à la charge.

— Mag, je crois que tu as vu juste. Caidy est la femme parfaite pour lui.

— Moi ? hoqueta Caidy.

— Oui, toi ! Ça saute aux yeux. Vous aimez les animaux tous les deux et vous savez très bien vous y prendre avec les enfants.

— C'est vrai, renchérit Emery traîtreusement. Il nous faut trouver un moyen de les faire se rencontrer.

Caidy crut qu'elle se sentait mal. Ainsi, elle était tellement devenue un objet de pitié que toutes les femmes de Pine Gulch se liguaient pour lui trouver un prétendant ? C'était parfaitement déprimant. Et Dieu sait qu'elle n'avait pas besoin qu'on la pousse sur cette pente.

— Merci, mes amies, mais ne vous donnez pas ce mal. Comme je viens de vous le dire, nous avons fait connaissance quand je lui ai amené un de mes chiens à soigner. Et au cas où vous ne le sauriez pas, il vit actuellement au River Bow Ranch, dans la maison du contremaître, en attendant que sa maison soit terminée.

— Quelle bonne idée ! reprit Caroline. Tu vois, Caidy, tu es la femme qu'il lui faut.

Ce que Caidy voyait surtout, c'était que la situation était en train de lui échapper. A croire que la ville entière s'était passé le mot pour la marier à Ben ! Quel cauchemar ce serait… Impossible d'en douter. La meilleure preuve, c'est qu'il l'avait rejetée après un baiser qu'elle avait trouvé fantastique.

Comment sortir de l'impasse dans laquelle l'acculaient ses amies, même si c'était avec les meilleures intentions du monde.

— Ecoutez, les filles, reprit Caidy, vous ne croyez pas qu'il faut lui laisser le temps de découvrir Pine Gulch avant de faire des projets à sa place ? Le malheureux est encore en train de camper au ranch. Laissez-lui au moins le temps de s'installer chez lui !

Oui, il allait bientôt partir pour habiter chez lui. Il emmènerait ses enfants, bien sûr. Et alors ? Elle ne verrait plus les lumières allumées aux fenêtres de la petite maison, elle ne rirait plus aux plaisanteries désopilantes de Jack, elle n'aurait plus l'occasion d'arracher un sourire aux bouderies d'Ava… Comme ce serait triste !

Le restant de l'hiver s'étirait devant elle, morne, long, vide. Et pas seulement l'hiver… Les mois, les années à venir, chaque journée semblable à la précédente. Ils lui manqueraient terriblement. Comment pourrait-elle vivre à Pine Gulch en le sachant si près et hors de portée en même temps ?

Le moment était peut-être venu pour elle de changer de vie. Pourquoi ne pas chercher un emploi ailleurs ? Bien sûr, elle aurait du mal à se séparer de sa famille, mais qu'est-ce qui serait le pire : rester ou partir ?

— Tu dis que vous êtes amis ? reprit Maggie Dalton. Seulement amis ? C'est dommage. Tu n'as pas envie de faire un petit effort pour passer à autre chose ? Franchement, cet homme est sublime !

Elle haussa les épaules. Comme si elle n'était pas la mieux placée pour savoir qu'il était sublime ! Aucune des femmes qui l'entouraient n'avait eu l'occasion de l'embrasser, elle, oui… Le problème n'était pas de savoir si elle trouvait Ben séduisant, c'était qu'il ne pensait pas la même chose d'elle et qu'elle ne voyait pas du tout comment s'y prendre pour le faire changer d'avis.

Tout à coup, elle eut envie de pleurer. Là, tout de suite, au milieu de ses amies qui étaient toutes mariées à un homme qui les aimait et qu'elles aimaient aussi. Pour elle, les chances d'arriver un jour au même bonheur s'amenuisaient de jour en jour.

En fait, elle n'en avait pas vraiment envie. Elle était parfaitement heureuse comme elle était.

— Tu serais surprise d'apprendre combien d'amitiés se sont transformées en amour, déclara Emery. Ce Dr Caldwell a l'air d'être un homme très bien, et il n'y en a pas tant que ça, à Pine Gulch, si l'on met de côté les touristes qui viennent pêcher ou faire du ski. Je t'assure, tu devrais voir de plus près si vous ne pouvez pas devenir un peu plus qu'amis.

Les larmes lui brûlaient les paupières. Elle regrettait déjà d'être venue à cette fête. L'idée s'avérait complètement désastreuse. Si elle avait su y trouver un gang de marieuses acharnées à la caser avec Ben, elle se serait enfermée à double tour dans sa chambre et n'en aurait pas bougé.

— Oubliez tout ça, mesdemoiselles. Tout le monde n'est pas appelé à mener la même vie que vous. C'est vraiment trop difficile pour vous de comprendre que j'aime ma vie telle qu'elle est ? Pour Ben, c'est sans doute la même chose. Alors, laissez-nous vivre tranquillement comme nous en avons envie.

Les jeunes femmes ouvrirent des yeux ronds, surprises sans doute par la véhémence de ses paroles. Elle n'avait pas l'habitude de parler sur ce ton. Ce qui fait que maintenant, elles allaient se demander pourquoi elle avait réagi si violemment. Bref, impossible de sortir de ce guêpier.

En plus, Laura était au courant de son baiser avec Ben. Pourvu qu'elle n'ait pas l'idée d'ébruiter la chose…

— Je vais voir un peu ce que fait Destry, avança-t-elle comme excuse pour quitter cet aréopage de marieuses invétérées.

Presque tous les invités étaient arrivés maintenant. Tout le monde parlait, riait, les enfants évoluaient en courant au milieu des tables et des chaises. Bref, l'occasion n'était pas propice aux conversations calmes et moins encore aux confidences. Elle s'arrangea pour sourire aux uns et aux autres, échanger un mot aimable de temps en temps, mais ne s'arrêta nulle part pour parler longuement.

— Mmm, voilà quelque chose qui a l'air drôlement bon ! Qu'est-ce que c'est, à votre avis ?

La voix grave et douce à la fois venait de sa gauche. Elle pivota sur elle-même, comme un automate bien remonté. Comment avait-elle pu ne pas deviner la présence de Ben ? Toute cette foule autour d'elle lui faisait perdre ses moyens.

— Heu… Peut-être les fameux petits soufflés à l'épinard que Jenna réussit si bien ?

Il lui souriait, visiblement fort peu soucieux de vérifier ce qu'elle venait de dire.

— Je ne pensais pas que vous seriez là ce soir, dit-elle.

C'était quelque chose de parfaitement idiot, mais c'est tout ce qui lui était venu à l'esprit. A croire que chaque fois qu'il apparaissait, son cerveau fonctionnait au ralenti.

— Mme McRaven nous a invités la semaine dernière quand elle m'a amené son chien à vacciner. Il m'a semblé que ce serait l'occasion de faire connaissance avec mes futurs voisins.

La tête légèrement inclinée sur le côté, il la regardait, un peu amusé, lui semblait-il. Et bien sûr, elle se sentait rougir de plus en plus sous ce regard si clair qu'il en était presque transparent. Pourvu qu'aucune de ses amies n'arrive à ce moment, ce serait le bouquet ! Après tout ce qu'elle venait de leur raconter sur sa vie si bien remplie et intéressante, ce serait un comble qu'elles la découvrent rougissante comme une collégienne sous le regard bleu glacier de Sexy-Doc.

— Et vous ? demanda-t-il. C'est assez difficile dans cette maison d'échapper à l'ambiance de Noël, non ?

Se serait-il demandé si elle serait là ce soir ? Mieux valait ne pas trop se poser la question.

— Destry nous a un peu forcé la main. Tous ses cousins et la plupart de ses amies sont ici ce soir.

A ce moment-là, quelqu'un la bouscula et, juchée sur ses talons, elle serait tombée si Ben ne l'avait pas rattrapée. Ils se regardèrent dans les yeux un long moment. En voyant la lueur de désir briller dans le regard clair de Ben, elle eut l'impression que le bruit de la foule s'estompait. Il n'y avait plus que Ben. Ses bras solides et rassurants. Sa bouche dont elle connaissait le goût, ses yeux qui lui disaient mille choses que ses lèvres n'avaient jamais prononcées.

— Oh ! Je suis désolée, dit Marjorie Montgomery, la femme du maire. Que je suis maladroite ! Excuse-moi, Caidy.

Caidy se redressa. Heureusement, elle avait posé son assiette sur la table avant d'être bousculée. Grâce à cela, ni Ben ni elle n'étaient décorés d'épinards, c'était au moins un point positif.

Elle s'arracha aux bras de Ben et se tourna vers Marjorie.

— Il n'y a pas de mal, tout va bien.

Marjorie lui adressa un sourire innocent, mais Caidy eut l'impression qu'une étincelle de malice brillait dans ses yeux gris. Etait-ce possible ? Ben et elle n'auraient donc jamais la paix maintenant que ses amies avaient décidé qu'ils étaient faits l'un pour l'autre ? Un instant, elle eut envie de prévenir Ben, puis décida que c'était tout de même trop délicat. Il aurait bien le temps de s'en rendre compte par lui-même et réagirait à sa façon.

— Il y a beaucoup de monde ici, vous ne trouvez pas ? J'ai repéré quelques chaises libres près de la piscine, si nous allions y faire un tour ?

Elle avait envie de refuser. Oui, elle devrait refuser, ne serait-ce que pour ne pas donner raison à Marjorie et couper court à toute tentative qui chercherait à la rapprocher de Ben.

Mais quand il était question de lui, elle se trouvait incapable de faire preuve de volonté. Il avait eu beau clairement lui dire qu'il refusait toute perspective de relation, elle était incapable de résister à l'idée de passer un moment avec lui.

Une idée étrange lui vint. Qui sait s'il n'était pas dans

la même situation qu'elle ? Conscient qu'il devrait garder ses distances mais incapable d'y réussir ?

— Volontiers.

Elle attrapa son assiette et son verre, et le suivit en direction des chaises vides placées devant la grande baie vitrée qui séparait le salon de la pièce de la piscine.

— Où sont vos enfants ?

— Dans l'eau, bien sûr. Sous la garde du chef des pompiers. Quand Taft m'a proposé de les surveiller, je n'ai pas hésité à accepter. Qui peut rêver d'un meilleur surveillant de baignade ?

Jack jouait avec Alex dans le petit bain. Maya les regardait faire tranquillement. Quant à Ava, Destry et Gabi, de l'eau jusqu'à la taille, elles discutaient avec autant d'animation que si elles ne s'étaient pas vues depuis des mois.

Ils laissèrent le silence s'installer entre eux. Elle grignotait un petit biscuit croquant parfumé à la cannelle.

— Vous avez terminé vos préparatifs de Noël ? demanda-t-elle enfin.

Encore une ineptie ! Décidément, il allait la prendre pour la reine des idiotes.

— Non, loin de là.

Il y avait un rien de panique dans sa voix.

— En ce moment, je devrais être en train d'envelopper mes cadeaux dans les belles feuilles de papier que j'ai prévues pour ça. Je ne sais pas comment m'y prendre. C'est toujours ma femme qui se chargeait de ça. Mme Michaels a pris le relais ensuite. Je crois que je vais dire aux enfants que cette année, Santa Claus a décidé de ne pas faire de paquets-cadeaux et de tout poser sous le sapin comme ça.

— Non, vous n'allez pas faire ça ! Défaire les paquets, c'est la moitié du plaisir de Noël.

Il la regarda, tout étonné.

— C'est la femme qui déteste cette fête qui parle ?

— Ce n'est pas parce que je n'aime pas Noël moi-même que je ne sais pas ce qui permet d'en faire une journée réussie. Les cadeaux que je destine à Destry sont soigneusement emballés et cachés depuis plusieurs semaines.

Il hocha la tête.

— Vous êtes une femme remarquable.

Elle pinça les lèvres. Se moquerait-il d'elle par hasard ?

— Qu'est-ce qui vous fait dire ça ?

— Hé bien… vous détestez Noël mais vous faites votre possible pour que votre nièce ait la plus belle fête possible. Je trouve ça extraordinaire. Vous devez l'aimer beaucoup.

Elle regarda Destry qui jouait au ballon avec ses amies.

— Oui. Elle est sans doute la fille que je n'aurai jamais.

— Quelle idée ! Vous êtes jeune. Il n'y a pas de raison pour que vous n'ayez pas un jour une famille à vous.

Elle aurait bien aimé lui répondre qu'elle était tombée amoureuse d'un vétérinaire qui ne lui avait proposé que son amitié, pas son amour, mais bien sûr, ce n'était pas possible.

— J'imagine que certaines personnes sont destinées à jouer le rôle de tante gâteau, voilà tout !

Avant qu'il n'ait répondu à cette repartie dont elle avait honte tant elle lui paraissait pathétique, elle embraya tout de suite sur autre chose.

— Vous voulez un coup de main pour vos paquets ? Je peux passer chez vous en cachette ce soir quand Jack et Ava seront couchés pour vous aider à les envelopper. Ça ne prendra pas longtemps et vous serez tranquille.

Il réfléchit un moment, puis secoua la tête.

— Non, merci, ce n'est pas nécessaire. Soit je réussirai

à me débrouiller, soit je laisse tout comme ça. Après tout, ça ne sera pas la fin du monde !

Rejetée, encore une fois…

Elle devrait s'y être habituée maintenant. Pourtant, cette fois, elle s'était contentée de proposer son aide, mais apparemment, même cela, c'était de trop.

— Pas de problème. Je ne veux pas m'imposer.

Il regarda Alex et Jack s'asperger mutuellement en riant, puis reprit.

— Vous comprenez, c'est la ligne de conduite que j'ai choisie. Je ne veux pas que vous vous sentiez obligée de venir pallier mon incompétence en matière de pliage de papier ou de nœuds en bolduc.

— Mais je ne vois pas du tout les choses comme ça ! Je voulais juste… juste vous soulager un peu.

Il tourna la tête dans sa direction, perplexe.

— Ah…

— Oui, je trouve que vous portez une lourde charge.

— Dans ce cas, je veux bien. Tout est tellement bizarre pour nous cette année, avec cette maison qui n'est pas la nôtre, Mme Michaels repartie en Californie… Il vaut sans doute mieux que j'essaie de respecter au mieux les traditions que les enfants apprécient. C'est vrai que Santa Claus a toujours enveloppé ses cadeaux. Jack sans doute n'y prêtera guère attention, mais si les choses ne sont pas comme elle en a l'habitude, Ava en profitera pour trouver une raison de plus de me critiquer.

Il soupira.

— Mes dettes envers vous s'alourdissent de jour en jour.

Elle réussit à lui sourire.

— Ben, entre amis, on ne compte pas !

Si l'amitié était tout ce qui leur restait, hé bien, qu'elle soit au moins la meilleure amie qu'il ait jamais eue.

Puis, incapable de rester assise à côté de lui plus longtemps alors qu'elle désirait tellement plus que ce qu'il venait de lui offrir, elle se leva.

— Excusez-moi, je vous laisse. Je viens d'apercevoir Trace et Becca. Il faut que j'aille les rejoindre pour discuter avec Becca du menu de Noël.

— Biens sûr, allez-y.

— Vous n'avez qu'à m'appeler quand vos enfants seront endormis. Je ferai un saut chez vous à ce moment-là.

— Je devrais refuser, mais en fait, je vous suis très reconnaissant de l'aide que vous me proposez.

Encore un sourire… Puis, en cachant de son mieux sa tristesse de ne pas pouvoir obtenir plus de lui, elle s'éloigna en direction de sa belle-sœur.

Tout en marchant, elle réfléchissait. Si elle faisait le point sur sa vie maintenant, qu'est-ce qu'elle trouverait ?

Qu'il lui avait fallu attendre d'avoir vingt-sept ans pour découvrir qu'elle était légèrement maso. Car sinon, pourquoi est-ce qu'elle continuerait à se jeter tête la première dans des situations qui ne pouvaient que la faire souffrir ?

13

Ben regardait sur l'écran de son téléphone le message qu'il venait de taper mais qu'il n'avait pas envoyé : « Ça y est, ils sont couchés. »

La sagesse serait de l'effacer tout de suite et de d »ire qu'il avait changé d'avis. Caidy Bowman représentait un danger pour lui, surtout sur le coup de 22 heures.

Un danger d'autant plus sérieux que sa réaction quand il l'avait aperçue à la fête des McRaven avait été sans ambiguïté. La jeune femme élégante, aux longs cheveux flottants sur ses épaules, parfaitement délicieuse dans sa tenue habillée, lui plaisait tout autant que la version cow-girl qu'il avait l'habitude de rencontrer, en jeans et chemise à carreaux, sa tresse épaisse dépassant de son Stetson. Il avait dû lutter pour se retenir de la prendre dans ses bras et de clamer à la ronde qu'elle était à lui et rien qu'à lui.

— Je suis fou, pas vrai, Tri ? demanda-t-il à son chien.

Le chihuahua pencha la tête sur le côté, comme s'il réfléchissait.

— Allons, mon vieux, je ne te demande pas de répondre.

Tri émit un petit jappement et sauta sur ses genoux avec une habileté surprenante de la part d'un chien qui n'avait que trois pattes.

Ben aurait bien aimé faire preuve d'autant de résilience

que ce petit animal que la vie avait malmené mais qui avait su faire front.

Nouveau coup d'œil sur son téléphone. Puis, sans se donner le temps de réfléchir, il appuya sur la touche « envoyer ».

La réponse de Caidy fut immédiate, exactement comme si elle attendait son message à tout moment : « J'arrive. »

En sentant son cœur faire un bond de joie dans sa poitrine, il secoua la tête, mécontent. A quoi bon avoir détaillé à Caidy toutes les raisons qui l'empêchaient de se lancer dans une relation s'il continuait à réagir comme un homme prêt à se lancer dans l'aventure ? Sa réaction était parfaitement illogique. Toutes les raisons qu'il avait évoquées justifiaient parfaitement son refus. Ses enfants vivaient une période délicate de changements. Ils devaient faire beaucoup d'efforts pour s'adapter à leur nouvelle vie et, pour Ava surtout, accepter l'éloignement des grands-parents ne se faisait pas facilement. Une liaison amoureuse le rendrait moins attentif aux besoins de ses enfants qui devaient rester sa priorité.

Voilà pourquoi ce serait la dernière fois qu'il faisait appel à l'aide de Caidy. Après cette soirée, il veillerait à maintenir les distances entre elle et lui. Heureusement, dès qu'il aurait emménagé dans sa maison, ce serait beaucoup plus facile. Alors sans doute, il arrêterait de penser à elle sans arrêt comme il le faisait maintenant.

— Oui, je suis fou…, répéta-t-il en déposant Tri sur le sol.

Ensuite, il se dirigea vers la chambre de Mme Michaels. Avant de partir, elle avait caché les cadeaux des enfants dans son placard qu'elle avait soigneusement fermé à clé. Il y trouva des rouleaux de papier cadeau, du ruban adhésif et une paire de ciseaux. Comme toujours, elle avait pensé à tout.

Il transporta tout le matériel sur la table de la salle à manger, puis, après s'être assuré que Jack et Ava dormaient profondément, il fit plusieurs voyages dans les escaliers pour descendre les cadeaux prévus.

Comme il disposait les dernières boîtes sur la table, un bruit de pas se fit entendre devant la porte d'entrée. Caidy venait d'arriver, accompagnée par deux de ses chiens et chargée de deux gros paniers, ce qui ne fut pas sans éveiller sa curiosité.

Elle apparut sous le porche, emmitouflée dans un grand manteau en laine gris foncé. Une écharpe rouge et le bonnet assorti laissaient à peine apparaître ses joues rosies par le froid.

— Bonsoir, dit-elle à voix basse, craignant sans doute de réveiller les enfants.

— Entrez vite, dit Ben, choqué tout à coup par l'intimité qui allait être la leur.

Avec les flocons de neige qui tombaient doucement au-dehors, le feu qui crépitait dans la cheminée du salon, il était à deux doigts d'imaginer qu'ils étaient seuls au monde, à l'abri de tout et de tous. Erreur grossière, évidemment…

— Qu'est-ce que vous transportez dans ces sacs ? Ils ont l'air bien lourds.

— C'est le repas de Noël. C'est vrai que c'est lourd ! Est-ce que je peux les poser dans la cuisine.

— Heu… oui, mais qu'est-ce que c'est que cette histoire de repas de Noël ?

— Oh ! Pas grand-chose. J'avais du jambon rôti en trop et de la purée de pommes de terre maison au congélateur. Il vous suffira de rajouter un peu de lait et de la réchauffer au micro-ondes.

— Mais...

— Il y a aussi une tarte aux pommes. J'en fais toujours trop ! J'ai pensé qu'en l'absence de Mme Michaels, vous auriez peut-être un peu de mal pour préparer un dîner de fête pour les enfants.

Le dîner de Noël ? Il n'y avait bien sûr pas encore pensé. C'était déjà bien assez difficile de savoir ce qu'il allait servir à Ava et Jack au repas suivant ! Mais pourquoi se donnait-elle tout ce mal ?

— Merci. Enfin... je ne sais pas quoi vous dire d'autre. Merci beaucoup.

— Inutile de chercher ! Dites-moi plutôt si je peux ranger tout ça dans le réfrigérateur.

Il demeurait les bras ballants. Ce petit bout de femme le stupéfiait. Tant d'attentions le laissaient sans voix. Dire qu'elle avait vécu l'horreur et qu'en dépit de cela, elle s'arrangeait toujours pour essayer de rendre le monde un peu plus agréable à vivre autour d'elle.

Les provisions rangées, elle se débarrassa de son manteau, de son foulard et de son bonnet, puis lança :

— On s'y met ?

Elle jeta un coup d'œil sur la table.

— On dirait que vos enfants vont être drôlement gâtés !

— Oui, grâce à Mme Michaels qui a fait les courses avant de partir.

— Vous avez déjà fait des paquets, j'imagine ?

— Pas vraiment. Quand j'étais petit, je me souviens avoir empaqueté un pot à crayons pour mon grand-père. Le résultat était une horreur. Je ne pense pas avoir fait beaucoup de progrès depuis.

— Bon. Voici comment nous allons procéder.

— Je vous promets d'être un élève attentif.

— Je vais vous faire une démonstration et vous ferez

pareil ensuite avec les livres ou les C.D. pendant que je me chargerai des cadeaux qui ont des formes bizarres.

Pendant qu'il l'écoutait parler, il se rendait compte que son supplice venait de commencer. Tout près de lui, Caidy évoluait, inconsciente de son charme, de la douceur de ses courbes, du parfum délicieux qui émanait d'elle à chacun de ses gestes. Et lui, il était là, fasciné, maladroit, terrifié.

— Le secret d'un joli paquet, c'est d'avoir coupé la dimension correcte du papier pour l'envelopper. Ni trop, ni trop peu, sinon, on a des bourrelets aux deux bouts, ou alors, on aperçoit le cadeau par-dessous.

— Oui, oui, je comprends, marmonna-t-il, alors qu'il n'avait rien écouté.

Ce n'était plus seulement le désir qui le submergeait comme cela avait toujours été le cas quand il était en présence d'elle. Non, il y avait bien plus. Et c'était encore plus dangereux. Il y avait de la tendresse... Une tendresse immense pour cette femme si belle et, en même temps, si merveilleusement généreuse.

— ... et après, il suffit de scotcher les côtés...

Elle chuchotait, toujours soucieuse de ne pas éveiller les petits, et sa voix douce venait de l'introduire dans un monde enchanté de paix, de bonheur, de bienveillance. Il était à mille lieux du Scotch, du papier, des cadeaux.

— Pour terminer, un joli nœud sur le dessus, et voilà ! C'est joli, non ? Vous allez vous débrouiller tout seul maintenant.

Il la regarda, presque affolé.

— Je... je ne sais pas.

— Comment ça ? Vous avez bien entendu ce que je viens de vous expliquer ?

— Pas vraiment.

Là, ce fut au tour de Caidy de le regarder, perplexe.

— J'ai cru que vous suiviez. Il me semble que je viens de faire une démonstration magistrale.

— C'est sûr. Le problème, c'est que je n'ai pas écouté. J'étais tout le temps en train de penser que votre bouche a un goût de fraise délicieux.

Elle passa de l'autre côté de la table. Sur quel terrain glissant était-il en train de s'aventurer ?

— Je vous en prie, Ben, arrêtez !

— Je voudrais bien, je vous assure.

— Je parle sérieusement. Je ne supporte pas votre petit jeu. Un coup, vous flirtez avec moi et, la minute d'après, vous me rejetez. Ça suffit, débrouillez-vous pour savoir ce que vous voulez. Je ne sais pas ce que vous attendez de moi !

— Moi non plus…

Et c'était la stricte vérité. Dépité, il reconnaissait que si Caidy le prenait pour un imbécile, hé bien… elle aurait parfaitement raison. C'était exactement ce qu'il était.

— Vous comprenez, je me dis qu'en l'état actuel des choses, je ne suis pas à même de vous proposer autre chose que mon amitié. Et puis… quand vous arrivez chez moi et que je retrouve vos yeux verts, votre sourire et, en prime, votre gentillesse, je me sens obsédé par une idée fixe.

— Ah…

— Vous voulez savoir laquelle ?

— Si vous tenez à me la dire…

— Je vous la livre avec plaisir : je ne peux pas penser à autre chose qu'à vous prendre dans mes bras pour vous embrasser.

Il n'avait pas plus tôt effectué cet aveu qu'il s'en repentit. Caidy était une femme blessée, qui se réfugiait dans son ranch parce qu'elle se sentait trop vulnérable pour affronter la vie. Elle ne savait pas à quel point elle était désirable. S'il insistait, il allait l'effrayer, l'inquiéter, et alors, il perdrait tout, même son amitié, ce qui était vraiment la dernière chose qu'il souhaitait.

— Caidy, pardon. Oubliez tout ce que je viens de dire.

— Oui, je crois qu'il vaut mieux, en effet. Parlez-moi plutôt de vos Noëls d'enfant.

Il déglutit péniblement et fourragea dans ses cheveux.

— Oh ! Ils n'avaient rien d'extraordinaire.

— Il y avait bien des traditions dans votre famille ?

— Oui. L'arbre de Noël était toujours magnifique parce que ma grand-mère faisait venir un décorateur qui y travaillait toute la journée.

Il n'ajouta pas que ni Suzie ni lui n'avaient le droit d'y toucher parce qu'il ne fallait pas déranger le superbe arrangement mis en place par l'homme de l'art.

— Votre grand-mère ?

— Oui. Ce sont nos grands-parents qui nous ont élevés, ma sœur et moi.

— Pourquoi ?

Il avait le sentiment qu'elle l'encourageait du regard à parler, à raconter ce qu'avait été son enfance. Sans trop savoir pourquoi, il avait tout à coup envie de lui confier qu'elle avait été sa vie de petit garçon abandonné par sa mère, élevé par des grands-parents au cœur sec.

— Même si je n'ai pas vraiment de quoi me plaindre, je n'ai pas eu une enfance très heureuse. Je ne sais pas qui était mon père. Ma mère se droguait. Elle nous a abandonnés, ma sœur et moi, chez ses parents avant de mourir trois mois plus tard d'overdose.

— Heureusement que vos grands-parents étaient là pour prendre le relais.

Il laissa échapper eut un petit rire sans joie.

— Si l'on veut…

Comme elle avait l'air surprise, il poursuivit.

— C'étaient des gens riches, très en vue dans la bonne société de Chicago et fort peu disposés à s'occuper de deux jeunes enfants. S'ils n'avaient pas redouté les commentaires de leurs amis, je crois qu'ils se seraient volontiers débarrassés de nous en nous casant dans un orphelinat. Parfois, je me dis que ç'aurait été mieux pour Susan et pour moi.

— Vous avez d'autant plus de mérite à préparer un beau Noël pour Jack et Ava. Finalement, vous êtes devenu le père que vous n'avez pas eu.

Il hocha la tête, désarçonné par ce commentaire. Elle trouvait toujours un côté positif à ce qu'il faisait. Elle avait une façon troublante de l'émouvoir, qui se faisait de plus en plus puissante.

Et cette fois, il sentait bien qu'il ne s'agissait pas seulement d'attraction physique. Il y avait plus. Bien plus. Autant appeler les choses par leur nom : il était amoureux d'elle, tout bonnement.

Avec toutes les précautions qu'il avait prises pour empêcher ce qu'il considérait comme une catastrophe, comment cela avait-il pu arriver ?

Pendant la promenade en carriole, quand il avait été le témoin de l'attention affectueuse qu'elle portait à la petite Maya ? Ou quand elle était venue lui ouvrir l'autre soir, le visage saupoudré de farine ? Ou tout simplement, le premier jour, à la clinique, quand il l'avait surprise en train de fredonner pour son chien ?

Tout occupée à terminer ses paquets, elle ne faisait pas attention à lui, plongé dans sa rêverie.

— Et voilà ! Je crois que je viens de faire le dernier paquet.

Il jeta un coup d'œil sur les boîtes enrubannées qui s'empilaient sur la table. Oui... Cette année encore, grâce à Mme Michaels et à Caidy, les enfants auraient un véritable Noël. Après tout, elle avait raison, il devait être un bon père puisqu'il offrait à ses enfants non seulement le confort matériel mais aussi toutes les bonnes occasions d'être heureux, quitte à se faire aider lorsque sa compétence ne suffisait pas.

— Merci, Caidy.

Le mot paraissait bien pauvre ! Il aurait fallu en inventer un tout neuf, à la hauteur de tout ce qu'elle avait fait pour l'aider, mais il ne trouva rien de mieux.

Avec un sourire, elle étira les bras au-dessus de sa tête. Elle était si jolie en faisant ce geste qu'il dut se retenir pour ne pas lui sauter au cou.

— Inutile de me remercier, Ben. Il me suffit de penser à leurs sourires quand ils découvriront les paquets sous le sapin pour être plus que récompensée ! Vous savez que vous avez deux enfants adorables ?

— Oui, c'est vrai.

Il aurait aimé parler davantage, lui exprimer sa gratitude, mais les mots ne lui venaient pas. Son trouble était si grand qu'il n'osa même pas s'approcher d'elle pour l'aider à enfiler son manteau.

— Bonsoir, Caidy.

Comme elle arrivait près de la porte, il retrouva un peu ses esprits.

— Un instant, j'attrape mon blouson et je vous raccompagne chez vous.

— Non, ne vous dérangez pas, j'ai l'habitude. Je connais ce chemin par cœur depuis que j'ai six ans ! Ne laissez pas vos enfants tout seuls.

Il marmonna quelque chose. Si *elle* n'avait pas besoin de lui pour rentrer, *lui* avait besoin de la raccompagner.

— Le trajet n'est pas long, il y en a pour cinq minutes à peine.

— Vous êtes quelqu'un d'obstiné, docteur Caldwell !

C'était sans doute vrai. Obstiné et aveugle... puisqu'il ne s'était pas rendu compte qu'il tombait amoureux.

Ils sortirent ensemble dans la neige, Tri sautillant devant eux. Et encore une fois, il fut frappé par la sérénité qu'il éprouvait quand il se trouvait en compagnie de Caidy.

Elle sourit en voyant les efforts du petit chien qui s'appliquait sur ses trois pattes à rester en tête, comme pour bien prouver que c'était lui le chef de meute. Puis, pour laisser les flocons qui tombaient doucement lui caresser les joues, elle leva le visage vers le ciel.

Il sentit une énorme vague de tendresse déferler sur lui, enveloppante comme un manteau très doux. Il avait envie de protéger cette jeune femme qui souriait à la neige, de faire fuir les fantômes qui l'empêchaient de vivre, de lui rendre le goût de chanter...

Son mariage n'avait jamais provoqué en lui pareilles émotions. Tout en marchant à côté d'elle, il prenait clairement conscience du fait que si, indéniablement, il avait aimé Brooke, leur amour était resté immature. Ils s'étaient rencontrés jeunes, alors qu'ils étaient encore étudiants, lui, à l'école vétérinaire, elle, en relations publiques. Pour une raison encore mystérieuse à ses yeux, elle l'avait immédiatement choisi, à sa manière obstinée qui devait faire leur malheur plus tard, mais qui l'avait séduit alors.

Il s'était mis à l'aimer, tout en sachant qu'à son amour se mêlait aussi une certaine dose de gratitude envers cette jeune femme qui l'avait élu, lui, le garçon solitaire et trop sérieux, pour lui offrir la possibilité de fonder une famille.

A la mort de Brooke, son univers avait basculé. Il avait eu la certitude que sa vie était finie, que plus jamais il ne tomberait amoureux. Il avait mis des mois, des années, même, avant de retrouver le goût de vivre. Et aujourd'hui, il venait de découvrir qu'il était amoureux de Caidy Bowman, ce qui l'épouvantait. Allait-il courir une fois de plus le risque d'aimer ?

Il soupira. Pourquoi se posait-il toutes ces questions ? Oui, Caidy répondait avec passion à ses baisers, mais elle avait passé le plus clair de sa vie d'adulte à refuser toute relation amoureuse. Elle ne vivait que pour sa famille. Pourquoi s'intéresserait-elle à lui ? Il avait bien peu à lui offrir. En fait, il n'avait à mettre dans la balance que son caractère pas toujours facile et deux jeunes enfants remuants.

Comme ils approchaient de la grange, elle s'arrêta un instant et se tourna vers lui.

— Vous croyez que je peux vous demander un service ?

— Bien sûr, Caidy !

— Si vous avez un peu de temps cette semaine, j'aimerais bien que vous jetiez un coup d'œil sur ma vieille Sadie. Je trouve qu'elle a un comportement bizarre depuis quelques jours.

Il revit en pensée la chienne colley, âgée de treize ans, qui bougeait lentement, comme pour économiser ses mouvements.

— Bien sûr, je passerai demain matin.

— Oh ! Ce n'est pas urgent. Laissez passer Noël.

— D'accord, je viendrai mercredi. Mais si jamais les enfants ont envie de faire un tour dans la neige après avoir ouvert leurs cadeaux, je ferai peut-être un saut chez vous.

— Parfait. Et maintenant, rentrez vite ! Vous avez laissé deux enfants seuls et un feu dans la cheminée.

— Oui, je sais…

Il avait envie de l'embrasser, de la serrer contre lui. Mais il n'en avait pas le droit. En tout cas, pas mainte-nant, c'était trop tôt. Peut-être après les vacances, quand il serait installé chez lui et que Mme Michaels serait de retour, il l'inviterait à dîner. D'ici là, leur relation se serait peut-être précisée, dans un sens ou dans un autre.

— Merci encore d'avoir fait tous ces paquets et noué tous ces nœuds à ma place ! Je vais tâcher de m'entraîner dans les mois à venir pour ne pas me trouver aussi embarrassé au Noël prochain.

— Je vous en prie. C'était un plaisir pour moi de vous donner ce petit coup de main.

— Joyeux Noël, Caidy !

— Joyeux Noël à vous aussi, Ben.

Elle avait encore sur le visage ce sourire d'ange.

Sans l'avoir voulu, il se pencha sur elle et déposa un baiser sur ses lèvres tièdes malgré le froid. Puis il ramassa Tri et s'éloigna rapidement dans la neige tant qu'il en avait la force.

14

— Tiens bon, Sadie, juste encore un peu, je t'en prie…

Une sueur glacée perlait au front de Caidy tandis qu'elle conduisait son pick-up vers la maison de Ben. Le chemin lui paraissait interminable. Dans le froid et la nuit de la veillée de Noël, elle vivait la triste répétition de la scène survenue quelques semaines plus tôt avec Luke. Mais cette fois, elle était encore plus inquiète que pour ce dernier.

Sadie ne devait pas mourir aujourd'hui, c'était tout bonnement impossible. Pourtant, dès qu'elle était entrée dans la grange, quelques instants plus tôt et qu'elle avait trouvé sa chienne chérie allongée sans mouvement sur la paille d'un des box à chevaux, toute l'inquiétude qu'elle avait essayé d'écarter au cours des jours précédents lui était tombée dessus comme un seau d'eau glacée. Une seule idée avait réussi à tenir la panique en respect : Ben saurait ce qu'il fallait faire.

Aussitôt, elle avait roulé Sadie dans une couverture et l'avait déposée dans le premier pick-up en vue. C'était celui de Ridge, mais peu importait.

Comme elle arrivait près de la maison nichée dans la forêt de pins, la réalité la rattrapa tout à coup. Il était près de minuit, la nuit de Noël… Il ne fallait pas réveiller les enfants. Surtout pas cette nuit, sinon ce serait impossible de les renvoyer au lit !

Elle arrêta son véhicule devant la porte d'entrée en se demandant ce qu'elle allait faire. Il y avait encore de la lumière dans la grande pièce. Ben était peut-être encore debout ?

Sadie n'avait pas bougé pendant le court trajet. Seule la respiration difficile qui lui soulevait la cage thoracique était la preuve qu'elle était encore vivante.

Au moment où elle descendait de son véhicule, la lumière de la véranda s'éclaira et Ben apparut dans l'encadrement de la porte. Il devait être en train de se coucher, mais avait dû entendre le bruit du moteur, et était venu voir qui arrivait chez lui à une heure aussi tardive.

— Caidy ! s'exclama-t-il. Quelque chose ne va pas ?

Elle poussa un soupir de soulagement. Ben était encore réveillé ! Il allait s'occuper de Sadie et tout irait bien.

— C'est Sadie… Oh ! Ben, je vous en prie, faites quelque chose pour elle !

— Qu'est-ce qui lui est arrivé ?

— Je ne sais pas. Après que Destry et Ridge sont allés se coucher, je suis allée dans la grange. C'est… c'est un endroit très spécial pour moi à ce moment de l'année. J'ai l'habitude de m'y réfugier un moment la nuit de Noël. Là, au milieu de mes animaux, je trouve un peu de paix. Mais quand je suis arrivée, j'ai trouvé Sadie allongée dans un box, incapable de se lever.

Elle ravala un sanglot. Cette nuit de Noël était déjà tellement chargée de souvenirs abominables qu'elle ne supportait même pas d'envisager que Sadie la choisisse pour mourir elle aussi.

— Ne restez pas là dans le froid. Je vais la porter à l'intérieur où je pourrai l'examiner comme il faut.

Il souleva la chienne dans ses bras et monta avec elle l'escalier qui conduisait à la véranda. Elle le suivit.

Inutile de penser à ce qui pouvait arriver. Ben était là, c'était suffisant. Il saurait ce qu'il fallait faire.

Il attrapa une couverture sur le canapé et la déplia par terre, devant la cheminée où brillaient encore quelques braises. Puis, avec des gestes doux et précautionneux, il y déposa Sadie. Elle le regardait faire, silencieuse et troublée. Comment avait-elle pu se tromper autant sur la personnalité de Ben ? Dire qu'elle avait jugé cet homme brusque et désagréable !

— Dites-moi ce que vous avez remarqué de bizarre dans son comportement.

— Hé bien… depuis deux ou trois jours, elle est assez apathique. Elle demandait souvent à sortir et ne mangeait presque plus.

— Je pense qu'il s'agit d'une insuffisance rénale chronique. C'est courant chez les chiens âgés. Elle a besoin d'être hydratée. Je peux la soulager tout de suite en lui faisant une perfusion. J'ai toujours ce genre de matériel avec moi.

— Et… ensuite ?

— Quand on dit « chronique », cela signifie qu'il n'y a pas de traitement miracle. Mais on peut lui permettre de vivre confortablement encore quelques mois.

— Oh ! Déjà ça, ce serait merveilleux !

Heureusement qu'elle était allée dans la grange ! Sans cela, Sadie, qui lui avait apporté le réconfort de sa présence affectueuse aux moments les plus noirs de son existence, serait sûrement morte dans la nuit. C'était presque un petit miracle qu'elle soit arrivée à temps pour l'amener à Ben.

Oui, un vrai petit miracle.

La pendule posée sur la cheminée sonna douze coups. Minuit. C'était Noël. Elle se pencha sur la chienne, la caressa doucement et, sans l'avoir prémédité, sans savoir comment les mots sortaient de sa gorge, elle se mit à chanter.

Pour la première fois depuis onze ans, elle chantait.

Lorsque Ben revint avec le matériel nécessaire à la perfusion, il demeura un instant interdit, puis il s'avança et s'agenouilla auprès de Sadie.

— Ne vous arrêtez pas de chanter, Caidy. Votre voix apaise Sadie et… j'avoue que moi aussi, j'aime vous écouter. Votre frère a raison, vous avez une très belle voix. C'est un beau cadeau que vous me faites en me permettant de l'entendre.

Elle baissa les yeux et continua à chanter. *Silent Night* achevé, elle enchaîna avec *Away In The Mountain*. Sa voix claire de soprano s'élevait, vibrante, magique.

A la fin, elle sourit, étonnée de ce qui lui arrivait.

— C'est… étrange. Et merveilleux en même temps. Un peu comme si pendant toutes ces années, les mots étaient restés là, dans ma gorge, prêts à jaillir.

— Vos parents seraient sûrement très heureux que vous chantiez de nouveau.

C'était un risque d'évoquer le passé et les tristes souvenirs qui meublaient depuis si longtemps les vacances de la jeune femme. Comment allait-elle réagir ?

A son grand soulagement, elle hocha la tête.

— Vous avez raison, j'en suis sûre.

Elle leva son visage vers lui. Ses grands yeux verts brillaient de larmes.

— Je ne sais pas ce que j'aurais fait, Ben, si vous n'aviez pas été là.

— Je suis heureux de pouvoir vous aider un peu à mon tour !

Une larme roula sur sa joue de Caidy. Ben l'essuya du pouce.

— Je vous en prie, ne pleurez pas !

— Ce sont des larmes de bonheur. Douces-amères, c'est vrai, parce que je sais que Sadie ne sera pas toujours là, mais elle va m'accompagner encore un peu, et c'est grâce à vous. Je crois que je n'aurais pas été assez forte pour supporter de la voir mourir un soir de Noël.

— Oh ! J'oubliais ! Joyeux Noël, Caidy !

Le sourire lumineux qu'elle lui adressa lui fit battre le cœur. Impossible de douter de l'amour qu'il éprouvait pour elle. Il continua à lui caresser la joue, puis il lui prit le visage entre ses mains, se pencha et l'embrassa. Elle se laissa aller contre lui et lui passa ses bras autour de la taille.

Ils étaient agenouillés tous les deux auprès de Sadie, dans une position guère confortable. Il attira Caidy contre lui et s'appuya contre le rebord du canapé. Là, ils s'embrassèrent longtemps, lentement, délicieusement. Le chant de Caidy les avait mystérieusement libérés tous les deux. Pour la première fois depuis qu'ils se connaissaient, ils étaient deux jeunes êtres libres d'aimer.

Il n'en doutait plus désormais. Cette jeune femme si belle et courageuse faisait partie de sa vie. De celle de ses enfants aussi. Toutes les raisons qu'il avait inventées jusqu'à maintenant pour avancer lentement dans sa relation avec elle s'étaient envolées d'un seul coup. Nulles et non avenues. Comment avait-il pu les prendre en considération une seule minute ?

Lorsqu'elle s'écarta de lui, ses yeux verts étincelaient. Sous ce regard, il se sentait le meilleur vétérinaire du monde. Mieux encore, l'homme le plus heureux du monde !

— Caidy, dis-moi… Tu crois qu'un vétérinaire a

le droit de tomber amoureux de la propriétaire de son patient ?

Elle lui lança un regard incrédule, comme si elle doutait de ce qu'elle venait d'entendre. C'était la première fois qu'il la tutoyait et il pouvait sentir tout contre lui son cœur battait à tout rompre.

— C'est une question théorique ?

Pour toute réponse, il la serra plus fort contre lui. Ses yeux bleus brillaient comme un lac de montagne sous le soleil d'été.

— Je suis sûr que tu connais la réponse. J'ai lutté comme un fou contre ce sentiment pour une multitude de raisons toutes plus fausses les unes que les autres. Ce soir, en t'entendant chanter, j'ai compris qu'aucune d'entre elles n'était valable. Je t'aime, Caidy. Ce n'est pas ce que je recherchais parce que ma vie actuelle est un chaos total. Mais qu'est-ce que ça peut faire ?

Il se tut, la regarda, belle, souriante, merveilleuse.

— Tu es celle qui apaise le chaos. Je ne sais pas comment tu t'y es prise, mais depuis que tu as déboulé dans ma vie, avec tes chiens, tes chevaux, ton sourire, ma vie a complètement changé.

Elle passa tendrement la main dans ses cheveux.

— Tu te rappelles la première fois que je t'ai rencontré à la clinique ? Je t'ai trouvé sexy, mais suprêmement désagréable !

— Et moi, je crois que je suis tout de suite tombé amoureux de toi, avec ton air décidé, tes longs cheveux noirs et ton regard acéré qui paraissait évaluer sans bienveillance chacun de mes gestes.

A ce souvenir, ils éclatèrent de rire ensemble et recommencèrent à s'embrasser.

Lorsqu'ils s'arrêtèrent, Sadie s'était redressée et

inspectait la pièce du regard tandis que Tri s'amusait à lui mordiller l'oreille.

— Pour répondre à ta question, reprit-elle, je crois qu'il n'y a pas de problème si la maîtresse du chien est elle-même très amoureuse du vétérinaire.

— Est-ce que ce serait le cas par hasard ?

— Parfaitement. Je t'aime, Ben. Et j'aime aussi Jack et Ava. Jusqu'à ce que je fasse ta connaissance, je croyais être heureuse dans mon ranch, avec Ridge et Destry. Mais, depuis que je t'ai rencontré, j'ai bien compris qu'il me manquait quelque chose. L'essentiel, en fait.

— Qu'est-ce que c'est, cet essentiel ?

— Un homme qui m'aime et que j'aime. Une famille à moi.

Ils se regardèrent un moment en silence.

— Oui, Ben, je crois que je t'attendais.

Elle n'arrivait plus à contenir la joie qui bouillonnait en elle. C'était le matin de Noël, le moment des miracles et de l'espoir. Et elle avait onze Noëls à rattraper ! Quel meilleur endroit pour le faire que les bras de l'homme dont elle était follement amoureuse ?

Epilogue

— J'adore les mariages de Noël ! s'exclama Laura en ajustant avec une pince le voile immaculé qui recouvrait les cheveux de Caidy.

— Mais c'est pas encore Noël, maman, précisa Maya, avec son irréfutable logique. Le Père Noël passe dans cinq jours, pas aujourd'hui.

Caidy regardait le reflet de la fillette dans le miroir. Adorable dans sa longue robe de demoiselle d'honneur, Maya était assise sur un petit banc dans la pièce que l'église de Pine Gulch réservait aux mariées. Dans ses bras, elle tenait Will, le bébé de Trace et Becca, un superbe petit garçon de six mois qui suçait son pouce avec une application imperturbable.

— Tu as raison, ma chérie, reconnut Laura. Je devrais dire que j'aime les mariages qui ont lieu au moment de Noël. C'est correct cette fois ?

— Oui, c'est bien.

Sur ces entrefaites, Becca arriva et, avec un instinct imparable, récupéra son fils au moment où les deux enfants commençaient à se lasser de la situation.

— L'église est magnifique !

— C'est vrai, admit Laura. On se croirait transportés au pays des contes de fées avec toute cette décoration blanche et ces rubans bleus. Quelle bonne idée d'avoir choisi autre chose que le rouge et le vert traditionnels !

Elle fit un pas en arrière et considéra sa belle-sœur.

— Caidy, tu es ma-gni-fi-que ! J'espère que tu es aussi heureuse que tu es belle.

— Heureuse ? Le mot est trop faible pour décrire ce que je ressens. Il me semble que mon cœur est trop petit pour contenir tout le bonheur que j'éprouve.

— C'est drôle, avança Ava, ça me fait la même chose !

— Moi aussi, je suis très heureuse, affirma Destry, qui ne voulait pas être en reste.

Les deux adolescentes arboraient avec fierté leur robe longue du même bleu pâle que les rubans qui décoraient l'église et on aurait eu bien du mal à dire laquelle de la blonde Destry et de la brune Ava était la plus belle !

Caidy serra la main des deux petites. L'une était la fille selon son cœur et l'autre allait devenir officiellement la sienne avec son mariage avec Ben.

Tant de choses avaient changé dans sa vie depuis le Noël précédent ! Pendant des années, elle était restée cloîtrée dans le ranch, prisonnière de ses horribles souvenirs, suffoquée par ses peurs, effrayée d'avancer dans l'existence.

Ben avait changé tout cela. L'année qui venait de s'écouler avait été la plus heureuse de sa vie. La seule ombre au tableau avait été la mort de Sadie, au printemps dernier. Pendant les mois précédents, elle avait connu un regain d'énergie et puis, un matin d'avril, Caidy l'avait trouvée morte sous les branches d'un pommier en fleurs. Ben l'avait aidée à l'enterrer près de la rivière où elle aimait se promener et l'avait gardée dans ses bras pendant tout le temps où elle pleurait.

Tout au long de l'année (et Dieu sait si elle avait trouvé le temps long !), Ben et elle-même avaient pris soin de ne rien brusquer afin de laisser à Jack et Ava le temps de s'adapter. Au départ, Ava avait refusé que quelqu'un remplace sa mère, mais au fil des mois, elle avait noué une excellente relation avec Caidy, toujours attentive à ménager sa sensibilité d'enfant blessée.

C'était Caidy elle-même qui avait choisi cette date pour son mariage afin de remplacer le deuil par la fête et le chagrin par le bonheur.

— Je suis si heureuse pour toi, dit Laura en prenant Caidy dans ses bras.

Laura était enceinte de quatre mois maintenant, mais sa rondeur naissante ne l'empêcha pas de la serrer très fort contre elle.

Becca l'embrassa à son tour.

— Moi aussi, je suis heureuse pour toi. Heureusement que tu as choisi un type sympa comme Ben et non pas une espèce de rustre « arrogant et présomptueux ».

Caidy hocha la tête.

— Décidément, vous ne me laisserez jamais oublier ça, pas vrai ?

— Certainement pas ! répondirent en chœur Laura et Becca.

Sur ces entrefaites, on tapa à la porte. Ridge passa son visage dans l'entrebâillement.

— Vous êtes prêtes ? Je connais un certain vétérinaire qui commence à s'impatienter !

— C'est bon, répondit Caidy en prenant le bras de son frère. On y va.

Ridge lui serra affectueusement la main.

— Tu es plus que belle, Caidy. Papa et maman seraient très heureux de ton bonheur aujourd'hui et je suis sûr qu'ils auraient apprécié Ben à sa juste valeur.

— Arrête, tu vas me faire pleurer !

Ridge déposa un baiser sur la joue de sa sœur.

— Interdit ! Pas de larmes aujourd'hui !

Les demoiselles d'honneur commencèrent à s'avancer

dans l'allée centrale. Ridge et Caidy leur emboîtèrent le pas.

Là-bas, dans le chœur, l'homme de sa vie l'attendait, souriant, radieux.

Alors, le cœur gonflé de l'amour qu'elle éprouvait pour lui et ses enfants, elle s'avança, belle, aimée, libre.

Libre, enfin.

Passions

— Le 1er décembre —

Passions n°435

Au cœur des sables - Barbara Dunlop
Série : «Les secrets de Waverly's»

Ann, directrice de Waverly's, est sous le choc. La voilà kidnappée, soupçonnée d'avoir joué un rôle dans la disparition de la précieuse statuette du Cœur d'Or ! Prisonnière dans une suite luxueuse à Long Island, elle bouillonne de rage. D'abord, parce qu'elle est innocente. Et, ensuite, parce que son ravisseur, le ténébreux Raif Khouri, prince héritier de Rayas, éveille en elle des sentiments bien trop déroutants. Est-elle effrayée ? Étrangement, non. La trouble-t-il ? Oui. L'excite-t-il ? Sans conteste... Comment fuir cette cage dorée ? Mais, surtout, comment échapper à l'envoûtante emprise que Raif exerce sur elle ? Hélas, Raif a décidé de l'emmener avec lui loin, très loin, dans son royaume au cœur du désert...

Un troublant secret - Elizabeth Lane

Quand Angie se retrouve face à face avec le puissant et calculateur Jordan Cooper, frère jumeau de Justin, son fiancé disparu quatre ans auparavant, sa vie vole en éclats. Pourquoi Jordan ressurgit-il du passé, pourquoi lui propose-t-il de tout quitter pour le suivre dans son ranch ? Certes, il prétend que c'est pour le bien de Lucas, le fils qu'elle a eu de Justin, qu'il veut nommer héritier de la fortune familiale. Mais comment lui faire confiance ? Impossible, après les pressions qu'il lui avait fait subir à l'époque, pour qu'elle disparaisse de la vie des riches Cooper. Inacceptable, après leur rencontre secrète, fugace et passionnée, quelques années plus tôt...

Passions n°436

Les amants de Louisiane - Nora Roberts

De retour en Louisiane, Gwen a le cœur lourd. Si elle revient dans sa ville natale, ce n'est pas pour passer de simples vacances, mais pour chasser de la maison familiale un certain Luke Power, dont sa mère, veuve depuis des années, semble s'être amourachée malgré une scandaleuse différence d'âge. Oui, elle a franchi des milliers de kilomètres depuis New-York pour lui faire plier bagage. Et, quoi qu'il lui en coûte, elle va y parvenir ! Mais une fois devant Luke, Gwen sent toutes ses résolutions s'envoler. Se pourrait-il que ses soupçons au sujet de sa relation avec sa mère soient injustifiés ? Et ne serait-elle pas en train de tomber elle-même amoureuse de cet homme si séduisant ?

Une passion interdite - Nora Roberts

Snob et intellectuel : Booth DeWitt est exactement le genre d'homme qu'une femme comme Ariel, franche et passionnée, devrait fuir. Et pourtant, bien malgré elle, il pique sa curiosité. Pis, elle doit se l'avouer : il l'attire. Comment, dans ces conditions, se concentrer sur le tournage qui les réunit, elle, actrice, et lui, scénariste ? Car cet homme au charisme magnétique envoûte ses sens, à tel point que, séduite par sa force autant que par sa réserve, enivrée de sa seule présence, elle désire presque douloureusement sentir ses bras l'enlacer. Hélas, elle ne peut rien espérer : Booth la déteste, elle le sait, à cause de sa ressemblance avec son ex-femme...

Une nuit avec le cheikh - Olivia Gates

Série : «Les princes d'Azmahar»

Layla, sous le choc, ne peut détacher ses yeux du mystérieux inconnu qui a mis en fuite les hommes qui ont tenté de l'agresser. Sombre, menaçant, un corps majestueux... Sa puissance à couper le souffle l'électrise. Et, soudain, des lointains souvenirs du royaume d'Azmahar refont surface. Où a-t-elle déjà vu ce regard envoûtant ? Pourquoi le visage de cet homme si incroyablement séduisant lui semble-t-il familier ? Une chose est certaine : elle éprouve un impérieux désir de suivre son énigmatique et ténébreux sauveur. Au mépris de toute raison.

Eblouissant désir - Karen Templeton

Ces baisers, ces caresses, cette fièvre... C'était une erreur, Blythe le savait. Mais, malgré tous ses efforts pour résister à l'attirance irrépressible qu'elle ressentait pour Wes Philips, elle a fini par céder, incapable de lutter contre l'évidence. Et depuis leur nuit de passion, elle n'a cessé de penser à lui. Aussi doit-elle se reprendre, et vite. Car Wes, elle en est consciente, n'a qu'une seule priorité : son fils Jack. De plus, s'il est dans sa vie aujourd'hui, c'est uniquement parce qu'il l'a embauchée en tant que décoratrice. Et entre eux, il y aura seulement une relation professionnelle. Rien d'autre...

L'ivresse d'un baiser - Teresa Southwick

Saga : «Passions dans le Montana»

Déçue, blessée, Gianna ne sait plus que penser. Depuis la soirée romantique qu'elle a passée avec Shane, l'homme le plus séduisant qu'elle ait jamais rencontré, elle n'a cessé de penser au désir intense qu'elle a vu briller dans ses yeux ce soir-là. Le même que celui qui la faisait vibrer... Hélas, Shane ne lui adresse pratiquement plus la parole. Pas un mot, rien, comme s'il s'appliquait à l'éviter. Certes, ils travaillent ensemble, mais cela ne l'avait pas empêché de l'inviter à sortir avec lui, ce fameux soir. Alors pourquoi cette froideur soudaine ? Pourquoi la fuit-il ? De deux choses l'une : soit Shane n'est tout simplement pas attiré par elle, soit il lui cache un secret...

Une nuit de mensonges - Heidi Betts

Quand Jessica Taylor aperçoit Alexander Bajoran dans l'hôtel de luxe où elle travaille comme femme de chambre, elle frémit en reconnaissant l'homme qui, cinq ans auparavant, a causé la faillite de sa famille. Et si c'était là une occasion inespérée de se venger de cet homme insensible et calculateur, et de le faire payer pour toute la souffrance qu'il a provoquée ? Son plan est tout trouvé : elle va le séduire, le rendre fou de désir, l'étourdir de passion. L'anéantir. Un plan parfait, à condition qu'elle parvienne à ignorer l'attirance réelle que cet homme sans scrupule éveille en elle contre toute raison...

Frissons sous la neige - Joanna Sims

L'arrivée imprévue de Luke Brand au ranch familial prend Sophia au dépourvu. Bien sûr, ce moment devait arriver : elle savait que le frère jumeau de Danny, son mari disparu, finirait par venir la trouver un jour. Mais pourquoi maintenant ? Juste au moment où, enceinte, elle a tant besoin de calme ? Et puis... sa présence la trouble plus que de raison : certes, il ressemble tant à Danny. Mais cela justifie-t-il cette envie qu'elle ressent de se perdre dans les yeux envoûtants de Luke, de sentir ses bras forts la serrer ?

Un délicieux Noël - Tracy Madison

Rachel est folle de joie : elle va passer les vacances de Noël dans le village du Colorado où, petite fille puis adolescente, elle a vécu tant de moments heureux. Mais ce Noël sera encore plus magique, elle le pressent, car elle sera accompagnée de son fiancé Andrew. Hélas, c'est sans compter Cole Foster, son ami d'enfance. Dès qu'elle le revoit, plus rien ne se passe comme elle l'avait prévu. Près de Cole, son cœur s'emballe, son corps frémit. Et si, finalement, Andrew n'était pas l'homme de sa vie, comme elle s'évertue à le croire ? Pourtant, elle le sait, elle ne doit surtout pas écouter la petite voix qui lui murmure de le quitter et de s'abandonner à Cole. Car ce dernier a donné son cœur à une autre. Une mystérieuse petite amie dont il est, paraît-il, éperdument amoureux...

Au nom du désir - Jennifer LaBrecque

Aussi loin qu'il s'en souvienne, Knox a toujours considéré Trudie comme sa meilleure amie. Mais lorsqu'il la revoit après deux ans d'absence, il sent son cœur s'affoler étrangement. Quand Trudie est-elle devenue aussi désirable ? Dès lors, il n'a plus qu'un but : se faire pardonner par tous les moyens – et surtout les plus délicieux - la façon abrupte dont il a disparu deux ans plus tôt...

Un amant si sexy - Leslie Kelly

Comment son frère a-t-il pu louer l'appartement au-dessus du sien à un étranger, sans l'en avertir ? Furieuse, Claire est bien décidée à tout faire pour chasser cet intrus. Mais lorsqu'elle se retrouve face au nouveau locataire, elle sent très vite sa résolution vaciller. Car à peine pose-t-il son regard brûlant sur elle qu'elle y lit la promesse de délices inoubliables...

Les mille et un fantasmes de Noël - Jacquie d'Alessandro

Un chalet isolé, de la neige à perte de vue, et l'homme le plus sexy du monde - celui qu'elle aime et va épouser - pour seul compagnon... Jess est bien décidée à faire de ces quelques jours loin du stress lié aux préparatifs du mariage, un week-end de retrouvailles aussi torride qu'inoubliable. Et pour ça, elle est prête à toutes les audaces...

Sulfureuses retrouvailles - Vicki Lewis Thompson

En apprenant que Riley Kinnard, l'homme qui lui a brisé le cœur, est de retour de Chicago pour quelques jours, Hayden est partagée entre colère et excitation. Si elle n'oublie pas le mal qu'il lui a fait, le souvenir du corps musclé de Riley contre le sien et du plaisir infini qu'il a toujours su lui donner continue à la hanter. Alors pourquoi ne pas céder, une dernière fois, au désir qu'il lui inspire sans penser à demain ? A condition, bien sûr, de mettre son cœur à l'abri......

BestSellers

A paraître le 1ᵉʳ novembre

Best-Sellers n°585 • suspense

Jamais je ne t'abandonnerai - Antoinette Van Heugten

Son enfant est innocent. Elle le sait comme seule une mère peut en avoir la certitude. Pour défendre Max, elle aura tous les courages.

Que se passe-t-il ? Danielle Parkman ne reconnaît plus son fils. Plus du tout. Pourtant, elle n'imagine pas un instant que la terrible maladie dont Max souffre ait pu transformer le petit garçon tendre et attentionné qu'il était en adolescent au comportement inquiétant. Certes, l'autisme est un mal étrange mais, quoiqu'en disent les médecins, elle seule connaît le cœur de son enfant. Et elle a confiance en lui.

Jusqu'au jour où Max est accusé du meurtre d'un patient hospitalisé dans le même établissement que lui. Sous le choc, Danielle est aussitôt assaillie par un terrible doute : se pourrait-il qu'elle se soit trompée ? Non, c'est impossible. Max n'a fait de mal à personne. Par chance, l'avocat Tony Sevillas, le seul qui semble la croire, fait tout pour défendre sa cause : avec lui, Danielle est prête à braver la peur et le doute pour que la vérité triomphe. Et jamais, jamais, elle n'abandonnera Max.

Best-Sellers n°586 • suspense

L'inconnu de Home Valley - Karen Harper

Une famille à chérir, un champ de lavande à cultiver, et la prière pour la guider. Ella connaît son bonheur de vivre auprès des siens, dans la paisible communauté amish de Home Valley, Ohio. Aussi est-ce avec une certaine inquiétude qu'elle voit arriver chez elle un *aussländer*, un étranger que ses parents ont accepté d'héberger à la demande du FBI. Cible de dangereux criminels contre lesquels il va témoigner, Andrew devra vivre caché sous l'identité d'un amish jusqu'au jour du procès.

Face à cette intrusion dans son univers, Ella se sent perdue. Car si elle est prête à aider Andrew, elle pressent aussi que ce dernier représente une menace pour sa communauté. Pour sa communauté, et pour son cœur, si elle en croit le trouble qui s'empare d'elle chaque fois qu'elle pose les yeux sur lui. Une crainte qui ne fait que se confirmer, lorsque la violence fait soudain irruption dans la vallée, la contraignant à fuir en compagnie du seul homme qu'il lui est interdit d'aimer…

BestSellers

Best-Sellers n° 587 • thriller

Le couvent des ombres - Lisa Jackson

La cathédrale de La Nouvelle-Orléans… Au pied de l'autel gît le corps sans vie d'une jeune novice vêtue d'une robe de mariée jaunie. Autour de son cou, un collier de perles écarlates…

Camille, sa petite sœur adorée, est morte. Si seulement Valerie avait pu convaincre sa cadette de quitter ce couvent austère et angoissant, Camille serait vivante aujourd'hui !

Bouleversée, révoltée par ce meurtre, Valerie Renard, une ex-policière, décide de mener sa propre enquête, parallèlement à celle de Rick Bentz et Ruben Montoya, les inspecteurs chargés de l'affaire. Car Valerie le sait : le couvent Sainte-Marguerite n'est pas la paisible retraite que tout le monde imagine, et tous ceux qui y résident, du séduisant père Frank O'Toole à la sévère mère supérieure, semblent avoir quelque chose à cacher. Camille elle-même avait une vie secrète, des zones d'ombre que Valerie ne soupçonnait pas.

Une découverte qui pourrait faire d'elle, si elle découvrait la vérité, la prochaine proie du tueur.

Best-Sellers n° 588 • roman

Retour au lac des Saules - Susan Wiggs

A présent que sa fille a quitté la maison, Nina Romano s'apprête à réaliser son rêve de toujours : racheter et rouvrir l'auberge du lac des Saules. Aussi est-elle furieuse d'apprendre que le domaine vient d'être vendu à Greg Bellamy, qu'adolescente elle aimait en secret. En secret, car Greg, le fils de riches propriétaires de la région, était d'un autre monde que le sien. Inaccessible et hautain, il l'avait fait souffrir, et à présent, de retour après un divorce mouvementé, il parvenait encore à lui voler sa part de bonheur…

Pourtant, quand il lui propose de s'associer avec lui, Nina hésite, déchirée entre sa méfiance envers ce rival déloyal, et son attirance pour un Greg encore plus séduisant qu'autrefois…

Best-Sellers n° 589 • roman

Le parfum du thé glacé - Emilie Richards

Alors qu'une tempête menace les rivages coralliens de la presqu'île de Happiness Key, cinq femmes vont mettre à l'épreuve leur amitié et, en chemin, découvrir l'amour.

La vie amoureuse de Tracy Deloche, ancienne jet-setteuse, traverse une sérieuse zone de turbulences… Mais heureusement pour elle, elle a le soutien complice de quatre de ses amies, qui louent les petits pavillons qu'elle possède en bord de mer. Il y a la pétulante Wanda, toujours prête à rire, qui régale tout le monde de ses pâtisseries décadentes. Mais aussi Janya, la jeune et superbe Indienne qui, malgré un mariage arrangé compliqué, rêve de devenir mère. Ainsi qu'Alice, la courageuse Alice, qui élève seule sa petite-fille bientôt adolescente. Sans oublier Maggie, l'ex-policière et discrète fille de Wanda, dont la vie sentimentale chaotique n'a rien à envier à celle de Tracy.

Et tandis qu'histoires d'amour et de famille s'enchevêtrent avec tumulte, une tempête tropicale se prépare, rabattant en rafales secrets et surprises vers les rives de Happiness Key. Pour les cinq amies, c'est l'occasion de découvrir qu'elles ont plus que jamais besoin les unes des autres…

BestSellers

Best-Sellers n°590 • roman

Coup de foudre à Icicle Falls - Sheila Roberts

Avec consternation, Samantha découvre que la chocolaterie familiale, installée à Icicle Falls depuis des générations, est au bord de la faillite : la gestion fantaisiste et les dépenses mirobolantes du précédent directeur ont eu raison des finances de l'entreprise à laquelle elle est passionnément attachée. Pour l'aider à redresser la situation, Samantha ne peut guère compter sur ses deux sœurs, certes aimantes mais totalement incompétentes en la matière, ni sur sa mère, incapable d'accepter la réalité. Aussi n'a-t-elle qu'un seul espoir : convaincre le directeur de la banque de la soutenir. Sauf que le directeur en question, Blake Preston, est un arrogant play-boy totalement insensible. Et bien trop beau pour se donner la peine d'aider une jeune femme comme elle…

Best-Sellers n°591 • historique

Les secrets d'une lady - Nicola Cornick

Londres, novembre 1814.

Lady Merryn Fenner mène une double vie. Aux yeux de tous, elle est une lady comme les autres, une femme délicate et raffinée qui fréquente les salons et les salles de bal. Qui pourrait croire que sous ses dehors fragiles se cache une femme bien différente qui ne craint pas de travailler en sous-main pour le détective Tom Bradshaw, un homme au passé louche ? Ce travail, elle ne l'a accepté que pour une seule raison : trouver les preuves qu'elle cherche. Douze ans plus tôt, en effet, son frère a été tué en duel par Garrick Farne, un homme qu'elle aimait en secret. Or, elle a aujourd'hui toutes les raisons de croire qu'il s'agissait en réalité d'un assassinat. Un crime qu'elle veut absolument voir puni.

Best-Sellers n°592 • historique

Le clan des MacGregor - Nora Roberts

Glenroe, Ecosse, 1745.

Dix ans se sont écoulés depuis que, par une nuit glacée, Serena a vu les soldats anglais faire irruption dans le fief des MacGregor à la recherche de Ian MacGregor, son père, injustement accusé de meurtre. Dix ans qui n'ont rien effacé de la terreur qu'elle a éprouvée alors, et de l'horrible humiliation subie par Fiona, sa mère, violée par un officier lâche et cruel. Lors de cette nuit tragique, Serena est devenue une autre : la petite fille douce et innocente qu'elle était a brusquement connu la haine et la soif de vengeance, et s'est juré de ne jamais pardonner…

Depuis dix ans, pas un Anglais n'a franchi le seuil du manoir familial. Aussi est-ce avec une hostilité farouche que, sur ordre de son père, Serena accueille Brigham Langston, le fier et impétueux comte d'Ashburn, à qui son frère aîné doit la vie. Un aristocrate anglais qu'elle considère comme son pire ennemi, mais qui va la contraindre à un impossible choix…

www.harlequin.fr

OFFRE DE BIENVENUE

2 romans Passions et 2 cadeaux surprise !

Vous êtes fan de la collection Passions ? Pour prolonger le plaisir, recevez gratuitement **2 romans Passions** (réunis en 1 volume) **et 2 cadeaux surprise !**

Une fois votre colis de bienvenue reçu, si vous souhaitez continuer à recevoir nos romans Passions, cela se fera automatiquement. Vous recevrez alors chaque mois 3 volumes doubles inédits de cette collection au prix avantageux de 6,84€ le volume (au lieu de 7,20€) auxquels viendront s'ajouter 2,95€* de participation aux frais d'envoi.

*5,00€ pour la Belgique

▶ **Vous n'avez aucune obligation d'achat et cette offre est sans engagement de durée !**

Les bonnes raisons de s'abonner :

◆ Aucun engagement de durée ni de minimum d'achat.

◆ Vos romans en avant-première.

◆ - 5% de réduction systématique sur vos romans.

◆ La livraison à domicile.

Et aussi des avantages exclusifs :

◆ Des cadeaux tout au long de l'année qui récompensent votre fidélité.

◆ Des réductions sur vos romans par le biais de nombreuses promotions.

◆ Des romans exclusivement réédités pour nos abonné(e)s notamment des sagas à succès.

◆ L'abonnement systématique à notre magazine d'actu ROMANCE.

◆ Des points cadeaux pouvant être échangés contre des livres ou des cadeaux.

Rejoignez-nous vite en complétant et en nous renvoyant le bulletin !

N° d'abonnée (si vous en avez un) ⊔⊔⊔⊔⊔⊔⊔⊔⊔⊔ | RZ3F09 RZ3FB1 |

Nom : .... Prénom : ....

Adresse : ....

CP : ⊔⊔⊔⊔⊔   Ville : ....

Pays : .... Téléphone : ⊔⊔⊔⊔⊔⊔⊔⊔⊔⊔

E-mail : ....

☐ Oui, je souhaite être tenue informée par e-mail de l'actualité des éditions Harlequin.

☐ Oui, je souhaite bénéficier par e-mail des offres promotionnelles des partenaires des éditions Harlequin.

Renvoyez cette page à : Service Lectrices Harlequin – BP 20008 – 59718 Lille Cedex 9 - France

Date limite : **31 décembre 2013**. Vous recevrez votre colis environ 20 jours après réception de ce bon. Offre soumise à acceptation et réservée aux personnes majeures, résidant en France métropolitaine et Belgique. Offre limitée à 2 collections par foyer. Prix susceptibles de modification en cours d'année. Conformément à la loi Informatique et libertés du 6 janvier 1978, vous disposez d'un droit d'accès et de rectification aux données personnelles vous concernant. Il vous suffit de nous écrire en nous indiquant vos nom, prénom et adresse à : Service Lectrices Harlequin - BP 20008 - 59718 LILLE Cedex 9. Harlequin® est une marque déposée du groupe Harlequin. Harlequin SA – 83/85, Bd Vincent Auriol – 75646 Paris cedex 13. SA au capital de 1 120 000€ - R.C. Paris. Siret 31867159100069/ APE5811Z

éditions **HARLEQUIN**

www.harlequin.fr

Lecture
en ligne
gratuite

Des romans à lire gratuitement sur notre site.
Découvrez, chaque lundi et chaque jeudi,
un nouveau chapitre sur

www.harlequin.fr